# 0～6岁宝宝食谱必备全书

艾贝母婴研究中心 编著

中国人口出版社
China Population Publishing House
全国百佳出版单位

# 前言

每一位爸爸妈妈都希望自己的宝宝聪明又健康，而宝宝聪明健康的一个重要前提是保证宝宝摄入充足、均衡、合理的营养。

0 ～ 6 岁的宝宝正处于身体发育和大脑发育的关键时期，因此，对于这个时期的宝宝而言，科学摄取均衡饮食、保证营养全面显得尤其重要。

本书结合 0 ～ 6 岁宝宝在各个时期的身体发育特点和营养需求，为宝宝量身定做每一阶段的营养食谱，从食物的形态、口感及营养搭配方面都适合宝宝的消化系统，且能够保证其生长发育所需。在食谱中除了讲解制作过程，还讲解其烹饪技巧、妈妈喂养经等内容。

本书第一部分，根据 0 ～ 1 岁宝宝的发育特点，分阶段介绍可添加辅食的种类，辅食的特点及添加方法，提供了近 120 道辅食食谱，且食材易得，制作简单。

第二部分，根据1 ～ 3岁宝宝的生理特点和营养需求，分类介绍了 150 多道菜肴、主食、汤羹粥、加餐小点心和饮品，方便父母有针对性地进行选择。

第三部分，根据宝宝一日三餐的不同饮食特点，针对 3 ～ 6 岁的宝宝，介绍了 180 多道早餐、午餐、晚餐及加餐食谱，供父母针对性地选择参考。当然，这种划分也并不是绝对的，父母在实际生活中可灵活选用。

第四部分，针对春夏秋冬的季节特点，介绍了不同季节的饮食调养重点和调养食谱，家长可自由选择，让宝宝一年四季都保持健康的身体。

第五部分，针对宝宝体质娇嫩、容易生病等特点，特别为爸爸妈妈提供了宝宝贫血、厌食、缺钙、缺锌等 19 种宝宝常见病的食疗方法，让宝宝不吃药、不打针，就能轻松缓解疾病和预防疾病。

附录中，简明介绍了让宝宝聪明健康的 19 种营养素的生理功能及补充方案。

本书条理清晰，针对性强，图文并茂，方便实用，家长可现学现用。相信，在本书的指导下，您定能轻松地制作出适合宝宝成长发育的“美味大餐”，帮助宝宝健康快乐地成长。

# 目录
CONTENTS

## PART 1

## 0～1岁："奶娃娃"的营养辅食

# PART 2

# 1～3岁："淘气包"的营养餐单

# PART 3

# 3～6岁："小大人"的营养盛宴

# PART 4

## 四季特殊食谱，精心呵护宝宝

# PART 5

# 宝宝常见病调养食谱

# 附 录

PART

1

# 0～1岁：

# “奶娃娃”的营养辅食

从刚出生只会吃奶的小娃娃，到1岁时以吃辅食为主、乳类为辅的小大孩儿，这一过程是个巨大的转变。爸爸妈妈要明确宝宝辅食添加的时间、原则及注意事项，以便为宝宝制作出适合其月龄的辅食，并及时给宝宝添加，让宝宝得到精心喂养，从而健康成长。

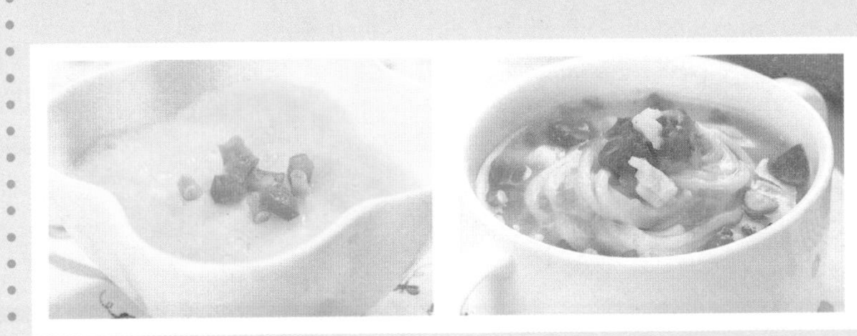

# 宝宝辅食何时添加才科学

辅食添加的时间一直以来有不同的说法，但每个宝宝的生长发育情况不一样，因此添加辅食的时间也不能一概而论，辅食添加并不是越早越好。另外，添加辅食前，妈妈要仔细观察宝宝吃辅食的种种信号。

## 辅食，第几个月添加

过去的观点认为，婴儿满4个月就应该添加辅食，因为4个月大的婴儿已能分泌一定量的淀粉酶，可以消化吸收淀粉。世界卫生组织（WHO）通过的新的婴儿喂养报告中提倡，前6个月纯母乳喂养，6个月以后在母乳喂养的基础上添加食物，母乳喂养最好坚持到1岁以上，以奶类为主，其他食物为辅，这也是把1岁内为宝宝添加的食物叫做辅食的原因。

目前我国卫生部门也提出建议，在婴儿进入第6个月后再添加辅助食物。但是具体到每个宝宝，该什么时候开始添加辅食，父母应视宝宝的健康及生长状况决定，辅食添加时间应按宝宝成长需要而非完全由年龄来决定。如果你觉得你的宝宝非常健康,可以在6个月之前添加，我们建议你先去咨询儿保医生，得到医生的许可再添加。

## 添加辅食前宝宝会给哪些信号

### 宝宝体重是否足够

是否给宝宝添加辅食还要考虑到宝宝的体重。增加辅食时宝宝体重需要达到出生时的2倍，至少达到6千克。如果你的宝宝体重达到了这样的增长标准，那么就可以考虑给宝宝做辅食添加的准备了。

### 宝宝是否具有想吃东西的行为

如别人在他旁边吃饭时他会感兴趣，他可能还会来抓你的勺子，抢筷子。如果宝宝将手或玩具往嘴里塞，说明他对吃饭有了兴趣。这时你就可以开始学习如何给宝宝做辅食了。

### 宝宝的发育是否成熟

当你的宝宝能控制头部和上半身，能够扶着或靠着坐，胸能挺起来，头能竖起来，宝宝可以通过转头、前倾、后仰等来表示想吃或不想吃，这样就不会发生强迫喂食的情况。

### 宝宝是否有吃不饱的表现

比如说宝宝原来能一夜睡到天亮，现在却经常半夜哭闹，或者睡眠时间越来越短；每天母乳喂养次数增加到8～10次或喂配方奶粉1000毫升，但宝宝仍处于饥饿状态，一会儿就哭，一会儿就想吃。当宝宝在6个月前后出现生长加速时，是开始添加辅食的最佳时机。

### 伸舌反射是否消退

很多父母都发现刚给宝宝喂辅食时，他常常把刚喂进嘴里的东西吐出来，认为是宝宝不爱吃。其实宝宝这种伸舌头的表现是一种本能的自我保护，称为"伸舌反射"，说明喂辅食还不到时候。伸舌反射一般到4个月后才会消失。

### 宝宝尝试吃东西的行为

如果当爸爸妈妈舀起食物放进宝宝嘴里时，他会尝试着舔进嘴里并咽下，显得很高兴、很好吃的样子，说明他对吃东西有兴趣，这时你就可以放心地给宝宝喂食了。如果宝宝将食物吐出，把头转开或推开你的手，说明宝宝不要吃也不想吃。你一定不能勉强，隔几天再试试吧。

## 辅食添加过早或过晚有什么危害吗

### 过晚

辅食添加太晚的风险在于：婴儿不能及时补充到足够的营养。比如，母乳中铁的含量是很少的，如果超过6个月不添加辅食，孩子就可能会患缺铁性贫血。国际上一般认为，添加辅食最晚不能超过8个月。另外，半岁左右婴儿进入味觉敏感期，及早添加辅食能让孩子接触多种质地或味道的食物，对日后避免偏食挑食有帮助。

### 过早

辅食添加太早易引起宝宝过敏、腹泻等问题。有调查显示，一些农村地区的婴儿在4个月或不到4个月就开始吃米糊，所以腹泻发生非常普遍，还有一些孩子出现了消化道感染。另外，辅食添加如果太早会使母乳吸收量相对减少，而母乳的营养是最好的，太早替代的结果是得不偿失的。

### 添加辅食有季节与气候的要求吗

在过去，梅雨季节食物容易腐烂变质，而且婴儿的体力也容易消耗，所以一般都避开这个时期。但是，紧跟着来到的夏季也容易使食物变质，婴儿的体力照样容易消耗。结果，就要拖到秋天婴儿才开始喂辅助食物，却很难顺利进行了。

现在生活水平高了，家家都有电冰箱，食物变质的现象就少多了。当然，过分相信电冰箱也不太好。只要给婴儿吃的食物新鲜些，做的时候注意卫生，只要不勉强，根据婴儿的具体情况进行的话，即使梅雨季节婴儿胃肠功能比春秋时稍差些，也照样可以喂辅助食物。

### 宝宝生病可以添加辅食吗

一定要避开宝宝生病的时候。如果遇到生病，最好适当推迟添加，以免引起宝宝消化功能紊乱。当病情较重时，原来已添加的辅食也要适当减少。

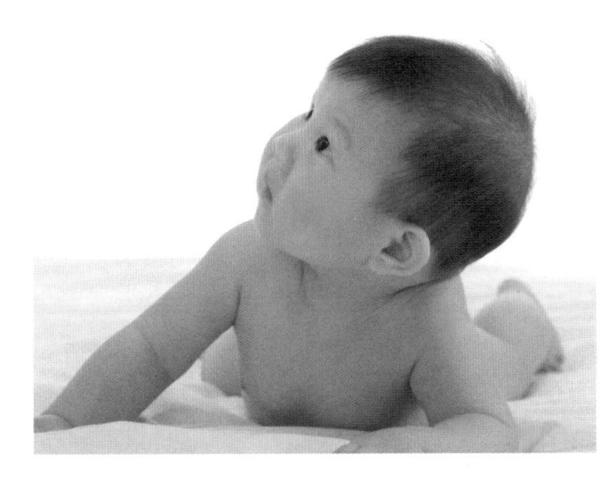

# 宝宝辅食制作与添加常用工具

## 制作工具

### ● 擦碎器

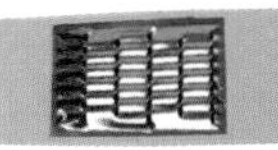

擦碎器是做丝、泥类食物必备的用具，有两种：一种可擦成颗粒状，一种可擦成丝状。每次使用后都要清洗干净晾干，食物细碎的残渣很容易藏在细缝里，要特别注意。

### ● 蒸锅

蒸熟或蒸软食物用，是辅食常用的烹饪手法。常用蒸锅就可以了，也可以使用小号蒸锅，省时节能。

### ● 过滤器

一般的过滤网或纱布（细棉布或医用纱布）即可，每次使用之前都要用开水浸泡一下，用完洗净晾干。

### ● 小汤锅

汆熟食物或煮汤用，也可用普通汤锅，但小汤锅省时省能。汤锅要带盖儿的。

### ● 铁汤匙

可以刮下质地较软的水果，如木瓜、哈密瓜、苹果等，也可在制作肝泥时使用。

### ● 磨泥器

将食物磨成泥，是辅食添加前期的必备工具，在使用前需将磨碎棒和器皿用开水浸泡一下。

### ● 榨汁机

可选购有特细过滤网、可分离部件清洗的。因为榨汁机是辅食前期的常用工具，如果清洗不干净，特别容易滋生细菌，所以在清洁方面要格外用心，最好在使用前后都进行清洗。

## 进食用具

### ● 婴儿餐椅

可以培养宝宝良好的进餐习惯，会走路以后吃饭也不用追着喂了。

● **匙**

需选用软头的婴儿专用匙，在宝宝要自己独立使用的时候，不会伤到他自己。

● **围嘴（罩衣）**

半岁以前只需防止宝宝弄脏自己胸前的衣服，半岁以后，随着宝宝活动的范围大大增加，就需准备带袖罩衣了。

● **餐具**

要选用底部带有吸盘的餐具，能够固定在餐桌上，以免在进食时被宝宝当玩具给扔了。

● **口水巾**

进食时随时需要擦拭宝宝的脸和手。

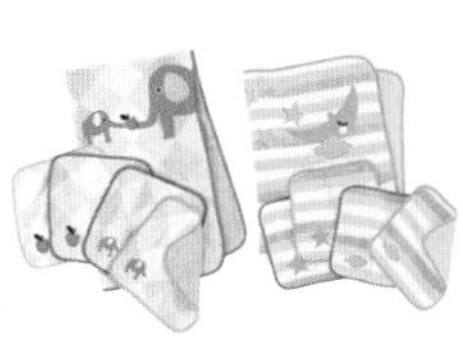

## 保鲜用品

如果时间充裕，还是建议妈妈只做一顿的量，现做现吃最健康。

● **保鲜盒**

做多了的辅食可以存在保鲜盒里冷藏起来，以备下一次食用。

● **储存盒**

宝宝外出玩耍时，带着的小点心或切成丁的水果可以放到储存盒里。如果带着的是水果，还要带几只牙签，最好用保鲜膜包起来。

● **冷藏专用袋**

最好是能封口的专用冷藏袋，做好的辅食分成小份，用保鲜膜包起来后放入袋中。

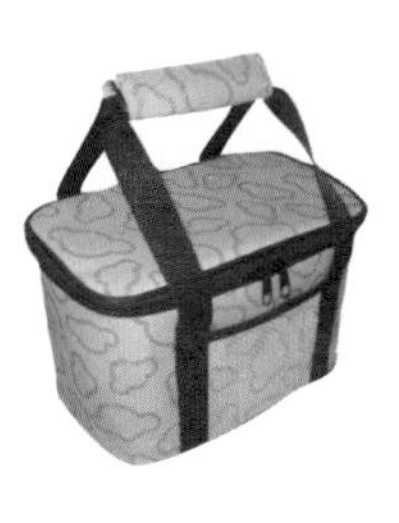

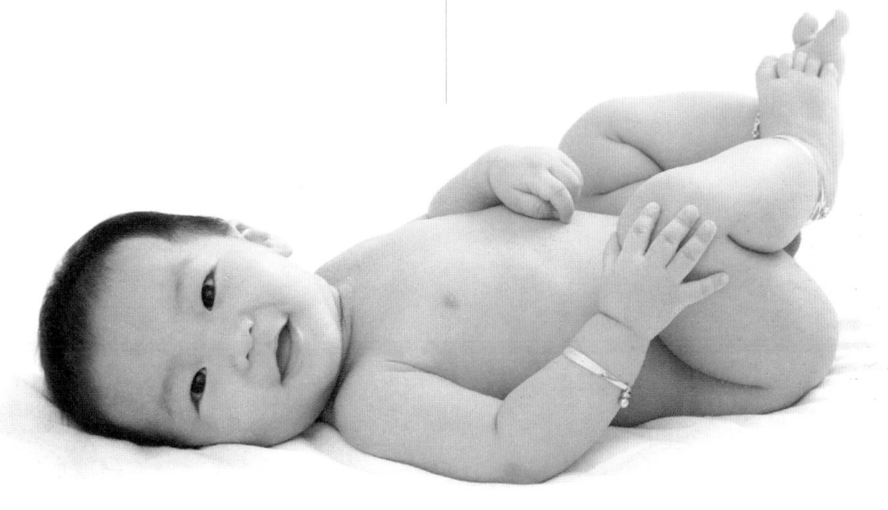

# 6个月：宝宝初探辅食味道

## 辅食初次添加要点

对于6个月以内的宝宝来说，主要营养需求还是通过吃奶来满足的，6个月以后的宝宝，要尝试给宝宝添加辅食。让宝宝逐渐熟悉各种食物的味道和感觉。锻炼宝宝吞咽和舌头前后移动食物的能力。

## 可添加的食物

泥糊状食物，如婴儿米粉、蔬菜泥、水果泥、蛋黄泥（有过敏家族史的宝宝要到6个月以后再喂蛋黄）等，也可以添加一些果汁、菜汁、米汤等汤汁类食物。

以前医生会建议在宝宝两三个月时就添加新鲜的果汁，因为当时配方奶粉并不普及，鲜牛奶中的维生素C含量很低，不能满足宝宝生长发育的需要，添加一些新鲜的果汁可以让宝宝多摄入一些维生素。但现在提倡至少到宝宝6个月再添加果汁，因为过早添加果汁容易造成宝宝过敏或消化不良，还会影响奶的摄入量。现在绝大多数宝宝都是吃母乳或配方奶，其中所含的各种维生素和矿物质完全能够满足其生长发育的需要，不需要再额外添加果汁。

## 具体的添加方法

### 奶和奶制品仍然是这一阶段宝宝的主要食品

6个月宝宝的胃肠道功能还不够完善，对辅食的消化、吸收能力还远远不如对奶类的消化能力强。如果辅食添加得过多，辅食中的营养宝宝吸收不了多少，而奶的摄入量又明显减少，宝宝的生长发育肯定会受影响。控制辅食的添加量和保证奶的摄入量才能保证宝宝有全面、充足的营养。每日饮奶量应保证在600～800毫升，但不要超过1000毫升。一般每日6次（可断夜间奶），每隔4小时1次；辅食1～2次。

### 选好第一次添加辅食的时间

第一次添加辅食的时间建议选择在上午11点左右，在宝宝饿了正准备吃奶之前给他调一些米粉，让他吃两勺，相应地把奶量减少3～4毫升。逐渐地，这顿辅食越加越多，奶

量越来越少，一般到七八个月以后这顿饭就可以完全被辅食替代了。有些妈妈喜欢在两顿奶之间给宝宝加辅食，隔两小时就加1次，妈妈很累不说，宝宝总是处于半饿半饱的状态，饥饿感不强吃起来自然不是很香，宝宝的消化系统也得不到休息。

### 用小勺喂辅食

要使用小勺而不是奶瓶喂辅食，可选择大小合适、质地较软的勺子，开始时只在勺子的前面装少许食物，轻轻地平伸，放到宝宝的舌尖上。不要让勺子进入宝宝口腔的后部或用勺子压住宝宝的舌头，否则会引起宝宝的反感。

### 循序渐进，增加种类

第一次添加1～2勺（每勺3～5毫升）。每日添加1次即可，宝宝消化吸收得好再逐渐加到2～3勺。观察3～7天，没有过敏反应，如呕吐、腹泻、皮疹等，再添加第二种。按照这样的速度，宝宝1个月也就可以添加4种辅食。但对于宝宝品尝味道来说已经足够了，妈妈千万不要太着急，这个阶段的宝宝还是要以奶为主。如果宝宝有过敏反应或吸收不好，应该立即停止添加的食物，等1周以后再试着添加。食欲好的宝宝或6个月的宝宝可一日添加两次辅食，分别安排在上午11点和下午起床后。

### 其他主要事项

❶ 食物要呈泥糊状、软滑、易咽，不要加盐，因为母乳或配方奶粉中的含钠量已能满足宝宝生长发育的需要。

❷ 家长可根据孩子的作息时间合理安排进食时间，如果孩子在睡觉不要打扰他，可等孩子睡醒再喂奶或吃辅食。

❸ 如宝宝不接受辅食，可在辅食中加一些奶，宝宝可能会更容易接受；如果宝宝一下子就爱上辅食，就要先喂完奶后再喂辅食，以免影响奶的摄入量。

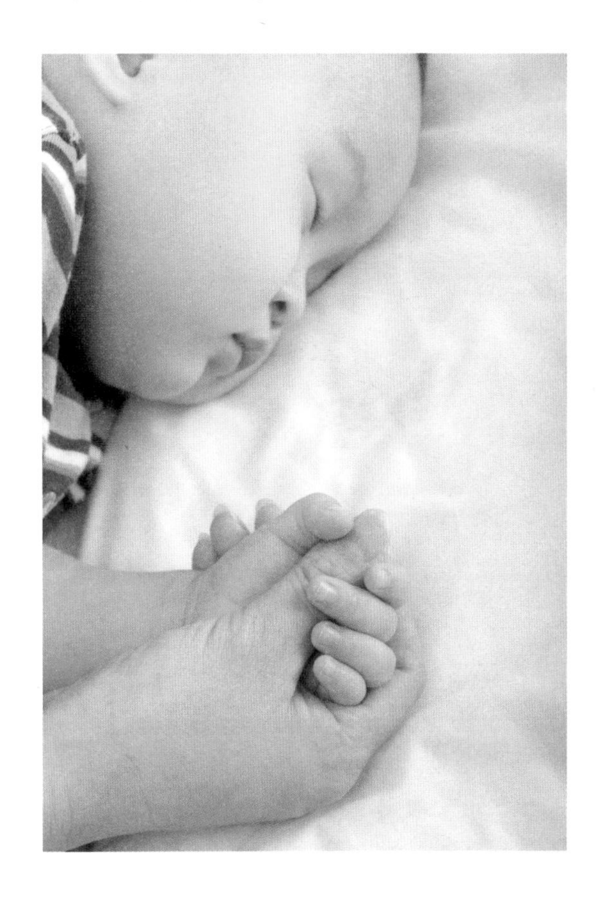

# 营养食谱推荐

## 菠菜水

**材料：**菠菜适量（也可以是芹菜、油菜、胡萝卜、番茄等蔬菜）。

**做法：**

1. 将菠菜洗净，然后用开水焯一下，捞出控水切碎。

2. 锅中放入与菠菜等量的清水烧开，放入碎菜，再次煮沸，盖锅，继续煮 2 ～ 3 分钟。

3. 用干净纱布或滤网将菜水滤出，放温，装到奶瓶里或杯子里喂食即可。

**妈妈喂养经：**

给宝宝吃的蔬菜最好是新鲜的，现买现做。而且一次不能吃完的，也不能留到下顿吃。

## 油菜水

**材料：**油菜叶 6 片。

**做法：**

1. 将油菜洗净，先用开水焯一下，捞出控水切碎。

2. 锅置火上，放入适量清水，煮沸，放入油菜叶，用中火煮 1 分钟后关火。

3. 待油菜水凉温后，过滤，倒入小碗中即可。

## 苹果水

**材料：**苹果适量（也可以是桃、葡萄、梨、草莓、西瓜等水果）。

**做法：**

1. 将苹果洗净，去皮，去核，切成小块。

2. 锅中放入与水果等量的清水烧开，放入切好的苹果块，再次煮沸，将锅盖盖上，继续煮 3 分钟左右。

3. 捞出水果小块，将水果水放温，装到奶瓶里或杯子里喂食即可。

## 菠菜汁

**材料：** 菠菜1棵（也可以用其他绿叶蔬菜制作）。

**做法一：**

1. 将菠菜洗净，放入开水中焯一下，捞出控水切碎，放入榨汁机里，加入与菠菜等量的清水榨成汁。

2. 将榨好的菠菜汁，放入锅中烧开后继续烧3分钟左右，滤除渣子，放温后即可喂食。

**做法二：**

1. 将菠菜洗净，放入开水中焯一下，捞出控水切碎，放入碗中上锅蒸熟，或放入开水中煮熟。

2. 将蒸熟或煮熟的菠菜，放入干净的碗中，用勺子研磨出菜汁。用纱布或滤网滤除菜渣，取菜汁，凉温即可喂食。

---

## 胡萝卜汁

**材料：** 胡萝卜半根。

**做法：**

1. 将胡萝卜洗净，放入开水中焯一下，捞出控水切成薄片，放在锅里，加少许水煮烂。将胡萝卜片捞出，剁烂，再次放入锅中继续煮至汁变浓。

2. 用纱布或滤网过滤，滤除胡萝卜渣，将剩下的胡萝卜汁放温即可喂食。

**妈妈喂养经：**

胡萝卜汁的味道可能有很多宝宝都不喜欢，这不奇怪，有很多成人也不喜欢胡萝卜汁。妈妈可以先尝试喂一下，如果宝宝接受就没有问题，如果不接受，可以过一段时间再尝试一下，也许宝宝就能比较愿意接受了。

---

## 梨汁

**材料：** 梨适量（也可以用苹果、橘子等水果）。

**做法：**

1. 将梨洗净，去皮，去核，切成小块儿，放入榨汁机里。

2. 将与水果等量的清水加入榨汁机里，榨成汁。

3. 用滤网或纱布滤去果渣，将果汁装入奶瓶或杯子中喂给宝宝即可。

## 大米汤

**材料：**大米少许。

**做法：**

将大米用清水淘洗两遍，加水煮成稍稠的粥，晾温后取津汤（米粥上的清液）30～40毫升，试喂之。

**妈妈喂养经：**

1. 大米汤具有补脾、和胃、清肺等功效。

2. 在宝宝适应了单一品种粮食煮的米汤后可以用两种以上粮食一起煮，以充分发挥氨基酸的互补作用。

## 南瓜泥

**材料：**新鲜南瓜一块儿（大小可以根据宝宝的饭量确定），米汤2勺。

**做法：**

1. 将南瓜洗净，削皮，去子，切成小块。

2. 放入小碗中，上锅蒸15分钟左右，或是在用电饭煲焖饭时，等水差不多干时把南瓜放在米饭上蒸，饭熟后等5～10分钟，再开盖取出南瓜。

3. 把蒸好的南瓜用小勺捣成泥，加入米汤，调匀即可。

## 红枣水

**材料：**红枣（干、鲜均可）10～20颗，清水适量。

**做法：**

1. 干红枣先在水中泡1个小时，涨发后洗净，捞入碗中。新鲜红枣洗干净直接放入碗中。

2. 蒸锅内放适量的水，把装红枣的碗放入蒸锅进行蒸制。看到蒸锅上冒汽后，等15～20分钟再出锅。

3. 把蒸出来的红枣水倒入小杯，兑上适量的温开水调匀。

**妈妈喂养经：**

1. 红枣含糖量高，喝的时候要多兑点水，并且不需要再放糖。

2. 枣水虽然能预防贫血，喝多了却容易上火。因此，一天一次就可以，一次不要超过50毫升。

## 土豆泥

**材料：**新鲜土豆1个。

**做法：**

1. 将选好的土豆削去皮，切成小块。

2. 放到锅里，加上适量的水煮至熟软，或放到小碗里，上锅蒸熟。

3. 取出土豆，放到一个小碗里，用小勺捣成泥即可。

**妈妈喂养经：**

土豆营养丰富，除了含有淀粉、蛋白质、脂肪和膳食纤维外，还含有丰富的钙、磷、铁、钾等矿物质和维生素C、维生素A及B族维生素等营养素，有"地下人参"的美誉。

---

## 小米汤

**材料：**小米少许。

**做法：**

将小米用清水淘洗两遍，加水煮成稍稠的粥，凉温后取津液（米粥上的清液）30 ~ 40毫升，试喂之。

**妈妈喂养经：**

小米熬粥营养价值丰富，有"代参汤"之美称。由于小米不须精制，保存了许多维生素和矿物质，小米中的维生素$B_1$含量是大米的几倍，具有防止消化不良及口角生疮的功能;小米中的矿物质含量也高于大米。

---

## 油菜泥

**材料：**新鲜油菜叶5片，米汤2大匙。

**做法：**

1. 将油菜洗净，放开水锅里煮两分钟左右，捞出控水切碎。

2. 取出油菜，用勺子将其研磨成菜泥。

3. 将油菜泥和米汤混合，放入小锅中，置火上，煮开，盛出凉凉即可。

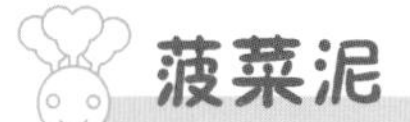

## 菠菜泥

**材料：**菠菜叶 6 片，玉米粉 1 小匙。

**做法：**

1. 将菠菜叶洗净，放入开水中焯一下，捞出控水切碎。

2. 将切碎的菠菜叶放入锅中，煮熟或蒸熟后，磨碎、过滤（去汁）。

3. 将菠菜泥放入锅中，加入少许水，边搅边煮，加入玉米粉及适量水，继续加热搅拌煮成黏稠状即可。

## 茄子泥

**材料：**嫩茄子半个。

**做法：**

1. 将茄子洗净，削去皮，切成 1 厘米左右的细条。

2. 放到一个小碗里，上锅蒸 15 分钟左右。

3. 把蒸好的茄子用小勺在干净的不锈钢滤网上挤成泥，即可。

**妈妈喂养经：**

茄子含有蛋白质、脂肪、糖类、维生素及钙、磷、铁等多种矿物质，特别是维生素 P 的含量很高。维生素 P 能保护心血管，有帮助宝宝防治坏血病的功效。

## 西瓜汁

**材料：**西瓜瓤 50 克。

**做法：**

1. 西瓜瓤去掉瓜子，放入碗内，用匙捣烂，用干净的纱布过滤，取汁。

2. 在过滤出的汁里加入适量温水调匀，即可。

**妈妈喂养经：**

西瓜汁富含丰富的维生素 C、葡萄糖、维生素 $B_1$，并含有多种氨基酸、磷、铁等成分。西瓜性凉，有清热利尿的作用，对发热的宝宝很有好处。喂宝宝西瓜汁的时候最好先用温开水稀释，以免伤害宝宝的胃，要注意控制喂养量，一次不要喂得太多。

## 香蕉泥

**材料：**香蕉1根。

**做法：**

1. 将香蕉去皮。
2. 用汤匙将果肉压成泥状即可。

**妈妈喂养经：**

香蕉能清热润肠，能够促进肠胃蠕动，对便秘的宝宝来说有不小的帮助。要选用熟透的香蕉，生香蕉含有较多的鞣酸，对消化道有收敛作用，摄入过多就会引起便秘或加重便秘病情。

---

## 苋菜汁

**材料：**苋菜80克。

**做法：**

1. 苋菜洗净，放入开水中焯一下，捞出控水切成细碎状。
2. 将苋菜放入沸水中，约3分钟熄火。
3. 待水稍凉后，将青菜汤滤出食用。

**妈妈喂养经：**

可以补充母乳、牛奶内维生素C之不足，增加抵抗力，促进生长发育，预防坏血病。

---

## 菜花泥

**材料：**菜花1小朵（20克左右），凉开水20克左右。

**做法：**

1. 将菜花洗净，放入开水中焯一下，捞出控水切碎，再放到锅里煮软。
2. 把煮好的菜花放到干净的碗里，用小勺挤成泥。
3. 加适量的凉开水调匀，即可。

**妈妈喂养经：**

菜花中含有丰富的维生素C、维生素K、胡萝卜素、硒等多种具有生物活性的物质，可以帮宝宝提高免疫力和抗病能力，预防感冒和坏血病的发生，特别适合由于从妈妈那里得到的抗体被消耗得很少、免疫力低下的宝宝食用。

## 枣泥

**材料：**红枣3～6颗（干、鲜均可）。

**做法：**

1. 先将干红枣用冷水泡1个小时，再清洗干净；鲜红枣直接洗干净备用。

2. 把洗好的红枣装到一个小碗里，上锅蒸熟。

3. 取出红枣，去掉皮、核，再用小勺捣成细泥即可。

**妈妈喂养经：**

一定把皮去净；不要让宝宝吃得太多，以免造成膳食不平衡，每次2～4勺比较合适。

## 蛋黄泥

**材料：**生鸡蛋1个（约40克），温水少许。

**做法：**

鸡蛋煮熟后立即剥掉蛋清，按哺喂量取蛋黄（第1次添加取1/8即可），加入少许温开水，碾成糊状，用小勺喂食。

**妈妈喂养经：**

1. 每100克蛋黄含蛋白质7克，脂肪15克，钙67毫克、磷266毫克、铁3.5毫克，蛋黄中还含有大量的胆碱、卵磷脂、胆固醇和丰富的维生素以及多种微量元素，这些营养素有助于增进神经系统的功能，所以蛋黄是很好的健脑益智食物。

2. 给宝宝添加鸡蛋时，一定要保证蛋黄煮至全熟。

## 黄瓜汁

**材料：**黄瓜1根。

**做法：**

1. 将黄瓜去皮，用擦菜板擦好。

2. 用干净纱布包住黄瓜丝挤出汁，兑入适量温水。

**妈妈喂养经：**

黄瓜含有丰富的维生素C、维生素$B_1$、维生素$B_2$和钙、磷、铁等矿物质，而且口味清香，宝宝接受起来也会很容易。

## 绿豆汤

**材料：**绿豆 50 克。

**做法：**

1. 把绿豆用流动水仔细冲洗干净。锅中放入适量水，把绿豆放入，水量以高过绿豆表面 3 厘米左右为宜。

2. 盖上锅盖，大火加热至沸腾后转小火，再煮制 8 ~ 10 分钟就可以了。

3. 只取汤汁部分，凉温后喂给宝宝。

**妈妈喂养经：**

绿豆含有丰富的蛋白质、淀粉、矿物质以及多种维生素。初次食用绿豆汤，先少量喂食，没有发生腹泻后，再逐渐加大分量。

## 米汤蛋黄浆

**材料：**米汤 2 汤匙，鸡蛋 1 个（约 40 克）。

**做法：**

1. 将鸡蛋煮熟，取半个蛋黄碾碎。

2. 将碎蛋黄放进米汤中充分搅拌成糊状即可。

**妈妈喂养经：**

蛋黄中含有大量卵磷脂及其他丰富的营养素，有助于宝宝大脑发育。

## 胡萝卜汁米粉

**材料：**米粉 30 克，胡萝卜 30 克。

**做法：**

1. 胡萝卜洗净，放入开水中焯一下，捞出切丁，再放入少许清水中烧开，转小火将胡萝卜煮软至汤汁变红，过滤出汁液。

2. 把胡萝卜汁稍微凉凉，用来冲调米粉，放到温热时给宝宝喂食。

**妈妈喂养经：**

刚开始给宝宝添加米粉时，可以将米粉冲得稀一点用奶瓶喂。不过最好在一两周内将米粉慢慢加稠，同时过渡到用勺喂，来培养宝宝的吞咽能力。

# 喂养难题专家解答

## Q 什么样的辅食适合最初给宝宝添加?

A 专家建议，宝宝 6 个月时是开始添加辅食的最佳时机，但是这个时候宝宝的咀嚼功能还不够完善，所以要从糊状的辅食开始添加；另外，宝宝体内存储的铁在此时已经消耗得差不多了，奶里（无论是母乳还是配方奶）的铁含量都比较少，所以最初的辅食最好选择含铁量比较高的食物，如强化了铁元素并添加了维生素 C 的婴儿米粉就是个不错的选择，因为维生素 C 可以促进铁的吸收，而强化铁能够帮助宝宝预防缺铁性贫血。

## Q 给宝宝添加辅食需要遵守些什么原则?

A 给宝宝添加辅食，一定要遵守“循序渐进”的原则，从一种到多种、从少到多、从稀到稠、从细到粗，慢慢地添加。

第一个原则，从一种到多种：一种食物至少要先给宝宝试吃 3 ~ 5 天，同时注意观察宝宝有没有什么过敏的症状。如果没问题，再给宝宝加第二种食物。

第二个原则，从少到多：一般情况下，第一次只给 1 小勺（10 毫升左右），第二天给 2 小勺，第 3 天给 3 小勺（30 毫升左右）。宝宝一次吃完 30 毫升的食物没有异常的表现，再逐渐加量。

第三个原则，从稀到稠：从汤水类食物到泥糊状食物，从流质到半流质食物，最后过渡到固体性的食物。

第四个原则，从细到粗：细指没有颗粒感的细腻食物，如米糊、菜水等；粗指有固定形状和体积的食物，如成形的面条、包子、饺子、碎菜等。

## Q 蛋黄为什么不适合作为最初的辅食给宝宝添加?

A 因为蛋黄的营养成分丰富，而且做成糊状后宝宝容易吞咽，所以，很多家长都会把蛋黄作为给宝宝添加的第一道辅食，但是，也有很多宝宝在吃了蛋黄后会有过敏反应。

蛋黄之所以会引起宝宝过敏，主要是因为鸡蛋中含有一种被称为“类卵黏蛋白”的成分，很容易导致宝宝过敏，此物质主要存在于蛋清中。当鸡蛋处于新鲜状态，蛋黄膜未被破坏之前，该物质并不能进入蛋黄内，但鸡蛋散黄或煮熟后，蛋黄膜功能已被破坏，而"类卵黏蛋白"并不凝固，它可从蛋清迅速向蛋黄中扩散。过多的"类卵黏蛋白"是诱发婴儿过敏反应的重要因素。从这个角度讲，蛋黄并不适合作为宝宝的第一道辅食。

## Q 怎样判断宝宝是否吃的够量？

A 宝宝每顿饭的胃口都会不一样，所以你没法根据一个严格的量来判断宝宝是不是吃饱了。如果宝宝身体向后靠在椅子上，把头从食物的方向转开，开始玩勺子，或者不愿意张嘴再吃一口，就说明宝宝很可能已经吃饱了。有时候宝宝不张嘴是因为上一口还没吃完，所以一定要给宝宝留下足够的时间吞咽。

## Q 市场上营养米粉种类很多，该怎样选择呢？

A 按常规，米粉是按照宝宝的月份来分阶段的：第 1 阶段是针对 4 ～ 6 个月婴儿的米粉，此阶段的米粉中添加和强化的是蔬菜和水果（有的也会添加一些蛋黄），而不是荤的食物，这样有利于小宝宝的消化；第二阶段是针对 6 个月以后婴儿的米粉，常常会添加一些鱼肉、肝泥、牛肉、猪肉等，营养更加丰富。妈妈选择米粉时可以按照宝宝的月份来选择。当然，除了注意月份，妈妈还可以根据自己宝宝的需要，挑选不同配方的米粉，如交替喂养胡萝卜配方和蛋黄配方的米粉等，以让宝宝吃得均衡、全面一些。

## Q 婴儿米粉应该吃多长时间？

A 米粉可以吃多长时间并没有具体规定。它属于泥糊状食物，是一种很好的过渡期食物，等宝宝的牙齿长出来，可以吃粥和面条时就可以不吃米粉了。

## Q 可以把米粉调到奶粉里面一起喂宝宝吗？

A 最好还是不要。因为婴儿配方奶粉有其专门的配方，最适合用白开水泡。如果加入其他东西，多多少少都会改变它的配方，降低其营养成分。吃一两次没什么，长期吃的话，宝宝摄入的营养就要打折扣了。把米粉调在奶粉里，宝宝只能通过吮吸的方式进食，不利于训练宝宝的吞咽功能，对日后的进食也会有影响。

## Q 给宝宝吃蛋黄时应注意哪些问题？

A ● 煮熟后立即与蛋清分开。因为前面说过，煮熟后如果蛋清蛋黄不立即分开，那么可能就会导致蛋清里的“类卵黏蛋白”进入蛋黄，引起宝宝过敏。因此煮熟后要立即将蛋黄和蛋清分开，不要等凉后再分开。

● 蛋黄不能放在配方奶里给宝宝吃。许多妈妈有将蛋黄用奶溶开喂宝宝的习惯，事实上，这样做是不利于肌体对蛋黄内铁的吸收的。因为无论是配方奶还是母乳，都已经按照最适合人体吸收的比例配比了各种营养素的含量，如果将含铁较高的食物与奶同食，反而会破坏奶中各种营养素的科学比例，从而影响铁的吸收。最好用温水将煮熟的蛋黄搅拌成糊状喂给宝宝吃。

## Q 怎样给宝宝添加蛋黄？

A 给宝宝初次添加蛋黄时，开始可以添加 1/4 个，兑适量温开水搅成稀糊状，然后喂食。如果担心过敏，开始可以再少加点，喂 1/8 个蛋黄，没有不良反应，再过渡到 1/4 个蛋黄，然后慢慢增量即可。

## Q 把几种蔬菜混合在一起做成菜泥好不好？

A 把几种蔬菜混合在一起虽然可以实现营养互补，却会使食物的味道变得很复杂，不利于宝宝细细品味每种食物的特有味道，培养起对食物的认知和兴趣。如果宝宝出现过敏，相对复杂的成分也会给父母寻找致敏原造成困难。所以，如果是刚开始添加辅食，最好一次只让宝宝吃一种菜泥，待宝宝熟悉了蔬菜的味道，又没有过敏反应后，再尝试把几种蔬菜混合到一起做菜泥。

## Q 蒸食物和微波炉加工哪种方式比较好？

A 蒸食物，食物在水蒸气的作用下慢慢变熟，食物大部分的营养元素能够得以保存，应该说是非常适合宝宝的一种烹饪方式。用微波炉制作食物虽然省时省力，却容易破坏食物中的营养（主要是维生素 C 和 B 族维生素），最好别用来给宝宝做辅食。将食物放在厚底锅里，密封好，用小火慢慢焖熟，能较好地保持食物的口味和营养，也是一种适合给宝宝做辅食的烹饪方式。

## Q 辅食自己做好还是买市售的好？

A 自己做的辅食和市售的辅食各有其优缺点。市售的婴儿辅食最大的优点是方便，即开即食，能为妈妈们节省大量的时间。同时，大多数市售婴儿辅食的生产受到严格的质量监控，其营养成分和卫生状况得到了保证。因此，如果没有时间为宝宝准备合适的食品，而且经济条件许可，不妨先用一些有质量保证的市售的婴儿辅食。但妈妈们必须了解的是，市售的婴儿辅食无法完全代替家庭自制的婴儿辅食。因为市售的婴儿辅食没有各家各户的特色风味，当宝宝度过断奶期后，还是要吃家庭自制的食物，适应家庭的口味。在这方面，家庭自制的婴儿辅食显然有着很大的优势。因此，自制还是购买婴儿辅食，应根据家庭情况选择。

## Q 宝宝厌奶怎么办？

A 厌奶期也是宝宝告知爸妈该添加辅食的时候，如果担心辅食过敏又碰上厌奶时可以先从低过敏食物如婴儿米粉开始添加，等到适应良好，再尝试其他低过敏食物。辅食的添加，以一次一样为原则，并从少量开始，采取渐进式方式进行，观察宝宝是否能适应，再慢慢地增加分量与种类。婴幼儿食品以天然食物去调制，切忌添加调味料，因为太咸的食物会增加宝宝肾脏负担，调味料的成分也可能造成过敏。

## Q 宝宝不肯吃勺里的东西怎么办？

A 首先不要着急。宝宝在吃辅食之前只是吃奶，已习惯了用嘴吸吮的进食方式，肯定对硬邦邦的勺子感到别扭，也不习惯用舌头接住成团的食品往喉咙里咽，拒绝接受是在所难免的。这时候只能有点耐心，通过让宝宝多接触，对用小勺吃东西适应起来。比如：在喂奶之前或大人们吃饭的时候，可以先用小勺给宝宝喂一些汤水。等宝宝对勺子感到习惯，并渐渐明白小勺里的东西也很好吃时，自然就会吃了。

## Q 宝宝吃下去的食物在大便的时候又原样排出，是消化不良吗？

A 实际上宝宝已经吸收了一些营养，只是把剩余部分排出来了，所以不一定是消化不良；还有可能是因为宝宝囫囵吞下食物的原因，所以应该给宝宝吃适合他口腔发育程度的软硬、大小适中的食物。

## Q 能不能用在外面买的瓶装鲜橘汁、椰子汁等果汁代替自己制作的果汁、菜水给宝宝喝呢?

A 不可以。因为目前市场上出售的饮料或多或少地都含有一些食品添加剂，不适合宝宝喝。另外，市场上的果汁饮料大多不是果子原汁，不能为宝宝补充多少维生素。因此，想给添加果汁、菜水的话，最好是自己动手制作，并且是现做现吃。

## Q 6个月大的宝宝能不能少量地喂一点冷藏过的水果或冰淇淋?

A 绝对不可以。6个月内的宝宝应该禁食冷饮。冷饮中含有香精、稳定剂、食用香料等化学物质。这时候宝宝的免疫系统还没有完全发育成熟，过早地接触这些化学物质会使宝宝的免疫系统早期致敏，为日后频繁地发生过敏反应埋下祸根。另外，冷饮温度太低，成年人吃了尚且对胃有刺激，宝宝的肠胃功能还很弱，自然受到的损伤更大。所以，宝宝在6个月内应该禁吃冷饮。除了冷饮，冷藏过的水果也不能吃，因为温度太低，对宝宝娇嫩的胃黏膜来说是个巨大的伤害。

## Q 有家族过敏史的宝宝辅食添加要注意什么?

A 有家族过敏史（父、母、兄、姐有气喘、过敏性鼻炎或结膜炎、异位性皮肤炎）的宝宝，可将辅食添加时间延缓到6个月，建议先从添加米粉开始。至于容易诱发过敏的食物，如甲谷类海鲜（虾、螃蟹）、坚果（花生、核桃）、柑橘、橙、芒果、猕猴桃、草莓、豌豆、花生及蛋白等，最好延到1岁以后再给宝宝吃了。

**特别提示**

豆腐营养丰富，口感柔软，很多妈妈认为这是辅食的最佳食物，其实不是。豆类中大都含有容易引起过敏反应的物质，最早也要在婴儿7个月以后才能食用，而且热一下食用会更安全。如果有过敏症的宝宝，最好在1岁后开始食用。

**较不易引发过敏的食材有**

蔬菜：土豆、胡萝卜、南瓜、青豆

水果：梨子、桃子、苹果

五谷：米糕、米粉、小米

## Q 如何防止宝宝食物过敏？

A 以下制品可能使宝宝的过敏症状加剧，或者成为促发宝宝发病的过敏原，父母一定要留意。不过这些食材也并非永远不能吃，1 岁半后宝宝的消化道及免疫系统发育得更加成熟，这些食物可以一次给宝宝吃 1 种，再观察宝宝的反应，确定宝宝没有任何不适后就能安心添加了。

（1）以米粉代替麦粉：麦粉中的成分较易引发过敏，所以4～6个月大的宝宝若要喂食辅食尽量以米粉代替麦粉。

（2）避免牛奶或蛋白类的食材：父母应避免使用牛奶或蛋白类的食材，如乳酪、蛋糕，而蛋黄制品则建议在宝宝6 个月后再添加。

（3）避免海鲜、鱼贝类的食材。

（4）避免花生、巧克力等食材。

**特别提示**

一般来说，最常引起过敏的食物是异性蛋白食物，如螃蟹、大虾、鱼类、动物内脏、鸡蛋（尤其是蛋清）等，有些宝宝对某些蔬菜也过敏，比如扁豆、毛豆、黄豆等豆类和蘑菇、木耳、竹笋等。

# 7～9个月：泥糊状、半固体辅食

## 辅食添加要点

7～9个月的宝宝进入了食物的质地敏感期，而且逐渐开始长牙，牙龈有痒痛的感觉，所以特别喜欢吃稍微有点颗粒、粗糙一点的辅食，应逐渐改变食物的质感和颗粒的大小，逐渐从泥糊状食物向半固体食物过渡，既可以缓解出牙的不适，又可以帮助出牙。

可以为宝宝添加一些比较硬的食物，锻炼他的舌头上下活动、用舌头或上腭碾碎食物的能力。

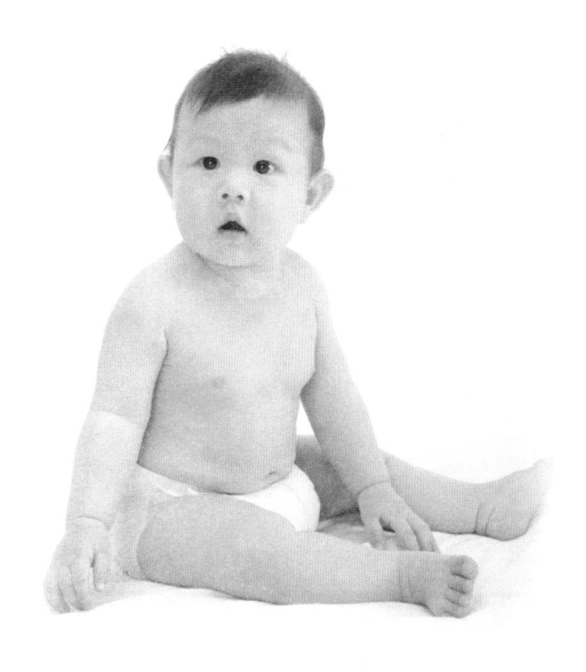

这一阶段的宝宝开始学习爬行了，活动量日益增大，热量需要大大增加，辅食添加显得越来越重要。应逐渐增加辅食的种类和数量，特别是要增加富含铁、锌、钾、钙、镁等矿物质的食物。

从8个月开始，宝宝便逐渐长出牙齿来了，维生素A、维生素D、维生素C是构成牙釉质、促进牙齿钙化、增强牙齿骨质密度的重要物质，蛋白质、钙、磷是牙齿的基础材料，在出牙期间，乳类、排骨汤、菜汁、果汁是不可缺少的辅助食物。

## 可添加的食物

7～9个宝宝能消化的食物种类日益增多，可以开始接受肉类食物了。辅食可添加粥、烂面、菜末、豆腐、肝泥、肉末、鱼、蛋、水果等。蛋类从最初的蛋黄泥逐渐转为蛋羹，到8个多月时可以吃煮鸡蛋或炒鸡蛋了，从碎末逐渐过渡到小块状，其他食物的质地也应该这样变化。

这个阶段特别要注意添加如下食物：

● 富含铁的食物，如鸭血、鸡血、鸭肝、猪肝等。

● 富含锌的食物，如鸭肝、猪肝等。

● 富含镁的食物，如紫菜；谷类如小米、玉米、荞麦面、高粱面、燕麦，豆类如黄豆、黑豆、蚕豆、豌豆、豇豆、豆腐，蔬菜如苋菜、蘑菇，水果如杨桃、桂圆等，都含有较多的镁。

● 富含磷的食物，如瘦猪肉、瘦牛肉、瘦羊肉、羊肝、猪肝、鸡蛋黄、鲤鱼、鲫鱼、虾米、虾皮、禽肉、全谷粉、大豆、花生米、核桃仁、西瓜子等，含钙丰富的食物一般含磷也较多。

● 富含钾的食物，如各种豆类、莲子、蘑菇、紫菜、山芋、土豆、菠菜、黑枣、木耳、鳗鱼、红枣、香蕉、柑橘等。

● 富含钙的食物，如虾皮、奶酪、荠菜、紫菜、木耳、豆腐、油菜、芝麻酱等。

## 具体的添加方法

（1）乳类及乳制品是婴儿阶段主要的营养来源，每日仍应保证摄入600～800毫升的乳制品，但不要超过1000毫升。每日可安排4次奶、1餐饭、1次点心和水果，辅食的量可以逐渐加至2/3碗（6～7匙）。

（2）改变食物的性状时要注意观察宝宝的大便，如果出现腹泻则说明宝宝对食物的性状不接受，出现了消化不良，应该停止添加新性状的食物。可以待宝宝大便情况正常后，少量添加一些新性状的食物，或者把食物做得再细软一些。

（3）这一阶段宝宝喜欢用手抓东西吃，应该鼓励宝宝自己动手吃，学吃是一个必经的过程。为宝宝准备一些可以用手抓着吃的食物，比如黄瓜条、长条饼干等。

（4）宝宝的食物中依然不宜加盐或糖及其他调味品，因为盐吃多了会使宝宝体内钠离子浓度增高，7～9个月的宝宝肾脏功能尚不成熟，不能排出过多的钠，吃盐过多会使肾脏负担加重；另一方面钠离子浓度高时会造成血液中钾的浓度降低，而持续低钾会导致心脏功能受损，所以这个时期宝宝应尽量避免使用任何调味品。

（5）要让宝宝养成在固定地点、固定时间吃饭的习惯，让宝宝慢慢形成吃饭的概念。

# 营养食谱推荐

## 鳕鱼苹果糊

**材料：**新鲜鳕鱼肉10克，苹果10克，婴儿营养米粉2大匙。

**做法：**

1. 将鳕鱼肉洗净，挑出鱼刺，去皮，煮烂制成鱼肉泥。

2. 苹果洗净，去皮，放到榨汁机中榨成汁（或直接用小匙刮出苹果泥）备用。

3. 锅置火上，加入适量水，放入鳕鱼泥和苹果泥，煮开，加入米粉，调匀即可。

## 鲜玉米糊

**材料：**新鲜玉米半个。

**做法：**

1. 用刀将洗干净的新鲜玉米的玉米粒削下来，放到搅拌机里绞成浆。

2. 用干净的纱布进行过滤，去掉渣。

3. 将过滤出来的玉米汁放到锅里，煮成糊糊，凉到合适温度即可喂食宝宝。

**妈妈喂养经：**

玉米含有钙、镁、硒、维生素A、维生素E、卵磷脂、氨基酸等30多种营养活性物质，能增强宝宝免疫力，促进大脑细胞的发育。

## 玉米汁

**材料：**新鲜玉米1个（约150克）。

**做法：**

1. 将玉米煮熟，放凉后把玉米粒掰到器皿里。

2. 按1∶1的比例，将玉米粒和温开水放到榨汁机里榨成汁，倒入碗内。

3. 用滤网滤掉玉米渣即可。

## 蛋黄土豆泥

**材料：**生鸡蛋1个，新土豆1/2个。

**做法：**

1. 将鸡蛋带壳煮熟，取出鸡蛋黄。

2. 土豆洗净、去皮，切成片，放到蒸锅里蒸熟，盛入碗中捣成泥。

3. 将鸡蛋黄与土豆泥混合，加入少许母乳或配方奶液调匀，用小勺喂食。

**妈妈喂养经：**

土豆中所含的膳食纤维，有促进肠胃蠕动的功效，可以辅助治疗宝宝便秘。

## 蛋黄羹

**材料：**鸡蛋1个，清水适量。

**做法：**

1. 将鸡蛋打入碗里，去掉蛋清，只留下蛋黄，加入等量的清水，用筷子搅成稀稀的蛋汁。

2. 把盛蛋黄的碗放到刚刚冒出热气的蒸锅里。

3. 用小火蒸10分钟即可。

**妈妈喂养经：**

一定要用小火蒸。大火猛蒸会使蛋羹表面起泡，失去应有的滑嫩。

## 核桃汁

**材料：**核桃仁100克，清水适量。

**做法：**

1. 将核桃仁100克放入温水中浸泡5～6分钟后，去皮。

2. 用多功能食品加工机磨碎成浆汁，用干净的纱布过滤，使核桃汁流入小盆内。

3. 把核桃汁倒入锅中，加适量清水（或者牛奶），烧沸即可。

**妈妈喂养经：**

核桃卓著的健脑效果已经被越来越多的人推崇。核桃中含有大量蛋白质和脂肪，且多不饱和脂肪酸的含量很高，极易被人体吸收。

## 鱼肉泥

**材料：** 鱼肉 50 克。

**做法：**

1. 将鱼肉洗净后放入沸水焯烫，剥去鱼皮。

2. 将鱼肉研碎，然后用干净的纱布包起来，挤去水分，备用。

3. 将鱼肉放入锅内，再加入适量沸水，大火熬 10 分钟至鱼肉软烂即可。

**妈妈喂养经：**

鱼肉中含有丰富的蛋白质、脂肪及钙、磷、锌等营养物质，口感细嫩，容易消化，很适合宝宝吃。也可以从红烧鱼上挑一些肉捣烂，喂给宝宝。但一定要挑干净鱼刺。

## 三色粥

**材料：** 白米粥 1/2 碗，鲑鱼肉 15 克，蛋黄半个（约 10 克），菠菜 40 克。

**做法：**

1. 菠菜叶洗净汆烫后剁成泥状；鲑鱼洗净煮熟压碎；蛋黄压碎。

2. 白米粥煮滚后放入鲑鱼肉泥、蛋黄泥、菠菜泥拌匀，再煮 1 分钟，即可。

**妈妈喂养经：**

鲑鱼具有促进宝宝的大脑、视网膜及神经系统发育的功效。

## 鲜红薯泥

**材料：** 红薯 50 克。

**做法：**

1. 将红薯洗净，去皮，煮熟。

2. 将蒸熟的红薯切小块，加点温开水，摁成泥捣烂即可。

**妈妈喂养经：**

制作时，要去净红薯皮，而且一定要把红薯煮透，否则红薯里的“气化酶”不经高温破坏，容易使宝宝产生腹胀感。此薯泥含有丰富的糖类及维生素 C 等多种维生素。

## 鸡肝泥

**材料：**鸡肝 20 克。

**做法：**

1. 把鸡肝放在清水中浸泡 2 ～ 3 个小时，再用流动水冲净，去除筋膜后切成小块。
2. 把鸡肝块放在蒸锅里，隔水蒸 15 分钟。
3. 把蒸好的鸡肝碾压成泥状即可。

**妈妈喂养经：**

肝脏是解毒的器官，制作之前一定要用清水浸泡，目的是为了把鸡肝内的血水泡出，如果血水过多，中途需要更换一次清水。

## 三文鱼泥

**材料：**三文鱼 30 克，香油适量。

**做法：**

1. 三文鱼洗净后去皮，放入碗内。
2. 上锅隔水蒸 7 分钟左右。
3. 取出鱼肉碾成泥，加少许香油即可。

**妈妈喂养经：**

此泥富含钙质和糖类、维生素 A、卵磷脂等营养素，是补充钙质的良好来源，同时还有健脑作用。

## 烂米粥

**材料：**大米 1 杯（约 30 克）。

**做法：**

1. 把大米洗净后，在水里浸泡 1 个小时。
2. 以 1 份大米兑 10 份水的比例，放入锅中用大火煮开。
3. 沸腾后转为小火，煮至米粒软烂。
4. 关火，盖上盖子闷 10 分钟左右。
5. 最后，用勺子背将米粒捣碎即可。

**妈妈喂养经：**

大米粥中含有蛋白质、糖类、微量元素等营养物质。

## 山药粥

**材料：**山药 1/2 根（约 100 克），大米或小米适量。

**做法：**

将山药洗净、去皮，切成小方块儿，与米类一起煮成粥后将山药块儿用勺碾碎即可。

**妈妈喂养经：**

1. 山药的营养价值非常高，含有大量淀粉及蛋白质、B族维生素、维生素 C、维生素 E、葡萄糖、粗蛋白氨基酸等，可促使机体 T 淋巴细胞增殖，增强免疫功能，延缓细胞衰老。

2. 新鲜山药切开时会有黏液，极易滑刀伤手。可以先用清水加少许醋洗，这样可减少黏液。

## 蛋黄粥

**材料：**大米 50 克，蛋黄 1 个。

**做法：**

1. 将大米淘洗干净，放入锅内，加入清水，用旺火煮开，转微火熬至黏稠。

2. 将蛋黄放入碗内，研碎后加入粥锅内，同煮几分钟即成。

**妈妈喂养经：**

此粥黏稠，有浓醇的米香味，富含宝宝发育所必需的铁质。

## 南瓜粥

**材料：**米饭 2 大匙，南瓜 100 克。

**做法：**

1. 米饭用等量的水煮成黏稠状。

2. 南瓜切成 2 厘米见方的块状，去皮后熬软（或放入微波炉内加热）。

3. 用叉子等器具仔细搅拌成泥状。

4. 将南瓜泥放在粥碗里，一边搅拌一边喂食。

## 汤面

**材料：**龙须面 10 克，水 100 毫升，蔬菜泥少量。

**做法：**

1. 龙须面切成短小的段，倒入沸水中煮熟软，捞起备用。
2. 煮熟的面与水同时倒入小锅内捣烂，煮开。
3. 起锅后加入少量蔬菜泥。

## 乌龙蔬菜面

**材料：**净鱼肉 2 片，乌龙面 50 克，圆白菜末、番茄块各少许。

**做法：**

1. 将鱼片放入小锅内焯熟。
2. 加入圆白菜末、番茄块、乌龙面，用小火仔细熬烂。
3. 将煮好的鱼片仔细去掉鱼刺倒入磨臼内，仔细磨烂，放入乌龙面内即可。

**妈妈喂养经：**

乌龙面较其他面条粗、圆、滑，而且口感细腻，非常适合小宝宝食用。圆白菜富含叶酸，以及大量的维生素 C，能提高人体免疫力，预防感冒。配上鱼片和番茄同煮，营养价值更高。

## 红嘴绿鹦哥面

**材料：**番茄半个，菠菜叶 5 克，豆腐 1 小块，高汤 100 毫升，细面条 1 把。

**做法：**

1. 将西红柿洗净，用开水烫一下，去掉皮，切成碎末备用。将菠菜叶洗净，放到开水锅里焯两分钟，切成碎末备用。
2. 将豆腐用开水焯一下，切成小块，用小勺捣成泥。
3. 锅内加入高汤，倒入准备好的豆腐泥、西红柿和菠菜，烧开。
4. 稍煮 5 分钟，下入面条，煮至面条熟烂即可。

**妈妈喂养经：**

此面含有丰富的蛋白质、维生素、钙和铁，能为宝宝提供充足的营养。菠菜一定要先用水焯过，否则里面的草酸容易和豆腐里的钙结合生成草酸钙，不利于宝宝补充钙质，还容易形成结石。

## 南瓜蛋黄小米糊

**材料：**熟蛋黄1/2个，南瓜20克，小米30克。

**做法：**

1. 南瓜去皮切片蒸软，用勺子碾成南瓜泥备用。

2. 在蒸南瓜的同时，熬好小米粥（注意要稀一些），将熟蛋黄碾碎放入小米粥搅拌均匀。

3. 将南瓜泥放入小米粥中拌匀，开锅后即可。

**妈妈喂养经：**

南瓜内含有丰富的果胶，能吸附和消除体内的细菌毒素和其他有害物质，对因为感染了细菌和病毒而出现腹泻的宝宝很有好处。另外，南瓜里的一些成分还可以促进胆汁分泌，加快胃肠蠕动，对消化不良的宝宝也有很大的帮助。

## 黄金豆腐

**材料：**胡萝卜60克，水100毫升，内酯豆腐1块（约120克）。

**做法：**

1. 将胡萝卜洗净、去皮，放入开水中焯一下，拿出切成小块。

2. 将水与胡萝卜放入果汁机中，搅打均匀。

3. 将打好的胡萝卜汁倒入锅内，以小火煮开，再熬煮5分钟后熄火。

4. 将内酯豆腐盛入容器中，淋上胡萝卜汤汁，搅拌后即可喂食。

## 藕粉牛奶羹

**材料：**藕粉100克，配方奶150毫升。

**做法：**

1. 将藕粉调入凉水中，倒入锅中小火熬煮，一边煮一边搅拌均匀。

2. 当藕粉羹变成透明色后，用小火熬煮1分钟左右，，熄火，放至温热后加入配方奶搅拌均匀。

**妈妈喂养经：**

加入配方奶后，熬煮时间不宜过久，以免配方奶的营养流失。

## 豌豆糊

**材料：**新鲜豌豆荚 50 克。

**做法：**

1. 把新鲜豌豆荚整个放在淡盐水中浸泡 30 分钟，然后择去老筋，把豌豆一粒一粒剥好备用。

2. 待锅中的水沸腾后，把剥好的豌豆倒入焯软，然后捞出沥水。

3. 用手把每颗豌豆表面的薄皮剥去后，放在小碗中碾成泥状即可。

**妈妈喂养经：**

豌豆富含蛋白质、维生素 $B_1$、维生素 $B_6$ 和胆碱、叶酸等，味道比大豆好，宝宝大多不会排斥，另外豌豆对腹泻有显著疗效。

## 鱼肉青菜米糊

**材料：**米粉 50 克，鱼肉、青菜各 20 克。

**做法：**

1. 将米粉加清水适量浸软，搅成糊；青菜、鱼肉分别洗净，剁成泥。

2. 锅置火上，倒入米粉，旺火烧沸约 8 分钟。

3. 放入青菜泥、鱼肉泥，续煮至鱼肉熟透即可。

## 鱼肉松粥

**材料：**大米 25 克，鱼肉松 15 克，菠菜 10 克，水 1 杯。

**做法：**

1. 将大米淘洗干净，放入锅内，倒入清水用大火煮开，转小火熬至黏稠待用。

2. 将菠菜用开水烫一下，切成碎末，放入粥内，加入鱼肉松，用小火熬几分钟即可。

**妈妈喂养经：**

菠菜中含有大量的抗氧化剂如维生素 E 和硒元素，能激活大脑功能，与营养丰富的鱼肉松搭配，可益智补脑，提高记忆力。

## 鱼肉蛋花粥

**材料：**米饭半碗，鱼肉 10 克，鸡蛋 1 个。

**做法：**

1. 将米饭与水放入小锅煮至烂。
2. 将鱼肉洗净，鱼刺除干净。
3. 将鱼肉放入锅中，小煮一下，取蛋黄半个打散淋在粥上，搅拌至熟即可。

**妈妈喂养经：**

鱼肉中含有多种不饱和脂肪酸和丰富的蛋白质，对宝宝的成长非常有好处。

## 翠绿粥

**材料：**菠菜 20 克，鸡蛋 1 个，米饭 100 克。

**做法：**

1. 将菠菜洗净，放入开水中焯一下，捞出控水切成小段，放入锅中，加少量水熬煮成糊状。
2. 取出煮好的菠菜，以汤匙压碎成泥状。
3. 将鸡蛋置于水中煮熟，取蛋黄，以汤匙压碎成泥状。
4. 米饭加水熬成稀饭，然后将菠菜泥与蛋黄泥拌入即可。

## 鸡肉土豆泥

**材料：**土豆 1 小块（50 克左右），鸡胸肉 30 克，鸡汤 50 克，配方奶 20 毫升。

**做法：**

1. 将鸡胸肉洗净，剁成肉末备用；土豆洗净，去皮后切成小块，煮至熟软后用小勺压成泥。
2. 锅内加入鸡汤，加入土豆泥、鸡肉末煮至鸡肉半熟。
3. 倒到一个稍大一点的碗里，用勺子把鸡肉研碎，再倒回锅内煮至黏稠后熄火。
4. 将土豆泥放至温热，加入配方奶拌匀，即可。

**妈妈喂养经：**

土豆含有丰富的钾和镁，鸡肉含有丰富的蛋白质、维生素、尼克酸、铁、钙、磷、钠、钾等营养素，能为宝宝提供比较全面的营养，促进宝宝的生长发育。

## 小米胡萝卜泥

**材料：** 小米50克，胡萝卜1根（约50克），水400毫升。

**做法：**

1. 将小米淘洗干净，放入小锅中熬成粥。取上层小米汤，凉凉，备用。
2. 胡萝卜去皮洗净，上锅蒸熟后，捣成泥状，备用。
3. 将小米汤和胡萝卜泥混合搅拌均匀成糊状，即可。

**妈妈喂养经：**

此粥可以辅助治疗腹泻，婴幼儿至年长儿均可服用。

## 蛋黄白玉豆腐泥

**材料：** 豆腐1/3块，油菜叶5克，熟鸡蛋1个。

**做法：**

1. 豆腐改刀切成小块，在热水中煮5分钟后用漏勺盛出放于碗中，用勺子碾碎；油菜叶洗净，在热水中汆熟，切碎后放在碗内搅拌均匀。
2. 把豆腐青菜泥放入容器中，隔水蒸5分钟。
3. 熟鸡蛋只取蛋黄并碾碎，撒在青菜豆腐泥表面，搅拌凉凉后即可喂食宝宝。

## 牛肉汤米糊

**材料：** 牛肉2小块，婴儿米粉适量。

**做法：**

1. 将牛肉洗净，切片。
2. 锅置火上，加入适量清水，放入牛肉，熬制1小时。
3. 将牛肉滤出，留下肉汤，等肉汤稍凉后加入婴儿米粉中搅拌均匀即可。

**妈妈喂养经：**

补充蛋白质、肽类和氨基酸，给小宝宝吃非常有营养。给宝宝冲婴儿米粉时，可经常加入一些鱼汤、肉汤之类的，会更有营养。

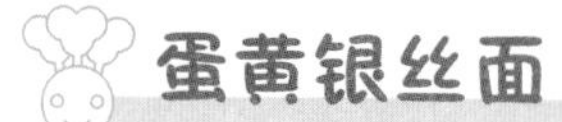

## 蛋黄银丝面

**材料：**银丝面30克，小白菜10克，熟蛋黄1/2个。

**做法：**

1. 小白菜洗净，入沸水焯熟切成末。蛋黄碾成末。

2. 面条入沸水锅中煮成软烂状，捞出用勺摁成长短适中的小段，加少许面汤与小白菜、蛋黄末拌匀即可。

**妈妈喂养经：**

煮面简便省时的方法就是在水沸时，将干面条掰成小段入锅煮。

## 猪血菜肉粥

**材料：**米粉30克，猪血20克，瘦猪肉20克，油菜叶5克。

**做法：**

1. 瘦猪肉洗净，用刀剁成极细的蓉；猪血洗净，切成碎末备用；油菜洗干净，放入开水锅里焯烫一下，捞出来剁成碎末。

2. 将米粉用温开水调成糊状，倒入肉末、猪血、油菜末搅拌均匀。

3. 把所有材料一起倒入锅里，再加入少量的清水，边煮边搅拌，用大火煮10分钟左右，即可。

## 红薯稀粥

**材料：**大米30克，红薯50克。

**做法：**

1. 把红薯洗净后，削去外皮切成小块，放在蒸锅上隔水蒸至软烂，并碾压成泥状。

2. 大米洗净后兑入适量清水，煮成比较稀的粥。

3. 把红薯泥倒入大米粥中，搅拌均匀即可。

**妈妈喂养经：**

也可以把红薯洗净去皮切成小块，同大米一起煮成稀粥，吃的时候用勺子把红薯碾烂即可。

## 青菜粥

**材料：**大米 50 克，青菜 40 克（菠菜、油菜、白菜等的菜叶），清水 400 毫升。

**做法：**

1. 将青菜洗净，放入开水锅内煮软，切碎备用。

2. 将大米洗净，用水泡 1 小时，放入锅内，煮 40 分钟左右，停火前加入切碎的青菜，再煮 10 分钟即成。

## 胡萝卜鱼粥

**材料：**胡萝卜 30 克，小鱼干 1 大匙，白粥 1 碗。

**做法：**

1. 胡萝卜洗净去皮，切末，小鱼干泡水洗净，沥干备用。

2. 将胡萝卜、小鱼干分别煮软、捞出、沥干，在锅中倒入白粥，加入小鱼干搅匀，最后加入胡萝卜末煮滚即可。

**妈妈喂养经：**

小鱼干钙、铁的含量非常丰富，对巩固宝宝的骨骼及牙齿健康发育有奇效。搭配胡萝卜熬成的粥，更有保护眼睛、预防近视的功效。

## 薯泥鱼肉糕

**材料：**土豆（马铃薯）20 克，鳕鱼 10 克。

**做法：**

1. 土豆削去外皮，清洗干净，切成大块，放入蒸锅中大火蒸至熟软。

2. 鳕鱼清洗干净，放入小煮锅中，加入适量冷水（水量以没过鱼肉 1 厘米即可），大火煮熟，捞出。

3. 将蒸熟的土豆和煮熟的鱼肉放入碗中，用勺背均匀地压碎成泥。

4. 取 2 茶匙（10 毫升）煮鳕鱼的鱼汤倒入土豆、鳕鱼泥中，用勺子轻轻地搅拌均匀成黏稠状即可。

## 西红柿拌蛋

**材料：**蛋黄半个，西红柿 1 个。

**做法：**

1. 将鸡蛋煮熟后取出蛋黄半个，磨成泥。

2. 西红柿洗净，氽烫，去皮，捣成泥，加入蛋黄泥中调匀即可。

**妈妈喂养经：**

鸡蛋中含有的 ARA 对宝宝大脑发育极为有益，能健脑益智。吃的时候可加点白糖，使口味酸酸甜甜，一定会让宝宝大饱口福。

## 番茄豆腐鸡蛋汤

**材料：**番茄 30 克，嫩豆腐 10 克，鸡蛋 1 个。

**做法：**

1. 将番茄放在沸腾的水中烫一下，剥除表层外皮。

2. 把去皮的番茄和嫩豆腐切成小碎丁；鸡蛋只取蛋黄，沿一个方向搅拌打散。

3. 锅中倒入清水，煮开后把番茄丁和豆腐丁倒入锅中，煮 5 分钟，倒入蛋液后关火。

**妈妈喂养经：**

豆腐的种类有很多，嫩豆腐的口感细滑，更利于宝宝咀嚼。

## 猪肝汤

**材料：**新鲜猪肝 30 克，土豆半个（50 克左右），嫩菠菜叶 10 克，高汤少许。

**做法：**

1. 将猪肝洗干净，去掉筋、膜，放在砧板上，用刀或边缘锋利的不锈钢汤匙按同一方向以均衡的力量刮出肝泥和肉泥。

2. 土豆洗净，去皮后切成小块，煮至熟软后用小勺压成泥。

3. 将菠菜放到开水锅中焯 2 ～ 3 分钟，捞出来沥干水分，剁成碎末。

4. 锅里加入高汤和适量清水，加入猪肝泥和土豆泥，用小火煮 15 分钟左右，待汤汁变稠，把菠菜叶均匀地撒在锅里，熄火，即可。

## 智慧粥

**材料：**燕麦片2大匙，香蕉1根，配方奶粉1大匙。

**做法：**

1. 在燕麦片中加入2碗开水，熬10分钟。
2. 把切成片的香蕉倒进去，充分搅拌后关火，盛入碗中。
3. 等粥凉到60℃左右，加入配方奶粉搅拌均匀即可。

**妈妈喂养经：**

含有丰富的蛋白质、糖类、钾、维生素A、维生素E和维生素C，能促进宝宝大脑发育。

---

## 太阳蛋

**材料：**鸡蛋1个，胡萝卜100克。

**做法：**

1. 鸡蛋在碗中打散，加入蛋液2倍量的凉开水调匀。胡萝卜去皮，切成碎末。
2. 将盛有蛋液的碗移入蒸锅中，大火蒸2分钟。
3. 将切好的胡萝卜碎按照太阳的形状铺在碗中的蛋面上，改中火继续蒸8分钟即可。

---

## 香蕉胡萝卜玉米羹

**材料：**香蕉1/3个（30克左右），玉米面100克，熟蛋黄1/2个，胡萝卜1/4个（30克左右）。

**做法：**

1. 将胡萝卜洗净，放入开水中焯一下，捞出切成小块，用榨汁机榨出胡萝卜汁；玉米面用凉开水调成稀糊备用。
2. 将熟蛋黄用小勺捣成蛋黄泥；香蕉剥去皮，切成小块，用小勺捣成泥。
3. 锅内加适量水烧开后，倒入玉米糊，改用小火煮，边煮边搅拌。
4. 闻到玉米香味时加入蛋黄泥和香蕉泥，倒入准备好的胡萝卜汁，再煮两分钟左右，熄火凉凉即可。

## 蛋黄豆腐

**材料：** 豆腐 50 克，油菜叶 1 片，熟蛋黄 1 个。

**做法：**

1. 将豆腐在水中焯烫后放入碗内，捣烂成泥；油菜叶焯烫后切碎，放入豆腐泥中，搅拌均匀捏成方块形。

2. 将熟蛋黄碾碎后，均匀地撒在豆腐的表面，中火蒸 10 分钟即成。

## 红豆泥

**材料：** 红豆 30 克，植物油少许。

**做法：**

1. 将红豆拣去杂质，用清水洗净。

2. 把红豆放到加了冷水的锅里，先用旺火烧开，再盖上盖，改用小火焖至熟烂。

3. 将炒锅架到火上烧干，加入植物油，倒入焖好的豆泥，改用小火翻炒均匀即可。

**妈妈喂养经：**

红小豆是一种高蛋白、低脂肪、高营养、多功能的小杂粮。

## 溶豆

**材料：** 酸奶 70 克，玉米淀粉 20 克，蛋清 2 只，细砂糖 10 克。

**做法：**

1. 将酸奶用滤网过滤一下，放冰箱冷冻 2 个小时，使其成为浓酸奶。

2. 将玉米淀粉加入酸奶中，翻拌均匀。

3. 蛋清先加入一半的砂糖打发，再加入另一半砂糖打至硬性发泡。

4. 酸奶加入蛋清中，翻拌均匀，然后装入裱花袋中，挤出圆豆形状即可。

5. 将烤盘和烤网同时放入烤箱中，100 度加热 55 分钟，直至溶豆微黄即可。

# 喂养难题专家解答

## Q 宝宝便秘应该吃什么辅食?

A 添加了辅食之后，有些之前有便秘现象的宝宝，便秘情况会有所减轻，但有些宝宝可能也没什么改观，有些以前没有便秘情况的宝宝可能会开始便秘，妈妈可以给宝宝多吃一些有助于通便的食物。

胡萝卜泥、胡萝卜水的通便效果很明显，妈妈可以适当多为宝宝准备些。香蕉、绿叶菜泥、葡萄、西瓜、梨、草莓等都有通便的作用，可以经常吃一些。另外，可以在菜泥里加些芝麻油润滑肠道，也可达到通便效果。

蜂蜜虽有通便作用，但不适宜1岁以内的宝宝用，容易引起过敏，所以不要随意给宝宝添加。一些通便的药物也不要随便使用，使用前最好咨询医生。

另外，可以给宝宝做腹部的按摩，刺激肠胃蠕动，并帮助大便排出。

## Q 孩子发热时如何饮食?

A 孩子发热期间，胃肠道的蠕动减慢，消化功能减弱，通常会变得没有食欲，父母最好给孩子吃一些比较清淡的流质和半流质食物，少让孩子吃高营养、高热量的食物，以免引起孩子反胃、呕吐和腹泻。

由于退热需要以出汗的形式散热，父母应当让孩子多喝水，为孩子补充因出汗而消耗的水分。牛奶米汤、小米粥、新鲜果汁、绿豆汤等食物既含有丰富的营养，又可以为孩子提供足够的热量和水分，都比较适合发热时的孩子。

## Q 为什么添加辅食后宝宝反而瘦了?

A 如果孩子添加辅食以后瘦了，家长可以从以下几个方面找原因，并采取相应的对策：

（1）奶量不够。由于辅食添加不当或者其他原因影响了宝宝正常的奶量，由此造成营养吸收不足。

（2）辅食添加不够。母乳喂养的宝宝没有及时添加辅食，造成发育所需的营养不足，缺铁、缺锌，能量不够，所以消瘦。

（3）6 个月以后，宝宝从母体带来的免疫力逐渐消失，宝宝的抵抗力变差，容易生病，影响了生长发育和食欲，所以宝宝瘦了。

（4）辅食添加未适应宝宝的消化能力，宝宝吃得不少，但排出的也多，当然生长减慢，变得消瘦了。

## Q 给宝宝吃水果的时候有什么需要注意的？

A 宝宝可以吃的水果种类很多。一般来说，只要是当季成熟的新鲜水果，像夏天的桃子、西瓜，秋天的苹果、梨、葡萄、山楂、香蕉等，都可以给宝宝吃。但需要注意的是，给宝宝吃水果的时候最好是选当季成熟的新鲜水果，随吃随买，反季水果或储存时间过长的水果营养成分都有比较多的流失，不适合给宝宝吃。另外，一些容易上火的水果，像龙眼、荔枝、橘子等，和杏、李子等容易伤脾胃的水果都不要给宝宝吃。吃水果的时间要安排在两餐之间。餐前吃水果占据宝宝的胃部空间，不利于乳汁或其他食物的正常摄入；餐后吃则容易使水果停留在胃里，引起胃胀气。

## Q 为什么宝宝吃蛋白会过敏?

**A** 宝宝吃蛋白容易过敏，是由于出生后的6个月内，宝宝的消化系统尚未发育完全，肠黏膜的保护屏障还没有形成，蛋白中的小分子蛋白质容易透过肠壁进入血液，使宝宝的机体对异体蛋白分子产生过敏反应的缘故。到8个月左右，宝宝的消化系统发育已经大大进步，对蛋白中的小分子蛋白质也开始有了抵抗能力，这时就可以开始给宝宝添加蛋白。因为蛋类的营养价值指的是全蛋的营养，单纯吃蛋黄或蛋白都不合理。实际上蛋白比蛋黄更容易消化，如果不出现过敏的话，不必要把它弃之不顾。一般来说，8个月的宝宝已经可以吃蒸全蛋，有时候也会出现例外。比如有的宝宝属于过敏性体质，就不能急于给宝宝吃蛋白，而是要先去调节宝宝的体质，等宝宝能适应的时候再给他吃蛋白。

## Q 孩子没长牙也要添加半固体食物吗?

**A** 无论现阶段孩子是否已出牙，都应该逐渐开始喂给半固体食物了，从稠粥、鸡蛋羹到各种肉泥、磨牙食品等都可以试着喂一喂。即使没长牙，不能嚼固体食物，但是婴儿也乐于用牙床咀嚼，很好地将食物咽下去。

一般多数孩子到这个时候都不那么爱吃很烂的粥或面条了，大人要留意，及时地将食物变得稍硬一点，控制好火候，帮助婴儿顺利过渡，如果这个时候婴儿表现出想吃米饭的意思，也可以把米饭蒸得熟烂些试着喂一点点给他。

## Q 需要制止宝宝"手抓饭"吗?

**A** 从六七个月开始，有些宝宝就已经开始自己伸手尝试抓饭吃了，许多妈妈都会竭力纠正这样"没规矩"的动作。实际上，只要将手洗干净，妈妈应该让1岁以内的宝宝用手抓食物来吃，这样有利于宝宝以后形成良好的进食习惯。

- **"亲手"接触食物才会熟悉食物**

宝宝学"吃饭"实质上也是一种兴趣的培养，这和看书、玩耍没有什么两样。起初的时候，他们往往都喜欢用手来拿食物、用手来抓食物，通过抚触、接触等初步熟悉食物。用手拿、用手抓，就可以掌握食物的形状和特性。从科学的角度而言，根本就没有宝宝不喜欢吃的食物，只是在于接触次数的频繁与否。而只有这样反复“亲手”接触，他们对食物才会越来越熟悉，将来就不太可能挑食。

### ● 自己动手吃饭有利于宝宝双手的发育

宝宝在自己吃饭时，可以训练双手的灵巧性，而且宝宝自己吃饭的行为过程，可以加速宝宝手臂肌肉的协调和平衡能力。

### ● “手抓饭”让宝宝对进食信心百倍

宝宝手抓食物的过程对他们来说就是一种娱乐，只要将手洗干净，妈妈们甚至应该允许1岁以内的宝宝“玩”食物，比如米糊、蔬菜、土豆等，以培养宝宝自己挑选、自己动手的愿望。这样做宝宝会对食物和进食更有兴趣，促进其良好的食欲。

## Q 宝宝食欲减退怎么办?

A 刚开始添加辅食时，宝宝可能吃得很好，但7～9个月时食欲会突然减退，甚至连母乳或配方奶也不想吃。这种情况的原因有：

现在宝宝体重增加的速度比前半年慢，食物需要量相对少一些；

陆续出牙引起不适；

对食物越来越挑剔；

宝宝自己开始有主见，所以要拒绝。

对这种情况，只要排除了疾病和偏食因素，就应该尊重宝宝的意见。食欲减退与厌食不同，可能是暂时的现象，不足为奇。妈妈过于紧张或强迫宝宝吃，会激化矛盾，使食欲减退现象持续更长时间。

## Q 让宝宝有好牙齿需注意什么?

A 一般宝宝在6～8个月时开始长出1～2颗门牙。宝宝长牙后，妈妈要注意以下几个方面，以使其拥有良好的牙齿及用牙习惯：

（1）及时添加有助于乳牙发育的辅食。宝宝长牙后，就应及时添加一些既能补充营养又能帮助乳牙发育的辅食，如饼干、烤馒头片等，以锻炼乳牙的咀嚼能力。

（2）要少吃甜食。因为甜食易被口腔中的乳酸杆菌分解，产生酸性物质，破坏牙釉质。

（3）纠正不良习惯。如果宝宝有吸吮手指、吸奶嘴等不良习惯，应及时纠正，以免造成牙位不正或前牙发育畸形。

（4）注意宝宝口腔卫生。从宝宝长牙开始，妈妈就应注意宝宝的口腔清洁，每次进食后可用干净湿纱布轻轻擦拭宝宝牙龈及牙齿。宝宝1周岁后，妈妈就应该教他练习漱口。刚开始漱口时宝宝容易将水咽下，可用凉开水。

## Q 应该为宝宝选择哪些磨牙食物？

**A** 6 ~ 7个月的宝宝，如果开始流口水、烦躁不安、喜欢咬坚硬的东西或总是啃手，说明宝宝开始长牙了，这时，妈妈需要给宝宝添加一些可供磨牙的食物了。

- **水果条、蔬菜条**

新鲜的苹果、黄瓜、胡萝卜或西芹切成手指粗细的小长条，清凉又脆甜，还能补充维生素，可谓宝宝磨牙的上品。

- **柔韧的条形地瓜干**

地瓜干是寻常可见的小食品，正好适合宝宝的小嘴巴咬，价格又便宜，是宝宝磨牙的优选食品之一。如果怕地瓜干太硬伤害宝宝的牙床，妈妈只要在米饭煮熟后，把地瓜干撒在米饭上焖一焖，地瓜干就会变得又香又软了。

- **磨牙饼干、手指饼干或其他长条饼干**

这些食品既可以满足宝宝咬的欲望，又可以让宝宝练习自己拿着东西吃，也是宝宝磨牙的好食品。需要注意的是，妈妈不要选择口味太重的饼干，以免破坏宝宝的味觉培养。

## Q 宝宝用牙床咀嚼食物妨碍长牙吗？

**A** 当宝宝还没有出牙时，有的妈妈给宝宝吃煮得过烂的食物，有的则将食物咀嚼后再喂给宝宝，这样既不卫生，又使宝宝失去了通过咀嚼享受食物色、香、味的美好感受，无法提高其食欲。其实，出生五至六月后，宝宝的颌骨与牙龈已发育到一定程度，足以咀嚼固体或软软的固体食物。乳牙萌出后咀嚼能力进一步增强，此时适当增加食物硬度，让其多咀嚼，反而可以促使牙齿萌出，使牙列整齐、牙齿坚固，有利于牙齿、颌骨的正常发育。

## Q 宝宝不爱喝水怎么办？

**A** 如果宝宝一时不接受白开水，可多给他吃一些多汁水的水果，如西瓜、梨、橘子等，也可以给他喝果汁（最好是自己用新鲜水果自制的）。另外，还可以在每顿饭中都为宝宝制作一份可口的汤水，多喝些汤也一样可以补充水分，而且还富含营养。如果宝宝拒绝喝水，一定不要过分强迫他，引起他对水的反感，以后就更难喂了。

## Q 宝宝喝什么样的水最健康?

A 最好是不带甜味的白开水。因为宝宝喝带甜味的水（饮料），时间一长宝宝就不愿吃母乳了，这对宝宝生长发育不利。尤其不要给宝宝喝各种人工配制的饮料，因为这些饮料有人工添加剂，多对宝宝胃肠道有刺激，轻则引起不适，妨碍消化，重则引起痉挛。另外，喝烧开后再冷却至室温的水最有利于健康。需要注意的是，凉开水暴露在空气中后，气体又会重新进入水中。因此，烧开后冷却4～6小时内的凉开水，是最理想的饮用水。长期贮存以及反复倾倒的凉开水会被细菌污染，所以每次煮的水不要太多。不要将凉开水反复烧开，否则水中的重金属浓缩，不利健康。

## Q 宝宝爱吃水果不爱吃蔬菜，能不能多吃点水果代替蔬菜呢?

A 不能。虽然水果和蔬菜里面都含有丰富的维生素，二者之间仍然存在着很大的差别，水果并不能代替蔬菜。蔬菜中（特别是绿叶蔬菜）中含有丰富的纤维素，能够促进肠蠕动，使大便通畅，预防便秘的发生。和蔬菜比起来，水果中无机盐和粗纤维的含量都比较少，不能给肠肌提供足够的“动力”，容易使宝宝有饱腹感，从而食欲下降。如果完全用水果代替蔬菜的话，很可能导致宝宝出现营养不良，营养身体的发育。

## Q 宝宝最近突然拒绝吃奶，是不是自己想断奶了?

A 一岁以下的宝宝有时候会出现没有任何明显理由突然拒绝吃奶的情况，通常被称为“罢奶”。这和宝宝的生长速度放慢，对营养物质的需求量减少，对奶的需求量本能地减少有关系。这个过程大概会持续一周，在医学上称为“生理性厌奶期”。这段时间过去后，随着运动量的增加，奶量又会恢复正常。这并不是“自我断奶”，所以不能贸然给宝宝断奶。一般来说，“自我断奶”是在宝宝已经吃了很多固体食物，身体已经适应通过母乳以外的食物摄取营养的情况下发生的。这种情况通常要到1周岁以上才会发生。

## Q 宝宝吃东西的时候不会嚼怎么办？

A 大多数宝宝到七八个月大的时候就开始长门牙了，如果辅食添加得正确，咀嚼动作应该进行得很熟练了。如果还不会嚼，多半是因为家长怕宝宝会噎着，一直采用捣烂、捣碎的办法制作辅食，让宝宝吃不必咀嚼就可以吞下去的食品，使宝宝的咀嚼能力得不到锻炼造成的。这时候就要改变以往的辅食添加方式，及时地给宝宝添加一些比较软的固体食物（如小片的馒头、面包、豆腐等）和比较稠的粥，锻炼一下宝宝的咀嚼能力。给宝宝添加的食物也不要弄得太碎，可以给宝宝做一些碎菜末、肉末等有些颗粒感的东西，而不是像以前一样全部都打成泥。另外，还可以给宝宝一些烤馒头片、面包干、饼干等有硬度的东西，给宝宝磨磨牙，同样能锻炼宝宝的咀嚼能力。

吃饭的时候，妈妈可以先给宝宝做做示范，再鼓励宝宝学着自己的样子嚼着吃，让宝宝的咀嚼能力得到尽可能多的锻炼。

## Q 宝宝一吃鱼肉或鱼肉米粉就会腹泻是什么原因？

A 这是宝宝对鱼肉中的蛋白过敏的缘故，暂时不要让吃宝宝吃鱼肉就是了。宝宝之所以会这样，根源还是在母亲身上。可能妈妈在怀孕和哺乳期间吃的植物油太少，使宝宝体内缺乏不饱和脂肪酸，导致宝宝的毛细血管比较脆弱，通透性也增加，使鱼肉中的蛋白质分子容易透过血管壁进入血液，引起蛋白质过敏。解决的办法也有，就是给宝宝添加含植物油较多的辅食，如芝麻、大豆、花生、葵花子等，仍在进行母乳喂养的妈妈也要多吃植物油，给宝宝补充够所需要的不饱和脂肪酸，就可以改善宝宝对鱼肉过敏的情况。

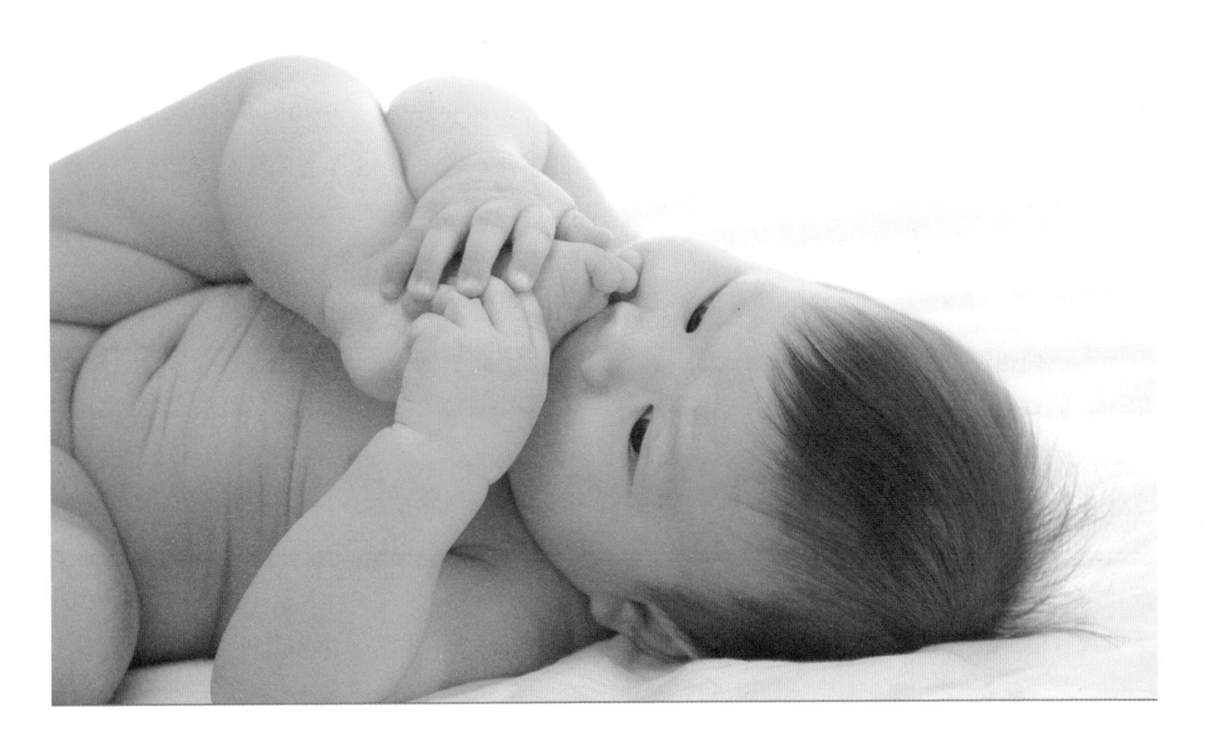

# 10～12个月：半固体到固体辅食

## 辅食添加要点

10个月的宝宝牙齿一般已经出了4～6颗，上边4颗切齿，下边两颗切齿，但也有发育正常的宝宝10个月才开始出牙的。这一阶段绝大多数宝宝会用牙床咀嚼食物，要创造条件让宝宝充分练习咀嚼。

此时宝宝已经进入断奶晚期，由出生时以乳类为主渐渐过渡到乳类和辅食并重的阶段。为宝宝选择一些能用牙床磨碎的食物，比如馒头片、面包片、小馄饨、水果沙拉、苹果片等，让他练习舌头左右活动，能用牙床咀嚼食物的能力，促进咀嚼肌的发育和牙齿的萌出以及颌骨的正常发育和塑形，提高胃肠道功能及消化酶的活性。

## 可添加的食物

● 从稠粥转为软饭，从烂面条转为馄饨、包子、饺子、馒头片，从肉粒、菜粒转为碎菜、碎肉、小块水果等。

● 可以适当增加食物的硬度，给宝宝一些可以用手抓着吃的食物。对过敏体质的宝宝而言，海鲜类的食物要谨慎添加，甲壳类食物（例如虾仁、螃蟹等）最好1岁以后再吃。

## 具体的添加方法

（1）一日饮食安排向三餐一点两顿奶转变，逐渐增加辅食的量，为断奶做准备，但每日饮奶量不应少于600毫升。

（2）宝宝的食物不可太碎，要让他学习咀嚼以利于语言的发育和吞咽功能、搅拌功能的完善，增强舌头的灵活性。

（3）宝宝已经可以和大人一起吃饭了，但宝宝的磨牙还没长出，不能吃大人吃的那种硬度的食物，水果类食物可以稍硬一些，但肉类、菜类、主食类还是应该软一些；而且要注意食物种类的搭配，以保证营养的均衡。

（4）10～12个月的宝宝活动能力增强，可自由活动的范围增加，有些宝宝不喜欢一直坐着不动，包括喂食物的时候也是如此。如果出现这样的情况，在喂食物前最好先把能够吸引宝宝的玩具等东西收好。当宝宝吃饭时出现扔汤匙的情况时，家长要表示出不喜欢宝宝这样做。如果宝宝仍重复扔就不要再给宝宝喂食物了，最好收拾起饭桌，千万不要到处追着给宝宝喂食物，以培养宝宝良好的饮食习惯。

（5）此时宝宝已有自己进食的基本能力，可以让宝宝使用婴儿餐具，学着自己吃饭。

# 营养食谱推荐

## 青菜面

**材料：**龙须面20根，高汤（鸡汤、骨头汤、蔬菜汤）1碗，青菜叶3片，香油各适量。

**做法：**

1. 龙须面掰碎（越碎越好），青菜叶洗干净，开水焯一下，捞出控水切碎。
2. 锅内放入高汤煮开，下入面条。
3. 中火将面条煮烂，加入青菜末。
4. 再次沸腾即可关火，盖锅盖闷5分钟。
5. 加入香油调味。

**妈妈喂养经：**

骨头汤、肉汤、鸡汤、鱼汤等统称高汤，富含锌、钙等全面的营养，易于宝宝吸收。没有高汤用水代替也可以。平时炖煮好的高汤可以分好小包放入冰箱，用的时候随时取用，很方便。

## 鸡蓉玉米拌面

**材料：**鸡胸肉25克，儿童挂面60克，玉米粒10克，黄瓜丝10克，番茄丝30克，黄彩椒丝10克。

**做法：**

1. 鸡胸肉先放在冷水中浸泡1～2个小时，然后放在锅中煮熟，再把煮好的鸡胸肉用手撕成细丝；玉米粒剁成碎末。
2. 锅中倒入少许油，待油六成热时，把玉米粒、黄瓜丝、番茄丝和黄彩椒丝一同放入锅中，翻炒均匀。
3. 将儿童挂面在开水中煮至软烂后捞出，然后与撕好的鸡胸肉或鸡肉碎，以及炒好的蔬菜拌匀即可。

**妈妈喂养经：**

进入了细嚼期，食物可以略微粗糙一些，妈妈在做饭的时候要适当缩短食物煮制的时间，以增加食物的硬度，来锻炼宝宝的咀嚼能力。

## 鸡蛋面片

**材料：**面粉100克，鸡蛋1个，菜汤、香油各适量。

**做法：**

1. 将面粉放在大碗内，打入鸡蛋，用鸡蛋液将面粉调制成面团，揉好。

2. 将揉好的鸡蛋面团擀成薄圆片，再用刀切成小碎片。

3. 锅置火上，放入适量清水，烧开，然后放入面片，煮烂后将面片捞入碗中，加入少量菜汤（菜汤要烧热）或加入几滴香油即可。

## 豆腐软饭

**材料：**大米150克，豆腐50克，青菜50克，炖肉汤（鱼汤、鸡汤、排骨汤均可）适量。

**做法：**

1. 将大米淘洗干净，放入小盆内加入清水，上笼蒸成软饭待用。 将青菜择洗干净，开水焯一下捞出切成末；豆腐放入开水中焯一下，切成末。

2. 将米饭放入锅内，加入肉汤一起煮，煮软后加豆腐、青菜末，稍煮即成。

## 虾肉泥

**材料：**虾肉50克，香油少许。

**做法：**

1. 将虾肉洗干净，放到碗里，加上少量的水，放到蒸锅里蒸熟。

2. 将虾肉捣碎，加入香油，搅拌均匀即可。

**妈妈喂养经：**

虾肉肉质松软，含有丰富的蛋白质、钙、磷、镁等营养物质，且其易消化，对宝宝来说是极好的补益食品。因部分宝宝对虾过敏，所以第一次吃虾还是要单独地少量给予，然后观察宝宝是否有过敏反应。如果没有，就可以放心地将鲜虾入馔，给宝宝更多的美味和营养。

## 鸡肉沙拉

**材料：**鸡肉 30 克，西蓝花 1 朵，熟鸡蛋半个，沙拉酱 1 小匙，番茄酱半小匙。

**做法：**

1. 将鸡肉、西蓝花分别煮熟，切碎；鸡蛋切碎。
2. 用沙拉酱和番茄酱配制调味酱。
3. 将材料加入调味酱拌匀即可。

**妈妈喂养经：**

鸡肉含有丰富的蛋白质、矿物质钙及有人体必需多种氨基酸。

## 芹菜小米粥

**材料：**小米 50 克，小香芹 40 克。

**做法：**

1. 将小米淘洗干净，放到锅里，加上适量的水煮粥。
2. 将芹菜择洗干净，放开水中焯一下，捞出控水切成碎末。
3. 待粥烧开时将芹菜末放进粥里，用小火熬 20 分钟，熄火凉凉，即可。

**妈妈喂养经：**

小米不要过分淘洗。如果淘米次数太多，或是淘米时用力搓洗，都会使小米里 B 族维生素随淘米水流失，降低小米的营养价值。

## 鸡肝西红柿粥

**材料：**鸡肝 20 克，小西红柿 20 克，小白菜少许，大米粥 30 克。

**做法：**

1. 鸡肝去膜去筋，洗净后剁碎成泥状备用。小西红柿用开水烫去外皮切成小丁，小白菜洗净焯熟切丝沥水。
2. 将五分稠的大米粥烧开，加入鸡肝泥小火煮开，放西红柿、小白菜煮软即可。

**妈妈喂养经：**

将西红柿与鸡肝一起食用，可以充分地给宝宝补充铁、维生素 C 等，防止缺铁性贫血和坏血病的发生。

## 碎菜猪肉松粥

**材料：**大米30克，小油菜10克，猪肉松5克，香油3～5滴。

**做法：**

1. 小油菜只取嫩嫩的菜心，择洗干净后放入沸水锅中煮熟煮软，并切成碎末备用。

2. 大米和水以1:5的比例煮成5倍稠粥，将小油菜末放入拌匀，滴入香油即可。

3. 吃的时候，在粥的表面撒上一层猪肉松，最好选用婴儿专用的肉松，这种肉松纤维很少，便于宝宝消化吸收。

## 山药鸡蓉粥

**材料：**山药30克，大米50克，鸡胸肉10克，清水适量。

**做法：**

1. 将大米淘洗干净，放到冷水里泡两个小时左右。

2. 将鸡胸肉洗净，剁成极细的蓉，放到锅里蒸熟。

3. 将山药去皮洗净，放入开水锅里汆烫一下，切成碎末备用。将大米和水一起倒入锅里，加入山药末，煮成稠粥。

**妈妈喂养经：**

山药含有钙、磷、糖、维生素及皂苷等，有健脾补肺、固肾、滋养强身的作用。对平时脾胃虚弱、免疫力低下的宝宝适用。

## 菠菜鸡肝面

**材料：**挂面适量（根据宝宝的食量），鸡肝50克，菠菜2棵（约80克），香菇、水发木耳各5克，高汤100克。

**做法：**

1. 把菠菜洗净，开水焯烫一下切碎，越碎越好；香菇、木耳也分别洗净，开水焯烫一下捞出切碎。

2. 鸡肝切碎，最好去掉表面的那层膜和里面的筋。

3. 烧开高汤，放入挂面，再把准备好的菠菜碎、鸡肝碎、香菇碎、木耳碎放到锅里煮，煮到面软软的就可以了。

**妈妈喂养经：**

菠菜富含磷、铁，是组成骨骼、牙齿的主要元素。鸡肝含有丰富的铁，是构成红细胞中血色素的成分。

## 肉豆腐丸子

**材料：**肉馅150克，豆腐50克，青菜20克，鸡蛋1个，淀粉、香油各适量。

**做法：**

1. 将搓碎的豆腐和肉馅以及鸡蛋、酱油、淀粉，加少许水搅成泥状；蔬菜择洗干净，放入开水中焯一下，捞出切成细丝。

2. 将豆腐肉泥挤成1.5厘米大小的丸子，摆入盘内。

3. 锅置火上，加适量清水，烧沸，放入丸子，再放入蔬菜丝，最后淋入香油即可。

## 鸡肉芹菜汤

**材料：**鸡肉30克，芹菜20克，鸡汤各适量。

**做法：**

1. 将鸡肉去膜去筋洗净，切成肉末。

2. 将芹菜去根去叶洗净，放入开水中焯一下，捞出切成碎末。

3. 将鸡肉末、芹菜末、鸡汤同放入锅中，大火烧沸，小火煮至黏稠状即可。

**妈妈喂养经：**

芹菜含有丰富的维生素A、B族维生素、维生素C等。维生素P具有降低毛细血管通透性，保护并增加血小管的抵抗力，有利于维生素C的吸收。

## 薏米绿豆南瓜汤

**材料：**绿豆20克，薏米20克，南瓜50克。

**做法：**

1. 南瓜洗净，去皮，切成各种形状的小块。

2. 锅中放适量清水，放入绿豆和薏米同煮。

3. 待绿豆酥软后，放入切好的南瓜块，再煮10分钟，至薏米、南瓜熟烂即可。

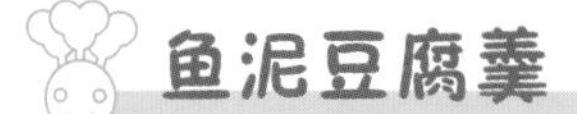

## 鱼泥豆腐羹

**材料：**鱼肉50克，豆腐1小块（约50克），淀粉、香油各少许。

**做法：**

1. 将鱼肉洗净，入蒸锅蒸熟后去骨刺，捣成鱼泥。

2. 锅置火上，放入适量清水，煮开后，放入切成小块的嫩豆腐，煮沸后加入鱼泥。

3. 加入少许淀粉、香油、葱花，勾芡成糊状即可。

**妈妈喂养经：**

鱼肉与豆制品含铁丰富，有助于增强宝宝的抵抗力，促进生长发育。给宝宝吃鱼肉时，鱼刺一定要去净。

## 鲜香豆腐脑

**材料：**内酯豆腐150克，鲜香菇1只，干木耳10克，水淀粉30毫升，油15毫升。

**做法：**

1. 将内酯豆腐用小勺盛入小碗中，放入蒸锅中蒸10分钟。

2. 干木耳用温水泡发后，洗净，切成碎末。鲜香菇清洗干净，去蒂，放开水中焯一下，同样切成碎末。

3. 中火加热锅中的油，放入切好的香菇碎和木耳碎，翻炒片刻，再加入50毫升水。烧开后，将调好的水淀粉倒入锅中，加热直至再次烧开，离火。

4. 将香菇木耳卤汁倒在蒸好的豆腐上，即可食用。

## 香菇肉糜饭

**材料：**香菇1只，瘦牛肉末、米饭各20克，紫菜少许，肉汤100毫升。

**做法：**

1. 香菇洗净，开水焯烫一下，捞出切碎，紫菜撕成小片备用。

2. 将肉汤烧开，放入牛肉末煮至八成熟，再放入米饭。待米饭煮软后撒上香菇碎、紫菜碎，紫菜碎煮软后即可。

## 金黄山药蒸饭

**材料：**大米 50 克，南瓜 1 小块（30 克左右），新鲜山药 1 小段（25 克左右）。

**做法：**

1. 将大米淘洗干净，用冷水泡 1 个小时左右。
2. 将南瓜洗干净，去掉皮和子，切成小丁备用。
3. 将山药削皮，洗干净，切成小丁。
4. 将泡好的大米和南瓜丁、山药丁合在一起搅拌均匀，加入适量的水（与大米的比例为 2∶1），放到蒸锅里蒸熟即可。

## 鳕鱼红薯饭

**材料：**红薯 30 克，鳕鱼肉 50 克，白米饭半碗，蔬菜少许。

**做法：**

1. 将红薯去皮，切块，浸水后用保鲜膜包起来，放入微波炉中，加热约 1 分钟。
2. 蔬菜洗净，开水焯烫一下，捞出切碎；鳕鱼肉用热水氽烫。
3. 锅置火上，放入白米饭，加入清水和红薯、鳕鱼肉以及蔬菜，一起煮熟即可。

**妈妈喂养经：**

鳕鱼中所含的 DHA 和牛磺酸，对宝宝大脑发育极为有益。

## 豌豆丸子

**材料：**肉馅 50 克，豌豆 10 粒，淀粉适量。

**做法：**

1. 肉馅加入煮烂的豌豆、淀粉拌匀，摔打至有弹性，再分搓成小枣大小的丸状。
2. 锅置火上，加入适量清水，烧开后放入丸子，蒸 1 小时至肉软即可。

**妈妈喂养经：**

豌豆富含不饱和脂肪酸和黄豆磷脂，有保持血管弹性、健脑和防止脂肪肝形成的作用。

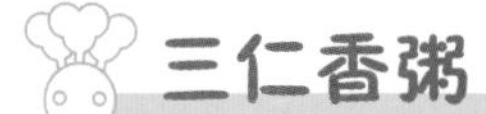

## 三仁香粥

**材料：**核桃仁10克，甜杏仁3克，松子仁10克，糯米30克。

**做法：**

1. 先将三仁一同放入锅中微炒，放凉后碾碎并剥去皮。

2. 将糯米淘洗净，和三仁粉一起放入砂锅中，加水适量旺火煮滚，改用文火煮成粥即可。

**妈妈喂养经：**

核桃仁、甜杏仁、松子仁均有补肾健脑、补心益智的功效，与糯米相配，是健脑益智之上品。

## 鸡蓉玉米羹

**材料：**鸡脯肉30克，鲜玉米粒30克，鸡汤100毫升。

**做法：**

1. 鸡脯肉和玉米粒洗净，分别剁成蓉备用。

2. 鸡汤烧开撇去浮油，加入鸡肉蓉和玉米蓉搅拌后煮开，转小火再煮5分钟即可。

**妈妈喂养经：**

可用骨头、高汤、清水代替鸡汤。宝宝肠胃发育如果够健康，可以适当在他们的饮食中增加一些动物油脂，但是注意不要过于油腻。玉米中的纤维素含量非常高，能有效刺激宝宝的胃肠蠕动，增强宝宝的食欲。

## 三宝羹

**材料：**山药、南瓜、栗子各30克。

**做法：**

1. 山药削去外皮，切成小块；南瓜去皮、去子，切成小块；栗子剥去外壳。

2. 把所有材料放入蒸锅中蒸熟蒸软烂，混合均匀搅拌成泥即成。

**妈妈喂养经：**

除了山药、南瓜、栗子这些材料之外，还可以添加胡萝卜、红薯、土豆等材料随意搭配，来丰富三宝羹的口感。

## 什锦水果羹

**材料：** 香蕉半根（约30克），苹果半个（约30克），草莓3个（约15克），桃子半个（约20克），糖桂花（市售）少许，水淀粉少量。

**做法：**

1. 用刀将各种水果切成小丁。

2. 锅内放入适量清水，用旺火烧沸后，加入切好的水果丁，再将其烧沸，之后用水淀粉勾芡，再撒入糖桂花。

## 面包布丁

**材料：** 面包15克，鸡蛋半个，配方奶100毫升，植物油少许。

**做法：**

1. 将鸡蛋磕入碗中，搅成蛋液；面包切成小块与奶、鸡蛋混合均匀。

2. 在碗内涂上植物油，再把上述混合物倒入碗里，放入蒸锅内，用中火蒸7～8分钟即可。

**妈妈喂养经：**

这道小点心软嫩滑爽，含有丰富的蛋白质、脂肪、糖类，及维生素A、B族维生素、维生素E，以及钙、磷、锌等多种营养素，很适合宝宝食用。制作中，要用中火蒸，火不宜过大，否则容易蒸老，影响口感。

## 全麦土司沙拉

**材料：** 全麦土司1/2片，蘑菇、熟鸡肉、生菜、圣女果、蛋黄沙拉酱各适量。

**做法：**

1. 蘑菇煮熟后切成小薄片；熟烂的鸡肉切成小碎丁；土司切成小丁。

2. 将生菜洗净，开水氽烫一下，捞出撕成小片；圣女果洗净，开水氽烫一下，捞出切成片。

3. 将准备好的用料混合搅拌，淋上蛋黄沙拉酱即成。

## 三色豆腐虾泥

**材料：**胡萝卜 1 根（约 100 克），虾 30 克，油菜 2 棵，豆腐 50 克。

**做法：**

1. 胡萝卜洗净，去皮切碎；虾去头、皮、泥肠，剁成虾泥；油菜洗净用热水焯过，切成碎末；豆腐冲洗过后压成豆腐泥。

2. 在锅内倒油，烧热后下入胡萝卜末煸炒，半熟时，放入虾泥和豆腐泥，继续煸炒至八成熟时再加入碎菜，待菜烂即可。

---

## 豆腐蒸蛋

**材料：**鸡蛋 1 个，豆腐 30 克，香油少许。

**做法：**

1. 豆腐洗净，切成 1.5 厘米见方的小块，用开水焯一下，过凉后研碎。

2. 将鸡蛋一半打入碗内搅匀，加入豆腐搅匀，上屉蒸 10 分钟即可。

**妈妈喂养经：**

豆腐配合蛋类、肉类一起食用，能让宝宝更加充分地吸收豆腐中的蛋白质。

---

## 水果麦片粥

**材料：**速溶麦片两大勺（60 克左右），配方奶 60 毫升，香蕉 1/4 根（20 克左右）。

**做法：**

1. 将香蕉剥去皮，切成碎末备用。

2. 将麦片放到锅里，加入适量清水，用小火煮 5 分钟左右。

3. 加入香蕉末，再煮 1 ~ 2 分钟，边煮边搅拌，熄火放至温热，加入配方奶拌匀即可。

**妈妈喂养经：**

此粥软烂适口，果香味浓，含蛋白质、脂肪、糖类、钙、磷、铁、锌和丰富的维生素等多种营养成分。

## 枣泥花生粥

**材料：** 红枣（干或鲜均可）5 枚，花生米 20 粒，大米 50 克。

**做法：**

1. 将大米淘洗干净，先用冷水浸泡 2 个小时。将干红枣洗净，用冷水泡 1 个小时（鲜红枣不用泡，洗干净就可以了）。

2. 将花生米洗净，去皮，放入锅中加清水煮，花生六成熟时加入红枣煮烂。

3. 捞出煮熟的红枣，去掉皮、核，和花生米一起碾成泥备用。

4. 锅里加入适量的水，加入大米煮成稀粥。加入花生泥和枣泥，用小火煮 10 分钟左右，边煮边搅拌，至粥变得黏稠时熄火，即可。

## 番茄肝末

**材料：** 番茄 20 克，猪肝 20 克。

**做法：**

1. 将猪肝洗净，用清水浸泡 1 ~ 2 个小时后，捞出洗净剁成碎末。

2. 番茄洗净，放入开水中烫一下，剥皮切碎。

3. 将肝末放入锅中，加入适量清水煮烂，然后放入番茄，稍煮片刻即可。

**妈妈喂养经：**

猪肝含有丰富的铁、磷，它是造血不可缺少的原料，猪肝中富含蛋白质、卵磷脂和微量元素，有利于宝宝的智力发育和身体发育。

## 核桃红枣羹

**材料：** 核桃仁 2 块，红枣 6 个，营养米粉 40 克。

**做法：**

1. 将核桃仁、红枣用清水洗净，放入锅中蒸熟。

2. 将蒸熟的红枣去皮去核，与蒸熟的核桃一起碾成糊状，可保留细小颗粒。

3. 将营养米粉用温水调成糊，加入核桃红枣泥一起搅拌均匀。

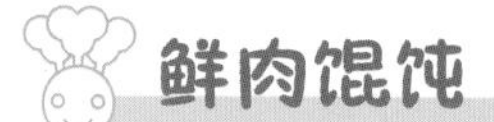

## 鲜肉馄饨

**材料：**瘦猪肉50克，嫩葱叶5克，馄饨皮10张，香油5滴，高汤适量，紫菜少许。

**做法：**

1. 将紫菜用温水泡发，洗干净泥沙，切成碎末备用。
2. 将瘦猪肉洗净，剁成极细的肉蓉；将葱叶洗净，剁成极细的末。
3. 在肉蓉里加入葱末、香油拌匀。
4. 用小勺挑起肉馅，放到馄饨皮内包好。
5. 锅内加入高汤，煮开，下入馄饨煮熟，然后撒入紫菜末，煮1分钟左右，盛出即可。

## 银鱼蒸蛋

**材料：**新鲜鸡蛋1个，银鱼50克，胡萝卜15克。

**做法：**

1. 将胡萝卜洗净，去皮，切成极小的丁，放到开水锅中煮软。
2. 将银鱼洗干净，捞出来沥干水，去除皮、骨，剁成碎末待用。
3. 将鸡蛋洗干净，打到碗里，用筷子搅散。
4. 将银鱼末加到鸡蛋里，搅拌均匀，放到蒸锅里用小火蒸10分钟左右，加入胡萝卜丁拌匀，即可。

**妈妈喂养经：**

银鱼肉质柔嫩、味道鲜美，营养丰富，鸡蛋羹口感嫩滑，蛋香浓郁，含有丰富的蛋白质、脂肪、钙、铁、钾等营养物质。两者搭配，堪称美味和营养的完美结合。

## 软乌龙面

**材料：**乌龙面30克，鸡肉10克，胡萝卜10克，菠菜5克，清高汤100毫升。

**做法：**

1. 将乌龙面切成1～2厘米长；鸡肉切小薄丁；胡萝卜切米粒大小；菠菜洗净，开水汆烫一下，捞出切碎。
2. 将所有材料放入锅中煮沸，小火续煮15～20分钟即可。

## 蔬菜鸡蛋卷

**材料：**鸡蛋3个，胡萝卜10克，植物油少量。

**做法：**

1. 胡萝卜去皮后捣碎。
2. 鸡蛋打入碗中，加入胡萝卜碎搅拌均匀。
3. 锅置火上放油，然后加入一半的鸡蛋铺成一层。
4. 等鸡蛋开始熟后轻轻卷，然后再倒入剩下的一半，至鸡蛋液完全卷完即可。

**妈妈喂养经：**

做鸡蛋卷时使用平底锅才会做得漂亮。在倒入鸡蛋液时将卷好的鸡蛋移到刚开始卷的位置上。

## 紫菜手卷

**材料：**米饭30克，胡萝卜丝10克，芝麻核桃粉少许，寿司专用紫菜1/2张。

**做法：**

1. 米饭煮熟后，用饭勺拨散放至温热。胡萝卜丝用水焯熟，紫菜均匀地分成数份。
2. 在紫菜上铺上一层米饭，放上芝麻核桃粉和胡萝卜丝卷成小卷即可。

**妈妈喂养经：**

给宝宝做的寿司米饭要温热，避免宝宝吃了过凉的食物拉肚子。寿司卷要卷得细一些，方便宝宝用小手取食。

## 豆豉牛肉末

**材料：**牛肉50克，碎豆豉1小匙，鸡汤适量。

**做法：**

1. 牛肉洗净，剁成末。
2. 炒锅置火上，放油烧热，放入牛肉末煸炒片刻，放入豆豉、鸡汤，搅拌均匀即可。
3. 在宝宝喂稠粥或烂面时添加即可。

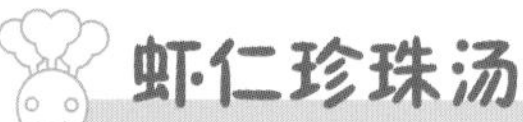

## 虾仁珍珠汤

**材料：** 面粉40克，鸡蛋1个，虾仁20克，嫩菠菜叶10克，高汤200毫升，香油2克。

**做法：**

1. 虾仁洗净，用水泡软，切成小丁备用；菠菜择洗干净，放到开水锅中焯2～3分钟，捞出来沥干水，切成碎末备用；鸡蛋打到碗里，将蛋清和蛋黄分开。

2. 面粉用小筛子筛过，装到一个干净的盆里，加入蛋清和成稍硬的面团。

3. 面板上加少许干面粉，取出面团揉匀，用擀面杖擀成薄皮，切成比黄豆粒稍小的丁，搓成小球。

4. 锅内加入高汤，下入虾仁，用大火烧开，再下入面疙瘩，煮熟。

5. 将蛋黄用筷子搅散，转着圈倒到锅里，用小火煮熟，加入菠菜末，淋上香油，即可出锅。

**妈妈喂养经：**

1. 此汤滑润，汤鲜味美。含有丰富的蛋白质、糖类、铁质，还含有多种维生素及其他矿物质。菠菜有补血作用。宝宝常食用此汤，能促进生长发育，预防贫血。

2. 注意面疙瘩一定要小，越小越好，有利消化吸收。

---

## 鱼肉馄饨

**材料：** 黄鱼肉200克，韭黄末200克，红萝卜末50克，荸荠两个，香油、姜末各少许，馄饨皮50克，高汤1000毫升。

**做法：**

1. 鱼肉去净刺后切成末；荸荠去皮洗净切末。

2. 鱼肉末中加入韭黄末、红萝卜末、荸荠末、香油、姜末混合拌匀成馅料。

3. 取馄饨皮包入适量馅料，包成馄饨，将包好的所有馄饨放入高汤中煮熟即可。

**妈妈喂养经：**

黄鱼肉中富含的B族维生素、微量元素和优质蛋白，对人体有很好的补益，能促进幼儿的生长发育和细胞再生，还可安神开胃，预防贫血。

## 糖三角

**材料：**面粉200克，配方奶150克，酵母2克，红糖50克，面粉1/2汤匙（约10克）。

**做法：**

1. 配方奶和酵母混匀，倒入面粉再次混匀，揉成光滑柔软的面团，发酵至原体积2倍大。

2. 红糖和1/2汤匙面粉混合均匀成内馅。

3. 取出发好的面团，再充分揉匀排气，分成4等份。取一份面团，揉圆后拍扁，用擀面杖稍擀开，放上红糖馅儿。

4. 对折后右手先由一端捏至约1/2处，左手将另一端提上来捏合，再将两侧捏紧，稍加整理。

5. 都做完后覆盖保鲜膜，醒发20分钟，放入烧开水的蒸锅中，大火蒸15分钟即可。

**妈妈喂养经：**

糖三角是传统中式面点，香甜松软，非常可口。

## 蛋黄花卷

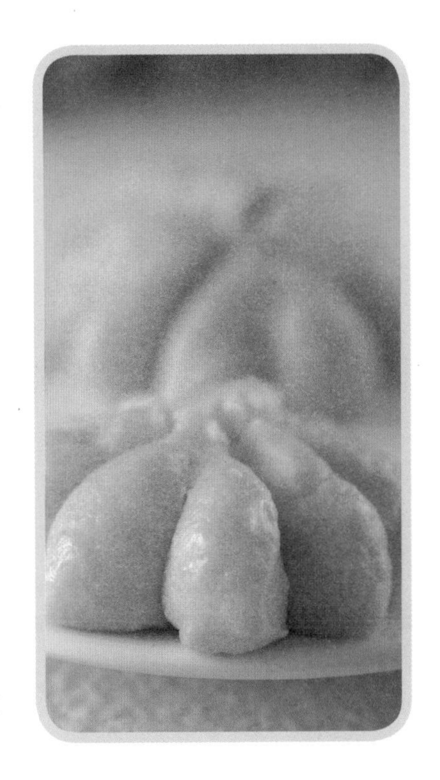

**材料：**面粉150克，酵母2克，熟蛋黄2个，糖少许。

**做法：**

1. 酵母用温水化开，加入面粉、水和成柔软的面团，盖上湿布放在温暖处饧15分钟。将熟蛋黄研磨成细末，和糖一起加入面团内揉匀，再饧5分钟。

2. 面团搓成条，揪成小剂子，搓成细长条，卷成蚊香状。

3. 用筷子将面圈夹成4个大小相同的圆形，在每个圆形中心切一刀，使之"盛放"。

4. 蒸锅水烧沸，将花卷上笼，蒸10分钟即可。

**妈妈喂养经：**

制作的花卷，不仅漂亮，而且吃起来还有微微的甜味。更重要的是，因加入了蛋黄，营养更丰富些。

**制作小窍门：**

剂子不要揪得太大，而且大小要均匀，这样蒸的时间才不会过长，或是因为大小不一造成出锅的花卷过熟或不熟。彩色的面团还可以做很多好看又好吃的面食，比如宝宝喜欢的葡萄、香蕉、小苹果等。

# 喂养难题专家解答

## Q 宝宝只喜欢吃辅食，不愿意喝奶怎么办？

A 随着宝宝一天天长大，乳汁或奶粉能供给宝宝的能量和营养素日益显得不足，这时宝宝的消化系统也逐渐成熟，并有了咀嚼、吞咽非液体食物的能力，使宝宝逐渐能从其他食物中获得更多的营养，于是就出现了宝宝不爱喝奶的情况。这其实不必担心，如果宝宝的体重增长在正常的波动范围内，又没有什么别的异常，说明宝宝能够从每天吃到的食物中获得足够的营养，就不用再勉强宝宝每天喝够一定的奶量。

## Q 宝宝咽不下固体食物怎么办？

A 宝宝如果在这时候还不会吃固体食物，妈妈不要着急，但是也不能因为怕宝宝呛咳或噎着，就不再尝试添加了。如果因此而停止尝试，宝宝不可能自行领悟吞咽固体食物的诀窍，只能继续不会，所以一定不要停止尝试。

宝宝可以吃固体食物的表现是，饭进了嘴里，宝宝就会把嘴闭住，开始上下颌一起用力，慢慢研磨食物，然后喉部运动，把食物咽下去。如果宝宝不能顺利完成这套动作，说明宝宝的咀嚼吞咽能力还有待加强。可以把固体食物颗粒做得小一些，尽量煮得软烂些，比较方便宝宝嚼和咽，慢慢锻炼。

如果宝宝仅是偶尔呛了一下，妈妈则无须担忧，教宝宝慢慢吃就可以。另外，如果宝宝是因为没能在前面几个阶段持续增加咀嚼难度，结果这时不能吃固体食物，那么就需要在此时开始按照由易到难的顺序重新训练，直到宝宝可以吃固体食物，甚至较硬的固体食物。

## Q 宝宝已经 11 个月了，能吃奶酪么？

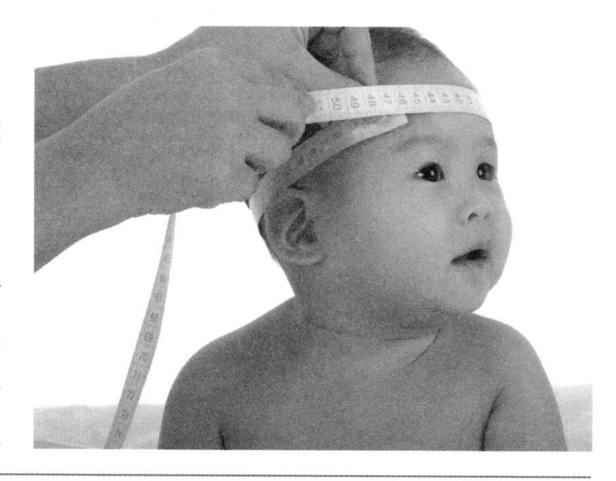

A 11 个月的宝宝吃奶酪还是有些早。因为奶酪虽然营养价值比较高，却含有过多的饱和脂肪酸。饱和脂肪酸是一种比较难以消化的物质，11 个月的宝宝消化功能还不够健全，贸然摄入难以消化的饱和脂肪酸，很可能引起消化不良。所以，妈妈们还是不要性急，最好等到 1 岁以后，再循序渐进地把它添加在宝宝的食物当中，让宝宝在有能力消化吸收的前提下从奶酪的营养中得益。

## Q 宝宝吃粥的时候干呕是什么原因？

**A** 这是由于宝宝以前一直吃比较容易吞咽的流质、半流质食物，吞咽能力比较低，对固体食物不适应引起的。不建议把粥再煮烂一些。因为这种现象本来就是宝宝缺乏锻炼引起的，如果把粥煮得更烂，宝宝的吞咽能力得不到锻炼，将总是不能接受固体食物。如果觉得宝宝难受，可以一次少给宝宝一点食物，等宝宝完全咽下去了再喂下一口。这时候还要注意训练宝宝的咀嚼动作。在吃饭的时候，妈妈可以先给宝宝做做示范，让宝宝照着模仿。给宝宝添加的食物的硬度上也要有所提高，具体硬度可以以"肉丸子"为准。

## Q 怎样通过饮食防治宝宝腹泻？

**A** 宝宝腹泻比较常见，但并非不能预防。一般来说，只要注意调整饮食的结构、卫生、规律，腹泻是可以避免的，轻度的腹泻也可以停止。

● 应保证辅食卫生。在准备食物和喂食前，妈妈和宝宝均应洗手；食物制作后应马上食用，吃剩的食物要储存适当，以免变质；用洁净的餐具盛放食物；喂宝宝的时候，用洁净的碗和杯子；因奶瓶不易清洁，应尽量避免使用。

● 辅食添加要合理。由于宝宝消化系统发育不成熟，调节功能差，消化酶分泌少，活性低，所以开始添加辅食时应注意循序渐进，由少到多，由半流食逐渐过渡到固体食物。特别是脂肪类不易消化的食物不应过早添加。

● 喂养辅食应有规律。1岁以内的宝宝每天可以吃5顿，早、中、晚3次正餐，中间加两次点心或水果。喂食过多、过少、不规律，都可导致宝宝消化系统紊乱而出现腹泻。

● 如果宝宝腹泻次数持续增加，排出的大便呈水样、腥臭，精神委靡，拒奶，则应立即到医院就诊。

## Q 宝宝特别喜欢吃某种食物怎么办?

A 有些宝宝在添加辅食后，对某种甜或咸的食物特别感兴趣，会一下子吃很多，同时会拒绝吃奶和其他辅食。对这种宝宝，妈妈们可不能由着他。

**● 不要让宝宝养成偏食、挑食的习惯**

不偏食、不挑食的良好饮食习惯应该从添加辅食时开始培养。在添加辅食的过程中，应该尽量让宝宝多接触和尝试新的食物。丰富宝宝的食谱，讲究食物的多样化，从多种食物中得到全面的营养素，达到平衡膳食的目的。

**● 对某种食物吃得过多易造成宝宝胃肠道功能紊乱**

不加限制地让宝宝吃不但可能使宝宝吃得过多，造成胃肠道功能紊乱，而且会破坏宝宝的味觉，使宝宝以后反而不喜欢这种味道了。

## Q 宝宝腹痛与缺钙有关吗?

A 国外有关专家指出，人体中1%的钙存在于软组织和细胞外液中，这部分钙量虽小，作用却很大。如果血液中游离钙离子偏低，神经肌肉的兴奋就会增高，此时，肠壁的平滑肌受到轻微的刺激就会产生强烈收缩，即肠痉挛而引起腹痛。由此可见，宝宝腹痛也有可能是缺钙。为防止宝宝缺钙性腹痛，平时要多吃些富含钙的食物，如乳类、蛋类、豆制品、海产品等。

## Q 如何根据宝宝的体质选用水果?

A 给宝宝选用水果时，要注意与体质、身体状况相宜。舌苔厚、便秘、体质偏热的宝宝，最好给吃凉性水果，如梨、西瓜、香蕉、猕猴桃等，它们可败火；而荔枝、柑橘吃多了却可引起上火，因此不宜给体热的宝宝多吃。消化不良的宝宝应吃熟苹果泥，而食用配方奶便秘的宝宝则适宜吃生苹果泥。

## Q 哪些食物对宝宝的大脑发育有益?

A 宝宝可以经常食用的健脑食品如下：

（1）动物内脏，如肝、肾、脑等既能补血，又能健脑。

（2）豆类，如黄豆、豌豆、花生豆以及豆制品。

（3）糙米杂粮，包括糯米、玉米、小米、红小豆等，粗细粮搭配食用，更利于大脑的发育。

（4）鱼类、瘦肉、蛋黄，最好让宝宝每天吃点蛋黄和鱼肉。

给宝宝补充健脑食品要注意，健脑食物应适量、全面，不能偏重于某一种或以健脑食物替代其他食物，否则会使宝宝营养不全。

## Q 12个月的宝宝可以吃酸奶吗?

A 酸奶是以牛奶为原料，加入纯乳酸菌发酵剂发酵而制成的。酸奶的蛋白质凝块比较小，容易消化，其中所含的乳酸菌可以抑制一些肠道有害菌的生长，从而提高肠道免疫力，很适合腹泻和消化功能差的年龄较大的宝宝。

虽然如此，在满1周岁之前，宝宝还是最好不要喝酸奶。这主要是因为，宝宝的胃肠道系统还没有发育完善，胃黏膜屏障并不健全，体内代谢乳酸的酶系统也不成熟，这时给宝宝喝酸奶会"腐蚀"宝宝娇嫩的胃肠黏膜，影响宝宝对其他食物的消化吸收。摄入过多的乳酸也会影响宝宝体内的酸碱代谢平衡，对宝宝的健康不利。因此，1岁以内的宝宝，最好不要喝酸奶。

## Q 乳酸菌饮料是奶吗?

A 市售的乳酸菌饮料虽然也标明含有乳酸菌、牛奶等成分，并且也都冠以"某某奶"，但实际上其中只含有少量的牛奶，其中蛋白质、脂肪、铁及维生素的含量都远低于牛奶。比如，一般酸奶的蛋白质含量都在3%左右，而乳酸菌饮料只有1%。因此从营养价值上看，乳酸菌饮料远不如酸奶，绝对不能用乳酸菌饮料代替牛奶、酸奶来喂宝宝。

## Q 益生菌是不是越多越好?

A 不是。益生菌虽好处多多，但不少市售的由益生菌发酵而成的乳品添加了过量的糖分！有些添加糖量高达7～8颗方糖，且大部分产品有80%以上的热量是来自于另外添加的糖分，由于添加的糖只含热量，却少含维生素、矿物质，因此建议糖分的每日摄取量应以不超过总热量的10%为原则。

## Q 吃什么东西可以帮助宝宝长高?

A 宝宝体格生长不仅与遗传有关，还和科学的饮食有关。那么，哪些食品能帮助宝宝增高呢?

（1）牛奶，被称为“全能食品”，对骨骼生长极为重要。

（2）沙丁鱼，是“蛋白质”的宝库，如条件所限，可以吃鲫鱼或鱼松。

（3）菠菜是“维生素的宝库”。

（4）胡萝卜，宝宝每天吃100克胡萝卜，对身体很有益处。

（5）柑橘，多种维生素和钙的含量比苹果所含的量还要多。

此外，能帮助宝宝长高的食品还有小米、荞麦、鹌鹑蛋、毛豆、扁豆、蚕豆、南瓜子、核桃、芝麻、花生、油菜、青椒、韭菜、芹菜、番茄、草莓、柿子、葡萄、淡红小虾、鳝鱼、动物肝脏、鸡肉、羊肉、海带、紫菜、蜂蜜等。

你可以根据宝宝的实际情况选择食物，此外，除了保证足够的营养外，还要重视宝宝身体的锻炼和充足的睡眠。

## Q 吃什么可以让宝宝头发长得更好?

A 想让宝宝头发长得更好，要让宝宝多吃：富含维生素A的食物，比如黄色和紫色的蔬菜等；富含B族维生素的食物，比如鸡蛋、动物肝脏、胡萝卜等；富含锌的食物，比如肉类和豆类等；富含铁的食物，比如动物肝脏、蛋黄等，这些食物都能帮助宝宝的头发健康成长。另外不要让孩子过度紧张，放松心情，也可以让宝宝的头发长得更好。

## Q 怎样培养宝宝的咀嚼能力?

A 近年来，儿童食品呈求精、求软的趋势，家长又多喜欢给宝宝提供些无须咀嚼的食品，没有很好地帮助、指导宝宝吃饭时细嚼慢咽。因此，宝宝不会咀嚼的现象比较普遍。

充分的咀嚼，对于处在生长发育期的宝宝来说非常重要。

首先，充分的咀嚼可以保持和增进口腔、特别是牙齿和牙龈的健康，可以对口腔、舌部和牙龈进行清扫而保持其清洁度，降低龋齿发病率，防止牙齿排列不齐。

其次，咀嚼可以让唾液与食物充分混合，宝宝可以品尝到食物的丰富滋味，增强宝宝的食欲。

另外，咀嚼使食物磨碎，进入胃肠能使其中的营养素得到充分的利用。

由此可见，父母应尽早培养宝宝吃饭细嚼慢咽的习惯。在指导的过程中一定要有耐心，可以把吃饭变成游戏，如告诉宝宝："妈妈嚼一下，宝宝嚼一下。"使宝宝慢慢掌握吃饭的进度。

## Q 什么时候给宝宝断奶比较好?

A 一般来说，宝宝断奶的最佳时间是出生后的12个月。如果妈妈的体质差，平时泌乳量不足，可以提前断奶；如宝宝体弱多病，断奶对宝宝的健康会有影响，或妈妈的体质和泌乳都处于旺盛状态，也可以适当推迟断奶时间，但最迟也不要超过两岁。断奶的最佳季节是春季和秋季。冬天和夏天宝宝容易生病，最好不要在这时候给宝宝断奶。

## Q 给宝宝断奶的时候要注意什么?

A 断奶的时候首先要注意的就是要循序渐进，要有足够的耐心让宝宝慢慢地适应。不要采取突然的强制措施，如母子暂时分开、在乳头上涂墨水、辣椒水、黄连水等，使宝宝产生恐惧、烦恼的心理，造成宝宝消化吸收功能的紊乱，打乱宝宝体内的营养平衡。

其次，要及时给宝宝添加辅食。这时宝宝处在高速生长发育期，需要充足而全面的营养，一定要在断奶的同时给宝宝添加富含蛋白质、脂肪、碳水化合物、维生素和矿物质的辅食，满足宝宝的营养需求。

最后，要加强护理。要注意观察孩子的大便是不是正常，体重有没有减轻。一旦发现异常一定要及时处理，不能听之任之。最后就是要注意保护妈妈的乳房。断奶后可能出现不同程度的奶胀，如果保护得不好，会使乳腺发炎。这时可以用吸奶器把奶吸出或用手挤出，也可以采用食疗的方法进行回奶。

## Q 断奶后如何科学安排宝宝的饮食?

A ● **主食以谷类为主**

每天吃米粥、软面条、麦片粥、软米饭或玉米粥中的任何一种，2～4小碗（100～200克）。此外，还应该适当给宝宝添加一些点心。

● **补充蛋白质和钙**

断奶后宝宝就少了一种优质蛋白质的来源，而这种蛋白质又是宝宝生长发育必不可少的。

牛奶是断奶后宝宝理想的蛋白质和钙的来源之一，所以，断奶后除了给宝宝吃鱼、肉、蛋外，每天还一定要喝牛奶，同时，每天吃高蛋白的食物25～30克，可选以下任一种：鱼肉小半碗，小肉丸子2～10个，鸡蛋1个，炖豆腐小半碗。

**● 吃足量的水果**

把水果制作成果汁、果泥或果酱，也可切成小块。普通水果每天给宝宝吃半个到1个，草莓2～10个，瓜1～3块，香蕉1～3根，每天50～100克。

吃足量的蔬菜。把蔬菜制作成菜泥，或切成小块煮烂，每天半碗（50～100克），与主食一起吃。

**● 增加进餐次数**

宝宝的胃很小，可对于热量和营养的需要却相对很大，不能一餐吃得太多，最好的方法是每天进5～6次餐。

**● 食物宜制作得细、软、烂、碎**

因为1岁左右的宝宝只长出6～8颗牙齿，胃肠功能还未发育完善。而且食物种类要多样，这样才能得到丰富均衡的营养。

**● 注重食物的色、香、味，增强宝宝进食的兴趣**

1岁以内宝宝的辅食一般不建议加盐、醋、酱油，更不要加味精、人工色素、辣椒、八角等调味品。

PART

2

# 1~3岁：
# “淘气包”的营养餐单

宝宝1岁以后的饮食要从以奶类为主逐步过渡到以谷类食物为主食，应增加蛋、肉、鱼、豆制品、蔬菜等食物的种类和数量。这一阶段如果不重视合理营养，往往会导致宝宝体重不达标，甚至发生营养不良。

虽然这一阶段宝宝已经开始会自己吃饭了，辅食也逐渐成为主食，但仍不宜完全与成人一样，吃同样的饭菜。因为成人的菜切得块儿比较大，宝宝难以完全嚼碎，不易吞咽，不易消化。而且成人吃的菜偏咸，食盐量偏多，不利于宝宝健康成长。

## 1～3岁宝宝的饮食要点

● 一般每天可安排5次进餐，每餐间隔3～3个半小时，早、中、晚3次正餐，上、下午各添加1次点心或者水果，每次用餐时间在20～30分钟。进餐应有固定场所、桌椅和专用餐具。

● 宝宝的每餐饭都要有饭、有菜；重视荤素搭配；还要注意粗粮细做，粗细粮合理搭配；豆菌类、薯类的合理搭配。

| 1～3岁宝宝每日需要食物的种类和数量（克/天） | | | |
|---|---|---|---|
| 粮谷类 | 100～150 | 蔬菜类 | 100～200 |
| 鱼肉禽类 | 50～75 | 水果类 | 50 |
| 蛋类 | 50 | 油 | 10 |
| 豆制品 | 25～50 | 糖 | 10 |
| 乳制品 | 350 | 盐 | 1 |

● 宝宝的饭菜既要有营养，又要花样翻新，在色、香、味、形方面都要有新意，充分调动宝宝的好奇心，提高其进食兴趣。

● 合理烹调。给宝宝做菜时，蔬菜要先洗后切，切得要细一些；炒菜时尽量做到热锅凉油，避免烹调时油温过高，产生致癌物质；尽量多用清蒸、红烧和煲炖的方法，少用煎、烤等方法；口味宜清淡，不宜添加酸、辣、麻等刺激性的调味品，也不宜放味精、色素和糖精等。

● 每日仍需要补充350毫升左右奶制品，因为此阶段仍为宝宝神经系统和体格发育的关键期，优质蛋白质的摄入不可缺少。

● 控制零食，少吃甜食，原则上不吃糖果和果冻类零食。吃过糖果后一定要用清水漱口，睡觉以前不吃糖果，也不嘴含糖果睡觉。

● 原则上不吃油炸食品、烘烤食品、腌制食品和熟食，比如火腿、香肠、红肠、方火腿等，不吃洋快餐。营养学家说：“洋快餐会让人慢慢胖起来。”洋快餐存在“四高”和“三少”，即高糖分、高脂肪、高热量、高味精，纤维素少、矿物质少、维生素少，对宝宝生长发育非常不利。

● 不吃菜汤泡饭，一则吃菜汤泡饭时不用宝宝咀嚼，不利于食物的消化吸收，且菜汤中含的盐分较高；二则长期不练习咀嚼动作，会影响面、颌部肌肉和舌部功能的发育，对语言功能的开发不利。

## 1～3岁宝宝进餐教养培养

● 让宝宝学习细嚼慢咽，家长要做示范。

● 教育宝宝不要边吃饭、边喝水，这样会冲淡胃内的消化液，不利于健康。

● 营造和谐的吃饭环境，家长不在饭桌上谈论饭菜不好吃，不在饭桌上批评宝宝。

● 从小养成良好的卫生习惯，并坚持做下去，饭前、便后、玩完玩具后、外出回来后要用流动水洗手。

● 吃饭前先收好玩具，餐桌上不摆放玩具，吃饭时不玩玩具；吃饭时不讲故事、不听故事，不边吃边看电视。

# 1～3岁宝宝的食谱推荐

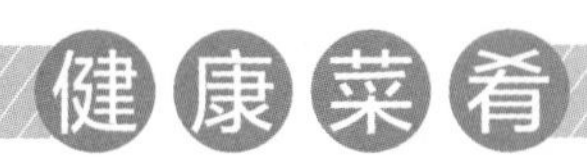

## 健康菜肴

### 虾末菜花

**材料：**菜花40克，虾10克，白酱油、精盐各少许。

**做法：**

1. 将菜花洗净，放入开水中煮软后切碎。

2. 把虾放入开水中煮后剥去皮，切碎，加入白酱油、精盐煮，使其具有淡咸味，倒在菜花上即可食用。

### 炒肉末

**材料：**瘦猪肉50克，水淀粉适量，料酒、盐各少许。

**做法：**

1. 将瘦猪肉洗净，剁成细泥。

2. 加入少许盐和料酒调味，加入水淀粉，用手抓匀，放置1～2分钟。

3. 锅置火上，放油，烧至八成热时，放入肉末煸炒片刻，加入少许清水，用小火焖5分钟后熄火，即可。

### 豆腐鲜鱼块

**材料：**豆腐半块，鲑鱼100克，蛋黄1个，生菜叶、葱末各少许，玉米粉、番薯粉各10克，冰水、盐各适量。

**做法：**

1. 豆腐及鲑鱼分别剁成泥，豆腐要挤出水分，鲑鱼则要加少许盐搅拌至肉凝结成团状。

2. 将所有的材料放在一起后加入冰水搅拌均匀，捏成小正方形。

3. 锅中的水滚开后下入做好形状的食物煮熟。

4. 生菜叶做装饰，捞起成品装盘。

## 肉松鲜豆腐

**材料：**北豆腐120克，肉松5克，油菜心30克，火腿20克，盐1克，油5毫升。

**做法：**

1. 将油菜心和火腿分别切成碎粒，备用。豆腐切成小丁，放入盐水中煮熟，盛出备用。

2. 中火加热锅中的油，将油菜心放入翻炒至熟，再放入切好的火腿粒，拌匀，离火。将火腿、油菜撒在煮好的豆腐上，再在上面撒上肉松（可将少许生抽浇在豆腐上调味），食用时拌匀即可。

**妈妈喂养经：**

肉松最好选择专供宝宝食用的肉松，利于宝宝吸收和消化。

## 鸡肉蒸豆腐

**材料：**豆腐50克，鸡胸肉25克，鸡蛋1个，水淀粉、香油、料酒、盐各少许。

**做法：**

1. 将豆腐洗净，放入开水锅中煮1分钟左右，捞出来沥干水分，压成泥，摊入抹过香油的小盘内。

2. 将鸡蛋洗净，打到碗里，用筷子搅散。

3. 将鸡肉洗净，剁成细泥，放到碗里，加入鸡蛋、料酒、盐及水淀粉，调至均匀有黏性，摊在豆腐上面。放到蒸锅里，用中火蒸12分钟，取出后搅拌均匀即可。

## 肉末炒丝瓜

**材料：**猪肉馅20克，丝瓜1根，葱末5克，姜末5克，生抽15毫升，盐1克，油15毫升。

**做法：**

1. 丝瓜清洗干净，削去外皮，切成0.3厘米厚的片。

2. 中火加热锅中的油，将葱、姜末放入锅中爆香，放入猪肉馅，不断翻炒直至肉馅全部炒散、变色。

3. 锅中倒入生抽，再放入切好的丝瓜，盖上锅盖稍稍焖2～3分钟，直至丝瓜变软，调入盐，即可。

## 虾仁镶豆腐

**材料：**豆腐100克，虾仁50克，青豆仁10克，香油1小匙。

**做法：**

1. 豆腐洗净，切成方块，再挖去中间的部分。

2. 虾仁洗净剁成泥状，填塞在豆腐挖空的部分中间，并在豆腐上面摆上几个青豆仁做装饰。

3. 将做好的豆腐放入蒸锅蒸熟。

4. 将香油适量均匀淋在蒸好的豆腐上即可。

**妈妈喂养经：**

豆腐和虾都含有丰富的钙质，能促进宝宝骨骼、牙齿健康生长。

## 肉末圆白菜

**材料：**瘦猪肉50克，圆白菜150克，植物油、葱末、姜末、酱油、盐、水淀粉各少许。

**做法：**

1. 将瘦猪肉洗净，剁成碎末；圆白菜洗净，用开水烫一下，切碎。

2. 锅置火上，放油烧热，放入肉末煸炒断生，加入葱末、姜末、酱油、盐翻炒几下，放入少量水，煮软后再加入圆白菜稍煮片刻，用水淀粉勾芡即可。

**妈妈喂养经：**

圆白菜含有人体必需的多种营养物质，常食能提高人体免疫力，预防感冒。

## 豆蒸鲤鱼

**材料：**鲤鱼1条，赤豆50克，姜、葱、料酒、盐、香油各适量。

**做法：**

1. 将鲤鱼去鳞、鳃、内脏，洗净；赤豆去杂，洗净，用冷水浸泡几小时，捞出，沥干水。

2. 将赤豆放入鱼腹中，再将鱼放入蒸碗内，加适量姜、葱、料酒、盐及适量清水上笼蒸，蒸约1小时。

3. 待鱼熟后即可出笼，淋上香油即可。

## 丛林地带

**材料：** 西蓝花、菜花各50克，蘑菇10克，植物油、盐、水淀粉各少许。

**做法：**

1. 把西蓝花、菜花掰成1～2厘米直径大小的块，用热水焯熟捞出；蘑菇撕成小条。

2. 倒油入锅，待油热后先放入蘑菇炒熟，再放入西蓝花、菜花快速翻炒几下，倒入少量水淀粉勾芡，加盐调味，在软硬度适合宝宝的口味时便可盛出。

## 清烧鳕鱼

**材料：** 鳕鱼肉100克，植物油、白糖、盐、葱、姜各少许。

**做法：**

1.将鳕鱼肉洗净，用盐、葱、姜浸透。

2.将鱼肉入锅煎片刻，加少量白糖和水，加盖焖烧约15分钟即可。

**妈妈喂养经：**

鳕鱼含丰富的蛋白质，对语言、思考、运动、记忆、神经传导等方面都有重要的作用。便秘宝宝不宜食用。

## 香菇火腿蒸鳕鱼

**材料：** 鳕鱼肉50克，火腿1/3根，香菇2朵（干、鲜均可），盐少许，料酒适量。

**做法：**

1.香菇（干）用温水浸泡1个小时左右，洗净，再除去菌柄，切成细丝；火腿切成细丝；鳕鱼洗净，切块；盐和料酒放到一个小碗里调匀。

2.取一个可以耐高温的盘子，将鳕鱼块放进去，在鳕鱼的表面铺上一层香菇丝和火腿丝，放到开水锅里用大火蒸8分钟左右，也可以使用微波炉来蒸，用高火蒸3分钟左右就可以了。

3.倒入调好的汁，再用大火蒸4分钟（用微波炉的话，用高火蒸1分钟），取出后去掉鱼刺，即可。

## 四喜丸子

**材料：**猪肉馅100克，鸡蛋1个，高汤、水淀粉各1小匙，葱末、姜末、盐、香油各少许。

**做法：**

1. 将肉馅放入盆内，加入适量的鸡蛋、葱末、姜末、盐、香油、清水，用手搅至上劲，待有黏性时，把肉馅挤成15个丸子待用。

2. 将鸡蛋、水淀粉调成较稠的蛋粉糊；将丸子放入小碗内，浇点高汤，加入盐、料酒、葱末、姜末，调好味，上笼蒸15分钟即成。

**妈妈喂养经：**

猪肉可提供血液中的有机铁和促进铁吸收的半胱氨酸。

## 豌豆虾仁炒鸡蛋

**材料：**虾仁100克，鲜豌豆20克，鸡蛋2个，植物油、盐、淀粉各1小匙。

**做法：**

1. 先把1个鸡蛋打入碗中，留蛋清。再把蛋黄和其余鸡蛋打入另一碗中，加入盐搅拌均匀。

2. 将虾仁挑去泥肠洗净沥干，放入碗中加入淀粉、盐和蛋清搅拌均匀并腌5分钟；豌豆洗净。

3. 起锅热油，放入虾仁和豌豆炒至半熟盛出。

4. 另起锅热油，加入蛋汁炒至半熟，再加入虾仁、豌豆，炒匀即成。

## 香菇虾仁蒸蛋

**材料：**虾仁5个，鸡蛋2个，鲜香菇3个，油少许，盐1克。

**做法：**

1. 虾仁洗净后切成碎丁；香菇洗净也切成碎丁备用。

2. 把蛋清和蛋黄分离，取鸡蛋黄加入少量水和盐搅拌均匀，然后放入切好的虾肉碎丁，搅拌后再放入香菇碎丁。

3. 放入上气的蒸锅中大火蒸10分钟后，改小火蒸5分钟即可。

## 清蒸三文鱼

**材料：**三文鱼100克，青椒10克，葱、姜各适量，料酒、番茄酱、盐各少许。

**做法：**

1. 将三文鱼去骨，切块，用刀剞十字花刀，花刀的深度为鱼肉的2/3；青椒洗净，切丝。

2. 将三文鱼放入锅中，加入青椒、葱、姜、料酒、盐和适量水，清蒸至熟透，端出淋上番茄酱即可。

## 土豆烧牛肉

**材料：**牛肉150克，土豆100克，葱、姜、盐各少许。

**做法：**

1. 将牛肉洗净，切成小方块；土豆洗净，去皮，切成滚刀块。

2. 锅置火上，放入牛肉煸炒，加入葱、姜，并加入水（开水）浸过肉块，盖上锅盖，用小火炖。

3. 炖至肉快烂时，加入盐、土豆再炖，炖至肉、土豆酥烂而入味时即可。

**妈妈喂养经：**

牛肉的蛋白质含量高达20%，是猪肉的2倍。而且包括所有的必需氨基酸。牛肉中还含有丰富的铁和锌，可以补充血红素铁，预防宝宝发生缺铁性贫血，提高的宝宝的身体免疫力。

## 油煎带鱼

**材料：**鲜带鱼500克，鸡蛋两只，精盐、黄酒、植物油、面粉各适量。

**做法：**

1. 带鱼清洗干净，切成5厘米长的段，加精盐、黄酒拌匀，稍腌一会儿。

2. 鸡蛋磕入碗内，加少量精盐搅拌均匀。

3. 锅置火上，放油烧热，将带鱼段蘸一层面粉，再挂上鸡蛋液。

4. 把挂上鸡蛋液的带鱼段，放入热油锅中煎至两面金黄色即成。

## 香肠炒蛋

**材料：**鸡蛋 1 个，香肠 20 克，黄瓜半根，植物油、盐各少许。

**做法：**

1. 将鸡蛋磕入碗中；香肠切成碎末；黄瓜去皮、子，切成碎末。

2. 将香肠末、黄瓜末放入鸡蛋碗内，加入盐搅成蛋液。

3. 锅置火上，放油烧热，倒入蛋液，炒熟即可。

---

## 肉末蒸冬瓜

**材料：**冬瓜 40 克，肉馅 10 克，香菜、蒜末、香油、盐各少许。

**做法：**

1. 冬瓜洗净后去皮，切成 1 厘米厚的小块；肉末中加入少许蒜末和盐腌渍 5 分钟。

2. 在盘中摆好冬瓜，将腌好的肉末铺在冬瓜上，放在蒸锅里，用中火蒸 12 分钟。

3. 出锅前 1 ~ 2 分钟把切好的香菜撒在菜上，出锅后滴上数滴香油即可。

**妈妈喂养经：**

蒸煮的饭菜可以最大限度地保留食材的营养，而且有利于宝宝消化吸收。

---

## 肉末胡萝卜炒毛豆仁

**材料：**瘦猪肉 100 克，毛豆仁、胡萝卜各 30 克，淀粉半小匙，植物油、盐、酱油、香油各少许。

**做法：**

1. 毛豆仁洗净，放入沸水中焯烫，捞出、泡冷水，沥干待凉。

2. 胡萝卜去皮，切 1 厘米见方小丁，放入沸水中焯烫，捞出。

3. 瘦猪肉剁末，放入碗中加酱油、淀粉抓拌均匀备用。

4. 锅内加入植物油烧热，放入肉末用大火炒匀，加入胡萝卜丁、毛豆仁一起翻炒数下，再加入盐、香油调匀即可。

## 粉丝白菜氽丸子

**材料：**肉末150克，大白菜100克，粉丝1小把，虾米1小匙，葱1根，高汤3碗，盐、姜末、淀粉各适量，香油少许。

**做法：**

1.将虾米洗净切碎；肉末再剁细，加入姜末、盐、淀粉、虾米，调成馅料，用手挤成丸子备用。

2.将大白菜、葱洗净、切丝；粉丝泡软切成两段。

3.起锅热油，待油七成热时，下白菜，将其炒软，加入高汤旺火煮开。

4.放入肉丸，改小火煮至肉丸浮起，加入粉丝并加盐调味后熄火，撒葱丝、淋香油即成。

## 韭菜炒豆芽

**材料：**韭菜50克，绿豆芽20克，花生油、鸡精、盐各适量。

**做法：**

1.韭菜洗净，切成3厘米长的段；绿豆芽去尾，洗净备用。

2.锅内加入花生油烧至七成热，放入绿豆芽和韭菜段一起翻炒，加入盐再炒几下，最后加入鸡精，炒匀，出锅装盘即成。

**妈妈喂养经：**

韭菜含有丰富的膳食纤维，可以促进宝宝排便。

## 鲜蘑炒腐竹

**材料：**鲜蘑菇100克，水发腐竹100克，黄瓜60克，葱、姜、盐、鸡精各适量。

**做法：**

1.蘑菇洗净切片，腐竹切段，黄瓜洗净切片，待用。

2.锅入油，烧至七成熟，加入葱姜煸香，加入腐竹、黄瓜、蘑菇炒熟，加盐、鸡精调味即成。

**妈妈喂养经：**

浸泡腐竹时为了确保食材全部都浸在水面下，可在食材上压一个盘子。

## 冬笋香菇炒白菜

**材料：**白菜100克，干香菇2朵，冬笋半根，植物油、盐各适量。

**做法：**

1.将白菜洗净，切成约3厘米长的段；香菇用温水泡开，择去蒂切成小块；冬笋去掉外皮，洗净，切成长方薄片。

2.油锅烧热后先炒白菜，再加水，放入香菇及冬笋，盖上锅盖烧开，放盐改用小火焖软即成。

**妈妈喂养经：**

以香菇、冬笋等为主要原料的素什锦富含矿物质、纤维素和维生素A等，品质细腻，口感纯正，营养均衡，让宝宝能得到其生长发育所需的各种营养。

## 萝卜素丸子

**材料：**北豆腐1块，胡萝卜150克，香菜100克，粉丝30克，鸡蛋1个，面粉120克，盐少许。

**做法：**

1. 将豆腐控干水分抓碎，胡萝卜洗净去皮、擦成细丝，香菜清洗干净切碎，粉丝泡发好，切成小段。

2. 将以上物料混合，加入1个鸡蛋，放入面粉，搅拌均匀。

3. 之后调入盐，稍事搅拌。用手团制成大小均匀的丸子。

4. 锅中坐油，待六成热，将丸子放入煎炸，待完全金黄，捞出控油即可。

## 肉末卷心菜

**材料：**瘦猪肉50克，卷心菜200克，葱末、姜末各适量，酱油、盐、水淀粉各少许。

**做法：**

1. 猪肉洗净，剁成碎末；卷心菜洗净，放入开水锅中汆烫后，切碎。

2. 锅置火上，放油烧热，放入肉末煸炒断生，加入葱末、姜末、酱油、盐搅炒两下，放入少量水，煮软后再加入卷心菜稍煮片刻，用水淀粉勾芡即可。

## 肉末炒豌豆

**材料：**豌豆100克，瘦猪肉50克，葱、姜、植物油、盐、鸡精各适量。

**做法：**

1. 将瘦猪肉洗净，剁成肉末；豌豆洗净备用；葱、姜洗净，分别切成细末备用。

2. 锅内加入植物油烧热，加入葱、姜煸炒出香味后，加入肉末翻炒均匀。

3. 加入豌豆、盐、鸡精，大火炒熟即可。

## 香拌土豆丝

**材料：**土豆50克，葱丝、姜丝各少许，植物油、醋、盐各适量。

**做法：**

1. 将土豆去皮，切丝，放入凉水中浸泡。

2. 炒锅置火上，放油，烧至四成热，加入葱丝、姜丝炝锅，烹入醋，加入土豆丝翻炒几下，放盐和少量水继续翻炒，均匀后即可。

## 炸香椿芽

**材料：**香椿芽100克，面粉50克，鸡蛋1个，玉米粉少许，盐、泡打粉、花生油各适量。

**做法：**

1. 将香椿芽洗净，用盐腌一下，沥去水分；把鸡蛋打碎，蛋液放在容器中，加入面粉、玉米粉、泡打粉，调成稀面糊，再将香椿芽倒入容器中。

2. 锅中放入油，置火上，烧至五成热，将香椿芽一根根挂好糊，下油锅炸，炸至鼓起时捞出。

3. 再将油烧至七成热，将炸好的全部香椿芽倒入油锅，拨散，翻转炸至金黄色时，捞出即可。

**妈妈喂养经：**

香椿所挥发的特殊气味可以促使蛔虫排出体外。

## 琥珀核桃肉

**材料：** 核桃肉100克，白芝麻（炒香）两大匙（15克），植物油、白糖各适量。

**做法：**

1. 锅置火上，放油烧热，放入核桃肉，炒至白色的核桃肉泛黄，捞出，控净油。

2. 去掉锅内的油，倒入少量开水，放入白糖，搅至溶化，放入核桃肉不断翻炒至糖浆变成焦黄，全部裹在核桃上，再撒入芝麻，翻炒片刻即可。

**妈妈喂养经：**

核桃肉含有人体营养必需的不饱和脂肪酸和较多的蛋白质，有益宝宝生长发育，而且核桃还能滋养脑细胞，增强脑功能。

## 清炒魔芋丝

**材料：** 魔芋1包，火腿10克，葱段、姜丝各少许，植物油、白糖、盐、水淀粉各适量。

**做法：**

1. 将包装中的魔芋取出洗净，切丝；火腿切丝。

2. 锅置火上，放油烧热，放入姜丝、葱段、火腿炒香，加入魔芋丝、盐、白糖，炒至入味，用水淀粉勾芡即可。

## 海米冬瓜

**材料：** 冬瓜100克，海米30克，葱末、姜末、料酒、盐、水淀粉各适量。

**做法：**

1. 将冬瓜去皮，去瓤、子，洗净，切成片，用盐腌制10分钟左右，沥干水；海米用温水泡软。

2. 炒锅置火上，放油，烧至六成热，放入冬瓜片，炒至冬瓜皮色翠绿时，捞出控净油。

3. 炒锅留底油，烧热，放入葱末、姜末爆香，加入半杯清水、料酒、盐和海米。

4. 烧开后放入冬瓜片，用大火烧开，转用小火焖烧，至冬瓜熟透且入味后，加入水淀粉勾芡，炒匀即可。

## 干炸小黄鱼

**材料：**小黄鱼500克，面粉150克，鸡精、盐、料酒各适量。

**做法：**

1. 将小黄鱼去掉头和内脏，清洗干净，加入盐、鸡精和料酒，腌制1个小时左右。

2. 逐个放入面粉中滚几次，使鱼身上均匀地裹上一层面粉。

3. 锅内加入植物油烧至六七成热，将小黄鱼逐个放入炸至呈金黄色，取出控油。

4. 继续加热油锅，待油温升至八成热时，逐个放入黄鱼再炸一遍，使小黄鱼焦脆即可。

## 什锦沙拉

**材料：**胡萝卜、黄瓜各1根，土豆、鸡蛋各1个，火腿3片，盐1小匙，沙拉酱适量。

**做法：**

1. 将胡萝卜洗净，投入沸水中焯烫至熟，切粒备用；黄瓜洗净切粒，用少许盐腌制10分钟；火腿切成细粒备用。

2. 将鸡蛋煮熟，蛋白切粒，蛋黄压碎备用；将土豆去皮洗净切片，放入锅中煮10分钟后捞出，压成泥备用。

3. 将土豆泥拌入胡萝卜粒、黄瓜粒、火腿粒及蛋白粒，加沙拉酱拌匀，撒上碎蛋黄即可。

## 海带拌腐竹

**材料：**水发腐竹200克，水发海带200克，熟猪瘦肉100克，胡萝卜25克，黄瓜40克，麻油15毫升，熟豆油25毫升，酱油、醋、盐、味精、蒜瓣、芝麻酱、香葱各适量。

**做法：**

1. 腐竹切寸长丝，入开水中焯透，捞出过凉，沥净水。

2. 海带、胡萝卜、黄瓜洗净后，均切寸长细丝；熟瘦肉切丝；香葱、蒜瓣切末。

3. 将各种丝料配备码好入盘内，撒上香葱末，上桌时加入全部调料，拌匀即可。

## 草莓黄瓜

**材料：** 黄瓜 200 克，草莓 10 颗，盐 3 克，白醋 2 克，白糖 10 克。

**做法：**

1. 黄瓜洗净，切去两头，再切成圆片，放入小碗里加盐腌制 15 分钟左右，然后用水冲洗干净，沥干水分，装入盘中；把草莓蒂去掉洗干净，切片，装入盘中。

2. 白糖用凉开水溶化，放入白醋拌匀，放入冰箱冷冻后取出来。然后淋到黄瓜草莓上。

**妈妈喂养经：**

本品清凉脆鲜、酸甜可口。

---

## 酸甜莴笋

**材料：** 莴笋半根，西红柿 1 个，橄榄油 15 毫升，盐少许。

**做法：**

1. 将莴笋去叶、削皮、洗净，切成滚动块；西红柿洗净切成小块备用。

2. 大火烧开锅中的水，将莴笋块放入沸水中焯一下水，捞出装盘，凉凉。

3. 将莴笋块与西红柿块同时放入碗中，调入盐与橄榄油拌匀后装盘。

**妈妈喂养经：**

番茄不仅健胃消食，而且具有清热解毒的功能。夏天的番茄酸甜多汁，丰富的维生素 C 含量可以调节宝宝的肠胃。

---

## 糖醋萝卜

**材料：** 萝卜 50 克，白糖、醋、香油各适量。

**做法：**

1. 将萝卜去杂洗净，沥干水，切成细丝。

2. 将萝卜丝放入盘内，加入白糖、醋、香油，拌匀即可。

## 素拌三丝

**材料：**豆腐丝100克，干木耳3朵，干粉丝1小把，盐5克，白砂糖5克，香醋10毫升。

**做法：**

1. 干木耳用温水泡发后去除根部，清洗干净。干粉丝从中间剪断，用水泡软。

2. 将豆腐丝、泡发洗净的木耳和泡软的粉丝分别放入滚水中汆烫断生后捞出，放入凉开水中浸凉，然后分别捞出沥干或攥干其中的水分。

3. 汆烫过的黑木耳切成均匀的细丝。

4. 木耳丝、豆腐丝、粉丝和香菜碎混合，调入白砂糖、盐和香醋，拌匀即可。

## 酸奶果蔬沙拉

**材料：**番茄1/3个（约20克），香蕉半根（约30克），猕猴桃半个（约20克），酸奶适量。

**做法：**

1. 番茄在沸水中烫一下，去外皮切成小丁；香蕉和猕猴桃剥去外皮后切成小丁。这三种食材的小丁大小要均匀一致，且适合宝宝咀嚼。

2. 把三种食材混合均匀，在表面淋上适量酸奶即可。

**妈妈喂养经：**

本品红、黄、绿三种鲜艳的色彩搭配，会大大吸引宝宝的眼球，刺激宝宝的食欲。同时，还能给宝宝补充丰富的维生素。

## 草鱼烧豆腐

**材料：**草鱼肉100克，豆腐100克，笋10克，蒜苗适量，料酒、葱、姜、酱油、盐、鲜汤各适量。

**做法：**

1. 将草鱼肉洗净，顺长剖开，切成1厘米见方的丁；豆腐也切成同样大小的丁；笋切成0.3厘米厚的小方片。

2. 锅置火上，放油烧至八成热时，下鱼丁煎黄，烹入料酒，加盖略焖，加入葱、姜、酱油、盐，烧上色后，倒入鲜汤烧开，加盖转小火煨3分钟，下入豆腐、笋片，再焖3分钟，转旺火烧稠汤汁，撒上蒜苗，盛盘内即可。

# 营养主食

## 茄丁打卤面

**材料：** 面条 100 克，茄子 1/2 个，瘦肉 20 克，盐 1 小匙，鸡精少许，香油适量。

**做法：**

1. 将茄子洗净切丁，瘦肉洗净切末。
2. 起锅烧水，水沸后放入面条煮熟，捞出过凉水后放在碗中。
3. 起锅热油，放入肉末炒香，加入茄子丁炒熟。
4. 放入盐、鸡精炒匀，淋上香油即成。

## 番茄鸡蛋什锦面

**材料：** 鸡蛋 1 个，面条 50 克，番茄半个，干黄花菜 5 克，盐少许。

**做法：**

1. 将黄花菜用温水泡软，择洗干净，切成小段；番茄洗净，用开水烫一下，去皮、去籽，切成碎末；鸡蛋磕入碗里，搅成蛋液。
2. 锅置火上，放油，烧至八成热，放入黄花菜和盐，稍微炒一下，加入番茄末煸炒几下，再加入适量的清水，煮开。
3. 下入面条煮软，淋入蛋液，煮至鸡蛋熟即可。

## 虾仁金针菇面

**材料：** 龙须面 1 小把儿，金针菇 50 克，虾仁 20 克，菠菜 2 棵，植物油、高汤各适量，盐少许。

**做法：**

1. 将虾仁洗干净，煮熟，剁成碎末，加入盐腌 15 分钟左右。
2. 将菠菜洗干净，放入开水锅中焯 2 ~ 3 分钟，捞出来沥干水，切成碎末备用。
3. 将金针菇洗干净，放入开水锅中焯一下，切成 1 厘米左右的小段备用。
4. 锅内加入植物油，待油八分热时，下入金针菇，加入少许盐，翻炒至入味。
5. 加入高汤，放入虾仁和碎菠菜，煮开，下入准备好的龙须面，煮至汤稠面软，即可出锅。

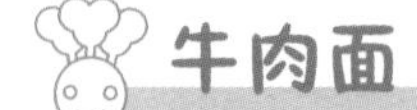

## 牛肉面

**材料：**挂面35克，丝瓜20克，牛肉10克，胡萝卜30克，姜丝少许，植物油、盐、香油各适量。

**做法：**

1. 丝瓜和胡萝卜切成丝，牛肉切成丁。

2. 油锅烧热，放入姜丝炝锅，加入牛肉丁翻炒，再放入胡萝卜和丝瓜丝，炒软。

3. 加入适量的水，水开后下面，加盐调味。

4. 面煮好后再淋入适量香油。

## 菠菜银鱼面

**材料：**短细挂面25克，菠菜25克，鸡蛋1个，小银鱼15克，盐1克。

**做法：**

1. 将菠菜清洗干净，放入沸水中焯一下，取出沥干水分，再切成2～3厘米的小段。小银鱼同样用水清洗干净。鸡蛋在碗中打散，备用。

2. 小锅中加入400毫升水，待水烧开后将短挂面、菠菜段和小银鱼一同放入锅中，中火煮沸后，继续煮3分钟至面条成熟。

3. 将蛋液缓缓倒入沸腾的锅中，继续煮2分钟直至面条软烂，即可。

## 番茄通心面

**材料：**通心面100克，番茄1个，豆腐50克，肉馅1大匙，青豆1大匙，土豆半个，胡萝卜丁少许，番茄酱50克，糖1小匙，盐少许。

**做法：**

1. 通心面放入热水中烫熟备用、青豆仁烫熟备用。

2. 番茄、土豆分别洗净切小丁，豆腐切丁。

3. 起油锅，加入肉馅炒香后，加入番茄丁、土豆丁、胡萝卜丁以及少许水，焖至将熟，加入豆腐及糖和少许盐后熄火。

4. 将番茄酱、青豆仁淋在通心面上即可。

## 五彩拌面

**材料：**细挂面50克，西红柿1个，肉馅、西蓝花各20克，胡萝卜碎、玉米粒各10克，葱姜末、盐各适量。

**做法：**

1. 西红柿洗净烫去外皮切小丁。西蓝花洗净掰成小朵，与胡萝卜、玉米粒放入沸水中焯一下，捞出沥干。

2. 挂面放入沸水中煮熟，捞出过凉水沥干备用。

3. 煮面的同时将炒锅烧热放油，爆香葱姜末，放肉馅炒熟、炒散，下西红柿丁翻炒出酱汁，放入西蓝花、胡萝卜、玉米煮熟，放盐调味，将酱料浇在挂面上拌匀即可。

## 叉烧汤面

**材料：**骨汤500毫升，拉面100克，叉烧肉（或其他熟肉）3片，油菜心2棵，海苔2片，盐3克。

**做法：**

1. 海苔剪成菱形片。骨汤倒入小煮锅中大火煮滚，关火，加入盐调味。

2. 大火煮开小煮锅中的水，放入油菜心烫熟捞起。之后下入拉面，煮滚后继续煮约4分钟至面条熟，将煮熟的拉面捞起置于大碗中。

3. 将煮开的骨汤倒入面碗中，摆入叉烧肉片、烫熟的油菜心和海苔片即可。

## 香香骨汤面

**材料：**猪或牛胫骨或脊骨200克，龙须面50克，青菜50克，精盐少许，米醋数滴。

**做法：**

1. 将骨砸碎，放入冷水中用中火熬煮，煮沸后酌加米醋，继续煮30分钟后，将骨弃之，取清汤。

2. 将龙须面下入骨汤中，将洗净、切碎的青菜加入汤中煮至面熟，加少许精盐调味即可。

**妈妈喂养经：**

汤中含有胶原蛋白、脂肪、钙、磷等易于人体吸收的营养，促进宝宝成长。

## 牛奶通心粉

**材料：**通心粉半小碗，花椰菜 50 克，牛奶 100 毫升。

**做法：**

1. 花椰菜择洗干净，然后汆烫，捞起后泡冷水。

2. 将通心粉放入开水中煮熟（软烂）。

3. 把煮熟的通心粉、花椰菜和牛奶放入锅中，煮到通心粉烂即可。

**妈妈喂养经：**

通心粉可以选不同形状、颜色的，以增加宝宝对食物的兴趣。如果用面条的话，请先将面条掰碎再煮。

## 肉末面条

**材料：**干面条 10 克，菠菜 10 克，瘦猪肉末 8 克，胡萝卜 5 克，盐、橄榄油（或香油）各少许。

**做法：**

1. 干面条折成 2 厘米长的小段。胡萝卜去皮切成 0.5 厘米见方的小丁。菠菜择洗干净，去根，切成 2 厘米长的段。

2. 煮锅中加入 500 毫升清水，大火煮开后，放入胡萝卜丁煮至八成熟，放入干面条段和猪肉末，煮滚后继续煮 2 分钟，然后放入切好的菠菜段，继续煮至所有食材熟烂。

3. 出锅前加入橄榄油（或香油）和盐，拌匀即可。

## 鸡蛋糕饭

**材料：**米饭 40 克，洋葱 5 克，青、红甜椒各 5 克，鸡蛋 1 个，盐、芝麻各少许。

**做法：**

1.洋葱去皮捣碎，红甜椒与青甜椒去子后捣碎。

2.搅拌碗里的鸡蛋后与米饭、洋葱、青甜椒、红甜椒粒、清水充分搅拌后用盐调味。

3.将碗放蒸锅里蒸 5 分钟后撒入芝麻即可。

**妈妈喂养经：**

这道点心含丰富的蛋白质，同时也是能量来源。

## 南瓜拌饭

**材料：**南瓜1片，大米50克，白菜叶1片，高汤适量，香油、盐各少许。

**做法：**

1. 南瓜去皮后，取一小片切成碎粒；白菜叶洗净，切细。
2. 大米淘洗干净，放入电饭煲内，加入高汤，再加适量水煮。
3. 待水沸后，加入南瓜粒、白菜叶煮至大米、南瓜烂软，再略加香油、盐调味即可。

## 番茄饭卷

**材料：**软米饭200克，番茄40克，奶酪20克，鸡蛋1个，葱末、盐各少许。

**做法：**

1. 将番茄去皮后切成碎丁；奶酪擦成细丝；鸡蛋打散成蛋液备用。
2. 平底锅上放入油，油热后倒入蛋液，均匀摇晃锅身做成薄蛋饼。
3. 炒锅中放入少许油，油热后爆香葱末，再放入米饭和番茄碎继续翻炒两分钟，撒上奶酪丝，用盐调味后出锅。
4. 把炒好的米饭放在蛋饼上，卷成蛋卷后切开即可。

## 菜丁肉末卷

**材料：**胡萝卜1/3根，猪肉馅20克，香芹15克，鸡蛋1个，面粉100克，盐、姜末各少许，油适量。

**做法：**

1. 胡萝卜洗净、去皮，切成1厘米的小丁；香芹洗净，切成1厘米的小丁备用；肉末中加入少许姜末和盐，腌制5分钟。
2. 将热锅中放油，待油温六成热时倒入肉末翻炒至变色，然后倒入胡萝卜丁，最后倒入芹菜丁翻炒至熟透，然后盛出备用。
3. 在大碗中打入一个鸡蛋，加一小碗水，然后倒入面粉，搅拌均匀调成面糊后倒入一半炒熟了的原材料。
4. 热锅中放少许油，倒入面糊，待面糊接近固体时将另一半材料均匀地撒在面饼上，翻一次面后直接出锅。

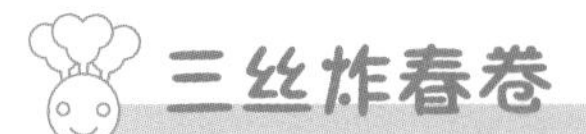

## 三丝炸春卷

**材料：**香菇、胡萝卜、瘦猪肉各 50 克，春卷皮 50 克，盐、植物油、鸡精、淀粉各适量。

**做法：**

1. 将胡萝卜和香菇分别洗净切丝。

2. 将瘦猪肉洗净切丝，加入植物油、盐、鸡精、淀粉拌匀，腌渍 10 分钟。

3. 将香菇丝、胡萝卜丝、肉丝加调料拌匀，制成春卷馅。

4. 取春卷皮，包入馅，制成条状，入油锅用温油炸至金黄色即可。

## 香椿煎蛋饼

**材料：**香椿 50 克，鸡蛋 2 个，葱末、姜末、盐各少许，植物油适量。

**做法：**

1. 把香椿择洗净，放入沸水内焯烫片刻后，捞出，放凉后挤干水分，切成末。

2. 将鸡蛋打入碗中，加葱末、姜末、盐搅拌均匀。

3. 将香椿末放入鸡蛋液中拌匀。

4. 起平锅热油，倒入鸡蛋液，小火煎至两面金黄即成。

## 奶酪饼

**材料：**胡萝卜 1/4 根，奶酪 50 克，鸡蛋 1/4 个，牛奶 20 毫升，糕粉 30 克，香菜末 1 小匙。

**做法：**

1. 将胡萝卜用擦菜板擦碎，奶酪捣碎；鸡蛋加入牛奶调匀。

2. 将糕粉、胡萝卜、奶酪、香菜末放入鸡蛋糊中搅匀。

3. 将搅拌好的材料用匙盛入煎锅，用油煎成饼。

**妈妈喂养经：**

奶酪，又名乳酪、干酪，或译称芝士、起司、起士，含有丰富的蛋白质和脂肪、维生素 A、钙和磷。

## 土豆煎饼

**材料：**土豆2个（约300克），鸡蛋1个，香葱花15克，牛奶80毫升，白砂糖、盐各5克，糯米粉50克，油15毫升。

**做法：**

1. 土豆洗净，放入蒸锅中大火隔水蒸至熟透，待凉后剥皮，用汤匙背压成泥。鸡蛋在碗中打散后加入牛奶、白砂糖、盐和糯米粉用筷子沿同一方向搅拌，之后加入压好的土豆泥，混合揉成一个大的土豆泥团。

2. 将大的土豆泥团分成同等大小的数个小土豆泥团，并揉成团状。

3. 中火加热平底锅中的油至七成热，将团好的土豆泥团放入锅中（每一个和另一个之间要间隔出一定的距离），然后用铲子轻轻压扁，在上面撒上一些香葱花。

4. 煎大约2分钟，至底部稍硬后翻至有葱花的一面，继续煎约2分钟。

## 胡萝卜土豆泥小饼

**材料：**胡萝卜1根，土豆1个，葱花少许，盐适量。

**做法：**

1. 将胡萝卜和去皮的土豆蒸烂，压成泥，在里面加入葱花和盐拌匀。

2. 然后放入油热的平底锅中烙成煎饼即可。

## 猕猴桃蛋饼

**材料：**鸡蛋1个，牛奶50毫升，猕猴桃半个，酸奶半杯，盐少许，植物油适量。

**做法：**

1. 鸡蛋磕入碗中，搅成蛋液，加入牛奶和盐搅匀；猕猴桃去皮，切成小块放入碗中，加入酸奶拌匀。

2. 平底锅置火上，放油烧热，倒入蛋液，煎成饼，将鸡蛋饼折三折成长条状。

3. 将鸡蛋饼摆入盘中，把拌好的猕猴桃放在上面即可。

## 银鳕鱼菜饼

**材料：** 鳕鱼 200 克，奶油生菜 150 克，鸡蛋 2 个，油 10 克，盐少许。

**做法：**

1. 奶油生菜清洗干净，沥去水分，切成碎末。鸡蛋煮熟后，取蛋黄压成泥。

2. 鳕鱼清洗干净，切成厚片，撒上盐腌 5 分钟，摆入烤盘。

3. 烤箱预热 180℃，将烤盘放入烤箱中，上下火烘烤 15 分钟。

4. 中火烧热炒锅中的油，放入生菜末、蛋黄泥，翻炒均匀。

5. 将炒好的蛋黄泥盖在烤好的鳕鱼片上即可。

## 鸡蛋蔬菜面饼

**材料：** 面粉 100 克，鸡蛋 2 个，黄瓜 20 克，小白菜 20 克，胡萝卜 1/3 根，盐、白胡椒粉、油各适量。

**做法：**

1. 将小白菜洗净，切成碎末；胡萝卜去皮洗净，用擦丝器擦成细细的丝；黄瓜去皮切丝。

2. 取一个大点的盆，放入面粉、鸡蛋、小白菜、黄瓜丝、胡萝卜丝，加入盐、白胡椒粉和适量温水搅拌均匀，制成面糊。

3. 在平底锅中放入适量油，用小火烧热，舀一勺面糊轻轻地放入锅中，摊开铺平，一面成形后翻过来煎，直至两面皆为金黄色，便可出锅。

## 香煎小鱼饼

**材料：** 鱼肉 50 克，鸡蛋 1 个，牛奶 50 克，洋葱少许，油、盐、淀粉各适量等。

**做法：**

1. 将鱼肉去骨刺，剁成泥；洋葱洗净，切末备用。

2. 把鱼泥加洋葱末、淀粉、奶、蛋、盐搅成糊状有黏性的鱼馅，制成小圆饼。

3. 平底锅置火上烧热，加少量油，将鱼馅小圆饼放入锅里煎熟即可。

## 松仁玉米烙

**材料：**甜玉米100克，松仁50克，蛋清1个，炼乳、植物油、淀粉各适量。

**做法：**

1. 将甜玉米粒放入开水锅中焯烫，捞出，沥干水。

2. 将玉米粒、炼乳、蛋清、淀粉混合搅匀；松仁过油炸至微黄。

3. 锅上涂一层油，置火上，均匀摊上玉米粒，撒上松仁，煎至底面微黄即可。

**妈妈喂养经：**

玉米的营养较为丰富，虽然是粗粮，却是粗粮中的保健佳品，多食玉米对人体的健康颇有益处。如果不甜，可放点糖，但不要放多，以免造成宝宝生虫牙。

## 虾皮碎菜包

**材料：**虾皮5克，小白菜50克，鸡蛋1个，自发面粉100克，盐1克，芝麻香油2毫升。

**做法：**

1. 自发面粉放入大碗中，加入适量温水和成面团，加盖饧15分钟。将面团搓成条状，切成6份，再擀成包子皮。

2. 虾皮洗净，切碎。鸡蛋在碗中打散。小火加热锅中的芝麻香油，将蛋液倒入炒熟，放凉，切碎。小白菜洗净，用沸水烫一下，切成末。将馅料盛入碗中，调入盐，制成包子馅。

3. 将馅料包入面皮中，制成6个小包子，上笼蒸15分钟至熟即成。

## 鱼肉白菜饺子

**材料：**鱼肉50克，白菜叶末20克，葱花、姜末各少许，甜酱、料酒、盐、香油各适量。

**做法：**

1. 将鱼去皮，剔除鱼刺，剁成泥状。

2. 鱼肉内放入甜酱、葱花、姜末、料酒、盐、香油、白菜叶末，搅拌均匀，制成馅后包成饺子。

3. 锅置火上，放入适量清水，烧开后放入鱼肉饺子，煮熟，最后稍调味即可。

## 猪肉白菜包

**材料：**瘦猪肉 30 克，白菜 100 克，面粉 100 克，葱末、姜末各 5 克，盐、香油各少许，酱油、发酵粉各适量。

**做法：**

1. 将面粉加水和发酵粉放入盆中揉成面团，饧面备用。

2. 瘦猪肉洗净剁碎；白菜去老叶，去根洗净剁碎，挤掉白菜水分。

3. 猪肉末用少量水调匀，再加入酱油、香油、盐、葱末、姜末调匀，加入白菜末，制成馅。

4. 将饧好的面团制成剂子，擀成皮，将馅包好，上屉蒸 20 分钟即可。

## 黑芝麻馒头

**材料：**面粉 250 克，酵母 5 克，熟黑芝麻 30 克。

**做法：**

1. 熟黑芝麻放入搅拌机的干磨杯中打成细粉。

2. 酵母和适量水混合均匀。面粉和熟黑芝麻粉放入盆中，加入酵母水。揉成光滑柔软的面团，盖上盖子，发酵至原体积 2 倍大。

3. 取出发酵面团充分揉匀排除气泡，切成 5 等份，揉圆成馒头生坯。

4. 馒头生坯放入铺好干净纱布的笼屉中，盖好盖子，饧发 20 分钟。蒸锅加水烧开，放入笼屉，大火蒸 10 ~ 12 分钟。

## 鲜肉粽子

**材料：**糯米、猪肉各 500 克，盐、酱油、白糖、料酒、粽叶、细绳各适量。

**做法：**

1. 粽叶洗净，煮软；猪肉洗净，切块，加料酒、酱油、盐拌匀；糯米洗净，加白糖、盐搅匀。

2. 每次取 2 张粽叶，先放 1/3 糯米，加肉块，再放 2/3 糯米包成三角形粽子，用细绳捆好，上高压锅中火煮半小时即可。

**妈妈喂养经：**

糯米香糯黏滑，富含 B 族维生素、蛋白质等，能温暖脾胃，补益中气。

## 金色红薯球

**材料：**红心红薯 1/3 个（100 克左右），红豆沙 30 克，植物油 200 克（实耗 30 克左右）。

**做法：**

1. 将红薯洗干净，削去皮，用清水煮熟，再用小勺捣成红薯泥。

2. 取出 1/4 份红薯泥，用手捏成团后压扁，在中间放上一点豆沙，再像包包子一样合起来，搓成一个小球。

3. 按上一步的办法把红薯泥装上豆沙，搓成一个个小红薯球。

4. 锅内加入植物油，烧热，将火关到最小，将搓好的红薯球放进油锅里炸成金黄色。

5. 捞出来凉凉，就可以给宝宝吃了。

## 豆腐鸡蛋饼

**材料：**豆腐 20 克，鸡蛋 1 个，番茄 50 克，柿子椒 20 克，盐、植物油各少许。

**做法：**

1. 将豆腐除去水分并捣碎，放盐调味；鸡蛋打入碗中加适量盐搅匀；番茄和柿子椒切成小碎块。

2. 将鸡蛋糊倒入放油的煎锅煎成蛋饼，半熟时将其余材料放在上面。

## 荸荠糯米丸子

**材料：**猪肉馅 50 克，鸡蛋 1 个，荸荠 50 克，糯米 25 克，葱末、姜末、料酒、水淀粉、香油、盐各适量。

**做法：**

1. 将糯米用清水浸泡 40 分钟，捞出，沥干水；荸荠洗净，去皮，剁碎。

2. 将猪肉馅放入盆内，加入鸡蛋、荸荠、水淀粉、香油、盐、料酒、葱末、姜末及适量清水，用力搅拌，搅至有黏性。

3. 将肉馅搓成大小相等的丸子，并逐个蘸一层糯米，放入盘内，然后上笼用大火蒸 25 分钟，加葱花点缀即可。

**妈妈喂养经：**

荸荠中含有的磷是根茎类蔬菜中最高的，能促进人体生长发育和维持生理功能，对牙齿骨骼的发育有很大好处，同时可促进体内的糖类、脂肪、蛋白质三大物质的代谢，调节酸碱平衡。

## 美味汤羹粥

### 西蓝花酸奶糊

**材料：** 西蓝花（小的）1个，酸奶2大匙，白糖少许。

**做法：**

1. 将西蓝花洗净，切碎，并加水煮成糊状。
2. 酸奶中加白糖之后与西蓝花拌匀即可。

**妈妈喂养经：**

酸奶中所含的维生素A、维生素E、胡萝卜素、B族维生素等，能阻止人体细胞内不饱和脂肪酸的氧化和分解，防止皮肤干燥。腹泻时喂养最好。

### 红豆莲子汤

**材料：** 红豆100克，莲子50克，冰糖2粒。

**做法：**

1. 将红豆洗净，浸泡2小时；莲子洗净，去心，浸泡2小时。
2. 将红豆和莲子一起放入电饭煲里，煲2小时至熟烂。
3. 加入冰糖溶化即可。

**妈妈喂养经：**

红豆益气补血，配莲子有宁心安神的功效。

### 海米紫菜蛋汤

**材料：** 海米10克，紫菜10克，鸡蛋1个，盐适量，香油各少许。

**做法：**

1. 将海米、紫菜泡发后洗净，切成碎末。
2. 将鸡蛋打入碗内搅匀。
3. 锅内放入适量清水烧沸，下海米、紫菜，煮至熟烂，再倒入鸡蛋液成蛋花汤，加入盐、香油即可。

**妈妈喂养经：**

紫菜开封后容易受潮，可以放进保鲜盒里密封或是放入冰箱以保持它的味道和营养。如果清洗紫菜的水变成蓝紫色，说明它是被污染的，不能再食用。

## 番茄蛋花汤

**材料：** 鸡蛋2个，番茄100克，冬笋25克，葱、姜末各1克，精盐、味精、香油各适量。

**做法：**

1. 番茄洗净去皮，切成小块；鸡蛋磕入碗内，搅拌均匀；冬笋洗净切薄片。

2. 将锅置旺火上，加入花生油烧至七成热，下入葱姜、精盐爆香，加入番茄煸炒。

3. 加少许水，煮沸5分钟，下入冬笋片继续煮5分钟。将鸡蛋液入锅成散花状，下入味精，淋香油，出锅即成。

## 黄花菜黄豆排骨汤

**材料：** 黄花菜10克，黄豆20克，排骨50克，红枣2颗，生姜1块，盐1小匙。

**做法：**

1.黄豆用清水泡软，清洗干净；黄花菜的头部用剪刀剪去，洗净打结。

2.生姜洗净切片；红枣洗净去核；排骨用清水洗净，放入滚水中烫去血水备用。

3.汤锅中倒入适量清水烧开，放入所有原材料。

4.以中小火煲3小时，起锅加盐调味即可。

**妈妈喂养经：**

肉、骨头和汤一起吃，可补充优质蛋白质，补充钙和磷等矿物质；添加了黄豆的排骨汤，包含有了更多的钙质，营养更均衡。

## 香菇鸡腿汤

**材料：** 鸡腿50克，干香菇2朵，盐少许。

**做法：**

1. 香菇泡发后洗净去蒂，切成片。

2. 鸡腿洗净，剁成1.5厘米长的块，用沸水焯一下，去掉血水。

3. 把鸡腿、香菇放入锅中，加入适量清水同煮，待肉烂时加入盐即可。

## 莲藕苹果排骨汤

**材料：**苹果1个，排骨100克，莲藕50克，姜、葱、醋、盐各少许。

**做法：**

1. 新鲜的排骨和莲藕洗净，切成小块；苹果洗净，切块。

2. 将排骨和莲藕放入高压锅中，加入适量清水、姜、葱、盐、醋，煮30～40分钟。

3. 然后放入苹果煲几分钟，即可食用。

**妈妈喂养经：**

苹果含有丰富的矿物质、多种维生素，被誉为宝宝的“记忆水果”。

## 番茄海带汤

**材料：**海带250克，番茄1个，柠檬1个，鸡汤（骨头汤）2碗，辣油1小匙，盐1小匙，奶油2小匙。

**做法：**

1. 将海带洗净，切丝；柠檬、番茄挤汁待用。

2. 炒锅置火上，放入鸡汤（骨头汤），加入海带丝，烧煮五分钟，放奶油、辣油、柠檬汁、番茄汁，煮开后盛入汤碗内即可。

**妈妈喂养经：**

没有湿海带也可以用干的，浸泡发就行，用干海带的时候一小片就够了，海带泡发后会特别多。

## 苹果鱼汤

**材料：**草鱼肉100克，苹果2个，猪瘦肉150克，大枣、生姜各10克，精盐少许，料酒、豆芽汤各适量。

**做法：**

1. 苹果去皮、核后切块，草鱼肉去刺后切成片，大枣去核，猪瘦肉、生姜切片。

2. 锅中热少许油，放入姜片爆香后转小火，放入鱼片煎至两面金黄。

3. 烹入料酒，加入猪瘦肉片和大枣，再倒入豆芽汤，转中火炖至汤发白。加入苹果，调入精盐，继续炖20分钟即可出锅食用。

## 鱼肉菜粥

**材料：**大米200克，青鱼（草鱼）肉100克，嫩油菜叶、胡萝卜各10克，生抽少许。

**做法：**

1. 大米淘洗干净，加入800毫升凉水，大火煮开，转小火熬至黏稠待用。

2. 鱼肉清洗干净，仔细去除鱼肉中的小刺，剁成鱼末待用。嫩油菜叶、胡萝卜清洗干净，切成碎末。

3. 炒锅内倒入油，大火烧至七成热，放入剁好的鱼末炒散，加入青菜末和胡萝卜末，调入生抽拌炒均匀至熟。

4. 将炒好的鱼肉青菜末倒入米粥中，继续熬煮5分钟即可。

**妈妈喂养经：**

1. 粥一定要熬烂、发黏，鱼肉末煸炒入味后再与粥同熬，否则会有腥味。

2. 夏季宝宝也会出现食欲降低的问题，所以应该让宝宝多吃一些易消化而营养又均衡的食物。鱼肉中含有丰富的蛋白质，而青菜则可以为宝宝提供维生素和矿物质。

## 黄鱼羹

**材料：**黄鱼1条（约350克），白蘑菇2只，嫩豆腐80克，香菜碎10克，蛋清1个，水淀粉15毫升，盐5克，芝麻香油5毫升。

**做法：**

1. 黄鱼去鳞、内脏和鱼鳃，清洗干净，从鱼尾起沿脊骨分别片成两片鱼肉片，再切成0.5厘米见方的丁。

2. 白蘑菇洗净后切成0.5厘米见方的丁。嫩豆腐也切成同样大小的丁。蛋清加入水淀粉在碗中打散。

3. 煮锅中加入适量水，大火煮开，分别放入豆腐丁、白蘑菇丁和黄鱼肉丁焯煮1分钟捞出，沥去水分备用。煮锅中重新加入适量凉水，大火煮开后，放入焯煮过的鱼肉丁、白蘑菇丁和豆腐丁。

4. 再次煮开后转小火，用汤勺将锅中的汤沿一个方向搅动，同时淋入蛋清和水淀粉的混合液，调入盐，再次用汤勺将锅中的汤沿一个方向搅动，出锅前撒入芝麻香油即可。

## 肉末豆腐鸡蛋羹

**材料：**猪肉馅、嫩豆腐各10克，鸡蛋1个，香葱2克，香油、盐、酱油各少许。

**做法：**

1. 将嫩豆腐洗净，切成1厘米见方的小丁；鸡蛋打入碗中，加入大约与鸡蛋液等量的水，放入盐和切好的豆腐丁，用筷子沿一个方向轻轻搅拌，直接放入上气的蒸锅蒸10分钟。

2. 另起炒锅，油温六成热时，放入肉末煸炒至变色，倒入酱油。翻炒均匀后出锅，直接浇在鸡蛋豆腐羹上，点上几滴香油，撒上少量香葱即可食用。

## 豆腐香肠羹

**材料：**嫩豆腐100克，香肠20克，鸡蛋1个，水淀粉、盐、葱花各少许。

**做法：**

1. 将嫩豆腐切成小方块，在开水里焯过，香肠煮熟后切成小段。

2. 鸡蛋打透后倒入长方盘内，上锅蒸熟，切成小方块。

3. 锅内放水，滚开后把这些原料放入锅内，淀粉勾芡，然后加入盐、葱花少许即可。

**妈妈喂养经：**

1. 蒸鸡蛋时一定要用中小火，且锅盖不要盖得太过严实，用一根筷子搭在锅沿给锅盖留条缝，蒸出的鸡蛋羹一定超级嫩滑。

2. 鸡蛋羹好吃，可是碗底却很难洗，可以事先在碗里薄薄涂上一层油，再倒入蛋液，洗碗就轻松啦！

## 豌豆粥

**材料：**米饭半碗，豌豆10粒，牛奶100毫升。

**做法：**

1. 将豌豆煮熟，捣碎；米饭加适量水用小锅煮沸。

2. 加入牛奶和豌豆，用小火煮成粥即可。

**妈妈喂养经：**

豌豆中含有均衡的营养素，尤其是磷的含量非常丰富，对宝宝骨骼和牙齿的发育很有好处。

## 牛奶粥

**材料：**大米 50 克，牛奶 200 毫升。

**做法：**

1. 锅置火上，放入洗净的大米和水，旺火烧开。

2. 改用小火熬煮 30 分钟左右，至米粒涨开时，倒入牛奶搅匀，继续用小火熬煮 10～20 分钟，至大米粒黏稠，溢出奶香味时即成。

**妈妈喂养经：**

此粥既可以直接食用，也可以加少许糖或盐，成为不同口味的奶粥。

## 肉末虾皮菜粥

**材料：**大米 30 克，猪瘦肉 10 克，虾皮、白菜、冬菇、油、葱花、精盐各适量。

**做法：**

1. 大米洗净，猪瘦肉、虾皮、白菜切碎，冬菇泡水后洗净切碎。

2. 锅中热少许油，放入葱花爆香后，倒入肉末、冬菇、虾皮、白菜炒匀后盛出。

3. 将大米放入砂锅中，倒入适量清水，大火煮沸后转小火煮至粥稠，再加入煸炒好的材料，稍煮片刻后，放精盐调味即可。

## 肉蛋豆腐粥

**材料:** 粳米 30 克，瘦猪肉 25 克，豆腐 15 克，鸡蛋半个（约 20 克），盐 2 克。

**做法：**

1. 将瘦猪肉剁成泥，豆腐研碎，鸡蛋去壳，只取一半蛋液搅散。

2. 将粳米洗净，加适量清水，文火煮至八分熟时下猪肉泥，煮至粥成肉熟。

3. 将豆腐碎、蛋液倒入肉粥中，旺火煮至蛋熟后，调入盐即可。

**妈妈喂养经：**

此粥蛋白质、脂肪、糖类比例搭配适宜，还富含锌、铁、钠、钙和维生素 A、B 族维生素、维生素 D，是保障宝宝健康发育的营养食品。感冒患儿不宜食用此粥。

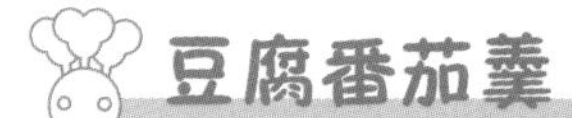

## 豆腐番茄羹

**材料：**豆腐200克，番茄2个，清汤、姜末、盐、料酒、水淀粉各适量。

**做法：**

1. 将番茄用开水汆烫，去皮，切成小丁；豆腐用开水汆烫，切成小丁。

2. 锅置火上，放油烧热，放入姜末稍炸一下，加入清汤、番茄、豆腐、盐、料酒搅匀，开锅后去浮沫，用水淀粉勾芡即可。

**妈妈喂养经：**

豆腐中除含丰富的蛋白质外，还含有丰富的卵磷脂，有益于神经、血管、大脑的发育生长，有健脑的功效。烫豆腐时，要等水开后再放入，这样豆腐不易碎。炖豆腐时火要旺。

## 鱼松粥

**材料：**鲈鱼1条（约500克），芦笋1根，大米80克，盐1克。

**做法：**

1. 大米淘洗干净，放入锅中，加入适量水，熬煮成粥。芦笋削去根部老硬部分，放入滚水中汆汤1分钟，取出，沥去水分，切碎。

2. 鲈鱼去鳞、去内脏，清洗干净，大火蒸10分钟至熟。

3. 取出鲈鱼，去掉皮和骨头，留鱼肉待用。

4. 小火烧热平底锅中的油至六成热，放入制好的鱼肉，翻炒10分钟，加入盐调味，即成鱼松。

5. 将煮好的米粥盛入小碗内，加入炒好的鱼松和芦笋碎即可。

## 玉米粥

**材料：**玉米面100克。

**做法：**

1. 将玉米面放入大碗中，用凉开水搅成稀糊状。

2. 锅内放入适量的清水烧沸，将玉米糊徐徐地倒入沸水中，边倒入边搅拌，熬成浓稠状即可。

**妈妈喂养经：**

玉米含有钙、镁、硒、维生素A、维生素E、卵磷脂、氨基酸等30多种营养活性物质，能帮助宝宝增强免疫力，促进大脑细胞的发育。

## 鲜肝薯粥

**材料：**土豆20克，大米30克，鸡肝5克，盐1克。

**做法：**

1. 鸡肝用流动的水冲洗干净，放入小煮锅中煮熟，捞出（煮鸡肝的水留用），取1/3左右捣成泥状。

2. 土豆清洗干净，放入小煮锅中煮至熟软，捞起，压成薯蓉。

3. 大米淘洗干净后，加入煮鸡肝的水，大火煮开后转中小火，熬至米粒成糊状，加入鸡肝泥和土豆蓉，调入盐，搅拌均匀关火，待温热后喂给宝宝吃。

**妈妈喂养经：**

鸡肝含有丰富的蛋白质、钙、磷、铁、锌、维生素A、B族维生素。维生素A含量远远超过奶、蛋、肉、鱼等，给宝宝食用有保护视力、明目的作用。鸡肝煮熟后较猪肝软，也可用猪肝代替。

## 玉米牛奶粥

**材料：**玉米粉50克，牛奶150毫升，红枣25克，奶油少许。

**做法：**

1. 将牛奶倒入锅内，加入泡好的红枣，用小火煮开，撒入玉米粉，用小火再煮3～5分钟，并用勺不断搅和，直至变稠。

2. 将粥倒入碗内，加入奶油，搅匀，放凉后喂食。

## 鳕鱼香菇菜粥

**材料：**鳕鱼1小块，香菇1朵，圆白菜叶几片（或小油菜），大米粥半碗，盐少许。

**做法：**

1. 将鱼洗净，切碎，加入少许盐拌匀，放入微波炉加热1分钟即熟。

2. 将香菇和菜叶分别洗净，放入碗里，加入适量水，在微波炉里煮2分钟，至鲜软，切碎。

3. 将鱼泥和菜泥一起放到粥里搅拌均匀，微波炉加热2分钟至滚熟即可。

## 苹果粥

**材料：**大米1杯，苹果1个，葡萄干2大匙，水10杯，蜂蜜1大匙。

**做法：**

1. 大米洗干净，晾干；苹果洗净后去子。

2. 锅里加水煮开，放入大米和苹果，续煮至滚沸，稍微搅拌，改中小火煮40分钟。

3. 煮好后加入葡萄干，吃时加入蜂蜜拌匀即可。

## 排骨菠菜粥

**材料：**白米80克，水1000毫升，排骨2小块（约100克），菠菜60克，盐少量。

**做法：**

1. 白米洗净后，放入水中浸泡30分钟。

2. 在浸泡的白米中放入排骨，用最小火慢熬约1小时。

3. 将菠菜切碎放入粥中，并加入少量盐拌匀，稍放凉后即可食用。

## 香菇薏米粥

**材料：**香菇4朵，大米30克，薏米20克，油豆腐3块，精盐适量。

**做法：**

原料洗净，香菇泡发后切丁，油豆腐切块，薏米、大米浸泡。将全部材料放入锅中，加水适量，蒸熟后加适量精盐调味即可。

## 鲜虾蛋粥

**材料：**米饭1小碗，鸡蛋1个，虾仁50克，菠菜20克，葱花1大匙，盐少许。

**做法：**

1. 将米饭煮成稀饭；菠菜切段；鸡蛋磕入碗中，搅成蛋液。

2. 把菠菜与虾仁加入稀饭中煮沸，用盐调味。

3. 最后倒入蛋液，放上葱花即可。

## 银鱼蛋黄菠菜粥

**材料：**银鱼3汤勺，米50克，水800毫升，蛋黄1个，菠菜40克，盐适量。

**做法：**

1. 白米洗净后加入3杯水浸泡1小时，将浸泡过的白米用小火熬煮。

2. 银鱼清洗后切成细末加入白米中熬煮约30分钟后，再加入蛋黄拌匀。

3. 将菠菜洗净并切成细末，再放入白米中一起煮，熄火后放凉即可喂食。

## 银耳大枣粳米粥

**材料：**银耳7克，粳米100克，大枣5枚，冰糖5克。

**做法：**

1. 银耳用开水发涨，择去蒂头，拣去杂质、泥沙，将银耳叶片反复揉碎，粳米用清水淘洗干净，大枣洗净。

2. 锅置火上，注入清水500毫升，放入银耳、红枣用中火烧开，然后慢煮至米粥汤稠，表面浮有粥油，放入冰糖，再煮5分钟即可。

## 皮蛋瘦肉粥

**材料：**瘦猪肉50克，松花蛋1个，大米30克，鲜汤、盐各适量。

**做法：**

1. 将瘦猪肉洗净，放入锅中，用大火煮沸，再转用小火煮20分钟，撇去浮沫，捞出猪肉切成小丁。

2. 松花蛋去壳，切成末。

3. 大米淘洗干净，放入锅中，加入鲜汤和水用大火烧开后转小火熬煮成稀粥，粥稠后加入盐、猪肉丁和松花蛋末，稍煮即可。

**妈妈喂养经：**

松花蛋中各种矿物质含量很多，特别是铁和钙更是丰富，并能预防贫血。但它的铅含量也是比较高的，因此不可多吃。

# 加餐小点心

## 花生酱西多士

**材料：**吐司面包4片，鸡蛋2个，色拉油、花生酱各适量。

**做法：**

1. 吐司切去四边，在吐司片上均匀地涂抹上花生酱，再盖上另一片吐司。

2. 将2个鸡蛋打散成蛋液，装入大碗中，把夹好的吐司放进碗里，将四边蘸上蛋液，再轻轻地将双面都蘸满蛋液。

3. 平底锅倒油烧热，放入吐司片用小火煎，煎至双面金黄色，取出用纸巾吸一下多余的油，沿对角线切开即可。

**妈妈喂养经：**

吐司不要在蛋液中久泡，轻轻蘸均匀即可。吐司也可以不去边，不过切边制作效果会更好。也可以用黄油煎，吃起来更香。

## 法式吐司

**材料：**吐司1片，鸡蛋1个，牛奶60毫升，黄油、蜂蜜各少许。

**做法：**

1. 鸡蛋打散后，加入牛奶搅拌均匀。吐司对角切成三角形待用。

2. 将吐司放入鸡蛋牛奶液中，使其均匀地裹上蛋汁。

3. 平底锅抹少许黄油，烧热后将吐司放入，煎至两面金黄，吃的时候淋上点蜂蜜。

**妈妈喂养经：**

1. 鸡蛋牛奶液最好盛在一个平盘中，这样能使吐司片均匀地裹上蛋汁。

2. 为了使口感更加丰富，可以在两片对角吐司中间抹些果酱，然后再裹蛋汁煎制。

## 苹果薯团

**材料：**红薯60克，苹果60克，蜂蜜少许。

**做法：**

1. 将红薯洗净，去皮，切碎煮软。

2. 把苹果去皮去核后切碎，煮软，与红薯均匀混合，加入少许蜂蜜拌匀即可喂食。

**妈妈喂养经：**

软烂，香甜。含有丰富的糖类、蛋白质、钙、铁及多种维生素，尤以胡萝卜素含量最丰富。

## 核桃果味发糕

**材料：**面粉100克，发酵粉3克，玉米粉15克，核桃碎、油各少许，桃汁、白砂糖各适量。

**做法：**

1. 将面粉、发酵粉、玉米粉与适量的桃汁、白砂糖混合，搅拌成面糊。

2. 在模具的内侧和底部薄薄涂一层油，把面糊倒入至模具的八分满，撒入核桃碎，用刮刀拌匀并刮平表面。

3. 烤箱预热至200℃，把模具放入烤箱，上下火烤制20分钟即可。

**妈妈喂养经：**

发糕中还可以加入花生碎、腰果碎、葡萄干等宝宝喜欢的食物。

## 酸奶麦片

**材料：**酸奶150毫升，麦片30克，杏仁10克，草莓2个（约30克）。

**做法：**

1. 杏仁切碎；草莓洗净，切小块。

2. 把酸奶倒入碗中，放入麦片，撒上杏仁和草莓。

3. 吃时搅拌均匀即可。

## 山药凉糕

**材料：**山药100克，琼脂5克，蜜枣、樱桃、白糖各少许。

**做法：**

1. 山药去皮、洗净，上屉蒸烂（蒸约1个小时左右），研成细泥；蜜枣切碎丁。

2. 锅中加水煮沸，放入琼脂和白糖熬化，用洁白纱布过滤，倒回锅内，放入山药细泥与蜜枣粒，再用火熬开，搅拌均匀，然后倒入搪瓷盘，冷却凝固，入冰箱镇凉。

3. 食时取出，切成菱角块，摆盘，放上樱桃摆盘。

## 麻花

**材料：**面粉500克，芝麻少许，白糖、盐、小苏打粉、植物油各适量。

**做法：**

1. 将面粉、白糖、芝麻、盐、小苏打粉、植物油一起搅拌和成面团，饧一会儿。

2. 将面团搓成长条，揪成小剂子，把小剂子搓成条，刷上植物油，三条三条地叠在一起，对折拧成螺旋状，做成麻花生坯。

3. 锅内倒油烧热，将做好的麻花生坯下入油锅，炸至表面坚硬酥脆，捞出凉凉即可。

## 黑胡椒鸡柳

**材料：**鸡脯肉500克，鸡蛋1个（约40克），面粉50克，盐、十三香、黑胡椒粉各3克，料酒15克，淀粉10克。

**做法：**

1. 鸡脯肉切成条，放入盐、十三香和料酒拌匀，再打入1个蛋清，拌匀后腌制20分钟。

2. 把腌好的鸡肉条放入面粉和淀粉，拌匀。

3. 锅中油烧至八成热时，放入鸡肉条炸至金黄色捞出，撒上黑胡椒粉拌匀即可。

## 小动物饼干

**材料：** 面粉200克，鸡蛋1个，红糖150克，黄油50克，油5毫升。

**做法：**

1. 黄油在室温下软化，与鸡蛋、红糖、面粉混合，用手揉成面团。

2. 用擀面杖将面团擀成2 ~ 3毫米厚的面饼，注意面饼的厚度要保持一致。将各种小动物模具放在面饼上，压出小动物的图形。

3. 用刷子在烤盘上薄薄地刷一层油，防止饼干和烤盘粘连。将小动物形状的饼坯放入烤盘。烤箱预热3分钟，将烤盘放入，用190℃左右的火，烤制10 ~ 15分钟即可。

## 苹果沙拉

**材料：** 苹果50克，葡萄干5克，橙子1瓣，酸奶酪15克，蜂蜜5克。

**做法：**

苹果去皮子，葡萄干泡软，橙子去皮子，然后切小碎丁，用酸奶酪和蜂蜜将各种水果原料拌匀即可。

**妈妈喂养经：**

苹果不但含有多种维生素、无机盐和糖类等组成大脑所必需的营养成分，而且含有丰富的锌，锌可增强宝宝的记忆力。

## 蜂蜜汉堡

**材料：** 熟鸡蛋1个，吐司面包2片，蜂蜜少许，猕猴桃30克。

**做法：**

1. 将吐司硬边切掉，用模具压成若干片小圆面包片。

2. 熟鸡蛋、猕猴桃分别去皮切片备用。

3. 取1片面包，放上猕猴桃片、鸡蛋片，淋少许蜂蜜，再盖上一片面包即可。

**妈妈喂养经：**

花样繁多的烤饼干小模具都可以用来切面包，让吃饭变成好玩的事。

## 奶酪三明治

**材料：** 切片面包3片，切片火腿1片，生菜叶1片，黄瓜50克，西红柿30克，奶酪2片。

**做法：**

1. 在一片面包上放上培根，然后在上面铺上一片奶酪，放入微波炉中火加热20秒后取出。将黄瓜、西红柿洗净切成薄片。

2. 在另一片面包上摆上另一片奶酪，然后将黄瓜、西红柿片和洗净的生菜叶铺在上面，盖上一片面包，再将刚才放培根的那片面包盖上，一个足量的三明治就做成了。

## 腰果麻球

**材料：** 猪肉末300克，炸腰果碎350克，糯米粉500克，澄粉150克，花生酱100克，黄油100克，白糖250克，白芝麻适量。

**做法：**

1. 将糯米粉加入黄油、温水和成面团；澄粉加沸水制成烫面团，揉匀，再加入和好的温水面团，揉匀，稍饧；花生酱用少许温开水调匀。

2. 猪肉末加入腰果碎、白糖、花生酱，调匀成馅。

3. 面团搓成长条，做成剂子，压扁，包入馅料，封口搓成圆球，裹上芝麻，下热油中炸至金黄色即可。

## 果味点心

**材料：** 苹果1个，香蕉1根，白砂糖、米粉、坚果粉各适量。

**做法：**

1. 将新鲜的苹果清洗干净，香蕉去皮，分别切成小块后放在搅拌机里打成水果泥。

2. 在做好的水果泥中放入适量米粉和白砂糖，搅匀成稠糊状。

3. 可以根据个人的喜好，将糊放入小碗中或是模具中做成可爱造型的小团子，上锅蒸熟。

4. 如果宝宝喜欢吃坚果仁，可以在米糕的外面撒一些坚果粉。

**妈妈喂养经：**

坚果对宝宝的大脑发育和视力发育都很有好处，但要注意宝宝每天的摄入量，以防上火。

## 开心饮品

### 银耳枇杷

**材料：**新鲜枇杷 100 克，水发银耳 50 克，白糖适量。

**做法：**

1. 新鲜枇杷去皮、去子，切成小片待用；水发银耳洗净，去杂，放入碗内加少量水，上笼蒸至银耳黏滑成熟。

2. 锅中放清水烧开，放入银耳烧沸，再放入枇杷片、白糖，再沸后，装入大汤碗内即可。

**妈妈喂养经：**

枇杷柔甜多汁，甘酸适中，有止渴下气、利肺气、止吐逆、润五脏的作用。银耳清肺益气、滋阴补肾。二味相配，重在润肺止咳、止渴下气，兼有清肺的功效。适量饮用，对宝宝感冒咳嗽有显著疗效。

### 高纤蔬菜汁

**材料：**西芹 50 克，水芹 50 克，白萝卜 30 克，柠檬半个。

**做法：**

1. 将蔬果洗净， 白萝卜切长条状；柠檬以榨汁备用。

2.西芹、水芹、白萝卜分别榨汁，倒入杯中。

3.加入柠檬汁，调匀即可。

**妈妈喂养经：**

西芹中含有多种维生素，还含芳香油，不仅能促进宝宝的食欲，还能镇静睡眠惊厥的宝宝。

### 冰糖莲子梨

**材料：**梨半个（约 50 克），冰糖少许，莲子 4 粒。

**做法：**

1. 梨洗净，去皮去核切成小方块；莲子去心泡涨。

2. 将梨块、莲子和冰糖放到小碗中，加适量水，放置蒸锅中，至冰糖溶化即可。

## 香蕉甜橙汁

**材料：**香蕉1根，甜橙1个。

**做法：**

1. 甜橙去皮，切成小块儿，放入榨汁机中，加适量清水榨成汁，再将甜橙汁倒入小碗里。

2. 香蕉去皮，用铁汤匙刮泥置入甜橙汁中即可。

**妈妈喂养经：**

香蕉含有丰富的糖类、钙、磷、铁、胡萝卜素、维生素等，特别是含钾量较高，对宝宝身体发育非常有益。

## 荔枝饮

**材料：**新鲜荔枝5枚，红枣10颗，冰糖10克。

**做法：**

1. 将荔枝、红枣洗净，去皮、核。

2. 锅置火上，放入荔枝、红枣，加适量水，用大火煮沸，改小火煮30分钟。

3. 将冰糖弄碎，加水溶化，倒入荔枝汤内即可。

**妈妈喂养经：**

荔枝一直被视为珍贵的补品，其果肉含丰富的维生素C和蛋白质，有助于增强机体的免疫功能，提高抗病能力。与大枣合用，既健身益智又健脾。

## 胡萝卜橙汁

**材料：**脐橙1个，胡萝卜半根，白糖少许。

**做法：**

脐橙对切成4瓣，去皮，胡萝卜洗净切段。将橙肉和胡萝卜段放入榨汁机榨汁，加入少量白糖搅匀即可。

**妈妈喂养经：**

橙子含有丰富的果胶、蛋白质、钙、磷、铁及维生素$B_1$、维生素$B_2$、维生素C等多种营养成分，胡萝卜含有丰富的β－胡萝卜素，对滋润皮肤、保养头发和眼睛都有显著效果。

## 绿豆鲜果汤

**材料：**水蜜桃、菠萝、枇杷各20克，绿豆汤100毫升。

**做法：**

1.水蜜桃、枇杷去皮去核，切小块；菠萝去皮，切小块。

2.将以上小块与绿豆汤一起放入锅中煮沸，凉凉即可。

**妈妈喂养经：**

可以在绿豆鲜果汤中放入一些冰块，尤其适合在夏天饮用。

## 猕猴桃汁

**材料：**猕猴桃50克。

**做法：**

1. 挑选质地较软的猕猴桃。

2. 去皮后切成小块放入榨汁机搅拌均匀，再用滤网过滤掉残渣即可。

**妈妈喂养经：**

猕猴桃是一种营养价值极高的水果，含十几种氨基酸、多种矿物质、维生素和胡萝卜素，被誉为“水果之王”，对缓解小儿厌食有一定作用。

## 柳橙汁

**材料：**新鲜柳橙1个（约150克）。

**做法：**

1. 将新鲜柳橙对半切开，然后挤汁。

2. 添加等量冷开水，将果汁稀释后饮用。

**妈妈喂养经：**

新鲜柳橙含有丰富的维生素C、果酸、维生素$B_1$、维生素$B_2$、尼克酸、蛋白质、粗纤维、铁、钙、磷等营养素，有利于促进消化，补充母乳、牛奶中维生素的不足。还能帮助宝宝预防坏血病。

## 番茄汁

**材料：**番茄 1 个（约 200 克）。

**做法：**

1. 将熟透的番茄在开水中烫 2 分钟，取出剥皮，切碎。

2. 用干净的纱布把切碎的番茄包裹后挤出汁水，也可用榨汁机。

3. 将果汁倒入杯中，再用适量温开水冲调后即可饮用。

**妈妈喂养经：**

番茄的底部用小刀浅划十字，再放入沸水中烫，这样容易剥皮。

## 樱桃汁

**材料：**熟透樱桃 100 克。

**做法：**

1. 将樱桃洗净，去核、去蒂。

2. 锅置火上，放入樱桃，加水，用小火煮 15 分钟左右。

3. 将锅中樱桃搅烂，倒入水杯内，取汁凉凉后喂食。

**妈妈喂养经：**

樱桃味美多汁，色泽鲜艳，营养丰富，其铁的含量尤为突出，超过柑橘、梨和苹果 20 倍以上。

## 葡萄苹果汁

**材料：**葡萄 150 克，苹果半个。

**做法：**

葡萄洗净、去皮，苹果削皮、切块，先后放入榨汁机榨汁，然后混合即可。葡萄最好选用玫瑰葡萄，带皮榨汁，但是要去核。

**妈妈喂养经：**

葡萄汁中含有丰富的维生素和烟酸，有强壮身体的功效，葡萄还含有大量的天然糖、维生素、微量元素等，能促进宝宝体内的新陈代谢，对血管和神经系统的发育很有帮助，并能预防感冒。

# 喂养难题专家解答

## Q 宝宝爱吃零食怎么办?

A 吃零食会扰乱宝宝胃肠的规律性活动，影响消化功能；零食口感一般都比较浓厚，对人体味觉是一种较强烈的刺激，会使宝宝的味觉敏感度下降，造成味觉迟钝。这些都会影响宝宝食欲，使宝宝从正餐中获得身体所需要的全面均衡的营养成分越来越少，影响健康。

零食也不是绝对不能吃，适量给宝宝吃一些零食，可及时补充宝宝的能量以满足机体需要，也能给宝宝带来快乐。但要注意选择合适的品种，掌握合适的数量，安排合适的时间，这样既能补充营养，又不影响正餐，还能调剂口味。

种类以水果为好，饭后吃水果，能助消化、补充维生素和无机盐，每天可吃 1 ～ 2 次。

糖果也可以在饭后吃，能避免影响食欲，其他如饼干、鸡味鲜等小食品和冷食应在两餐之间吃，也是为了避免影响宝宝食欲。

## Q 宝宝不爱吃蔬菜怎么办?

A 蔬菜中含有宝宝生长发育必需的多种维生素、胡萝卜素和矿物质，能使宝宝的体液呈弱碱性，帮助宝宝增强免疫力，所以还是应该培养起宝宝对蔬菜的兴趣，使宝宝多获得一些对身体有益的营养。

宝宝不爱吃蔬菜，有时候是因为不喜欢某种蔬菜的特殊味道；有时候是因为被成团的菜叶卡住过，对蔬菜产生了不好的印象。因此，妈妈在给宝宝添加蔬菜时，要本着先叶后茎的原则，先给宝宝吃纤维比较少的蔬菜的嫩叶，在烹调的时候尽量把菜切得碎一点，煮得烂一点，避免宝宝被蔬菜中的纤维卡住。

宝宝不喜欢吃的蔬菜不要硬添，可以多换几个品种，让宝宝多尝试一下不同蔬菜的不同味道，从宝宝喜欢的味道上打开突破口。在平时吃饭的时候，妈妈也要积极地带头多吃蔬菜，并做出吃得津津有味的样子，使宝宝对吃蔬菜产生积极的期待，千万不要在宝宝面前议论什么菜不好吃，避免使宝宝形成对某种蔬菜的不好印象。

宝宝通常喜欢外观漂亮的食物，妈妈也可以在蔬菜的烹调方面多做些努力，比如把不同色彩的蔬菜搭配在一起，将蔬菜摆成各种可爱的形状，还可以把蔬菜和肉一起裹在面皮里，做成小包子、小饺子、小馄饨等带馅食品，使宝宝在吃蔬菜的时候得到乐趣。只要多想办法，耐心坚持，宝宝肯定会喜欢上蔬菜的。

## Q 宝宝爱边吃边玩，费时费力，怎样才能改掉这个毛病？

A 宝宝吃饭的时候边吃边玩，很大的原因在于大人的引导不当。在宝宝刚开始学习吃饭的时候，有的妈妈为了让宝宝多吃饭，采取用玩具吸引或做游戏的方式鼓励宝宝多吃，久而久之就会使宝宝形成“吃饭的时候应该玩”的印象，从而养成边吃边玩的坏习惯。

对于这种情况不能心急，更不能盲目地训斥宝宝，而是要从培养宝宝良好的吃饭习惯入手，慢慢地把这个毛病改过来。

首先要给宝宝提供一个良好的吃饭氛围：尽量在一个固定的时间吃饭，不要饥一顿饱一顿，以使宝宝的身体形成规律，一到吃饭时间就有饥饿感，从而顾不上受外界的影响而专心致志地吃饭。在吃饭前1个小时之内不要给宝宝吃零食，吃饭时要把玩具从宝宝的身边拿开，也不要开着电视，更不要边吃饭边逗宝宝玩耍。

最好给宝宝设置一个固定的进餐位置，在吃饭前督促宝宝洗好手，做好一切和吃饭有关的准备，让宝宝形成“要吃饭了”的概念，从心理上对吃饭重视起来。为宝宝准备的食物最好经过精心烹调，色、香、味突出，能够吸引宝宝的注意力，激发起宝宝的就餐积极性。

如果觉得宝宝吃饭的节奏太慢，可以提醒宝宝，并给宝宝做一下示范，让宝宝在比较中发现自己的不足，不要大声地训斥宝宝，也不要单纯用比赛的方法加快宝宝的吃饭速度。

如果采取了各种办法宝宝还是不好好吃饭，说明宝宝已经不饿了。这时最好把宝宝的饭碗端走，不必勉强他吃。如果担心宝宝会饿，可以把下一顿饭稍稍提前一点。这样在下一顿饭的时候，宝宝会因为饥饿而有食欲，自然会乖乖地吃饭。

## Q 孩子的“异食癖”是体内缺乏微量元素吗？

A 有些孩子有异食癖，会吃墙皮、啃油漆、泥土、草或纸，这些情况很有可能都是因为体内缺乏锌和铁所致。锌和铁都具有十分重要的生理功能，参与体内很多种酶的代谢活动，也参与味觉的形成。缺锌或缺铁可引起味觉异常，很多器官和组织的生理功能失调。经过血清微量元素检查，有助于诊断孩子是否缺锌和铁。另外，也有些孩子的异食癖是因为心理因素导致，比如这种情况易在经历家庭破裂、父母经常吵架、关系冷漠、缺少情感关怀等情况下发生。

## Q 宝宝为什么胃口不好？

**A** 胃口不好的原因是多方面的，最多见的是饮食行为不合理造成的。有的宝宝被娇惯得十分任性，想多吃就多吃，随心所欲，正餐时食欲必然会有所减退；有的宝宝喜欢吃冷饮，无节制地吃大量冰激凌，也会影响胃口；有的宝宝辅食加得太晚，除了奶之外，其他食品都吃不进去。出现以上种种情况时，父母如果没有及时纠正，天长日久，宝宝的消化功能就会受到影响，营养素摄入不足，出现营养不良，而营养不良又会加重胃口不好，导致恶性循环。

对此，家长要及时调整教养方式，纠正宝宝偏食、挑食、吃零食的饮食习惯，及时改变宝宝边吃边玩的坏毛病，帮助宝宝养成定时进餐，专心吃饭的良好习惯。

胃口不好较少见的原因是患有消化系统疾病、慢性消耗性疾病、缺锌或有其他疾病如营养性缺铁性贫血等。假如是因病引起的，应尽早去医院进行诊治。

## Q 宝宝吃得多为什么长不胖？

**A** 宝宝吃得多，摄入的营养素多，就应该长胖，这是有一定道理的，但是现实生活中，往往有的宝宝吃得多却总长不胖，为什么呢？

**● 宝宝消化功能差**

宝宝对食物的消化、吸收差，吃得多，拉得也多，食物的营养素没有被人体充分吸收、利用，这样宝宝就长不胖。所以，父母要让宝宝养成定时、定量的饮食习惯。

**● 食物质量差**

如果宝宝所食用的食物其主要营养素——蛋白质、脂肪等含量低，长期吃这类食物，就算吃得再多，宝宝体重也不会增加。宝宝的食物应该以丰富、均衡为原则，要保证宝宝每天所需营养素的量。

- **摄入的营养素跟不上运动量的需要**

1岁多的宝宝活动量加大，在饮食方面要求也更高，如果每天所摄取的营养素跟不上宝宝运动量的需要的话，宝宝就长不胖。

- **消化道有寄生虫**

如蛔虫、钩虫等摄取和消耗了营养物质，这样宝宝就不能长胖。

- **疾病**

不可忽视的一点，就是当宝宝还有某种内分泌疾病的时候，他也可能表现为吃得多而体重下降，体质虚弱，此时应该带宝宝去医院全面体检，查出原因，及时治疗。

## Q 宝宝为什么会磨牙？

A 磨牙是由于多种原因引起的。父母首先要找出原因，再来进行针对性的处理。

（1）宝宝白天过于紧张或入睡前过度兴奋，致使入睡后神经系统仍处于兴奋状态，颌骨肌群紧张性增高而引起磨牙。

（2）由肠道寄生虫引起的，最常见的是蛔虫症和蛲虫症。虫体寄生于肠道，释放毒素，引起宝宝腹痛、烦躁、磨牙、肛门瘙痒等症状。

（3）部分佝偻病患儿由于体内钙质缺乏，神经系统的兴奋性相对增高，也会引起夜间磨牙、夜惊、夜啼、多汗、烦躁等症状。

（4）晚餐过饱或临睡前加餐，致使消化系统负担过重，宝宝入睡之后肠道仍在不停工作，咀嚼肌也随之一同运动而导致磨牙。

## Q 宝宝查出营养不良，该吃什么来补充营养呢？

A 2岁以后的宝宝基本可以跟大人一样吃东西了，多给宝宝增加些营养，避免宝宝挑食，少吃零食。早上熬粥时里面可放些红枣等滋补类的食物。中午吃些以粮食、奶、蔬菜、鱼、肉、蛋、豆腐为主的混合食品，这些食品是满足宝宝生长发育必不可少的。

另外，平时要让宝宝多吃各种蔬菜、水果、海产品，为宝宝提供足够的维生素和矿物质，以供代谢的需要，达到营养平衡的目的。补充营养应采取循序渐进的原则，逐步增加能量和蛋白质的供给量。

## Q 怎样知道宝宝缺微量元素了？

A 微量元素在宝宝的健康中发挥重要作用，当宝宝出现下述情况时，妈妈应去医院看医生，做个血液检查，测定微量元素，确定宝宝是否有微量元素缺乏。

### ● 可能缺乏微量元素的症状

- 食欲下降，不像以前那么能吃了；
- 发质变得稀疏缺乏光泽；
- 面部表情不那么丰富了；
- 睡眠减少或增多；
- 牙有些发黄；
- 不像原来那样精力充沛；
- 脸色没有以前那么红润；
- 常常说肚子痛；
- 比原来爱感冒；
- 出现脱发现象；
- 不像以前那样爱活动了；
- 有些爱发脾气；
- 皮肤不像以前那样细腻了；
- 夜间睡眠有些不安稳；
- 生长发育好像变得缓慢了；
- 哭时，会屏气哭死过去，原来可不是这样；
- 常常说腿痛；
- 感冒了，好得不像原来那样快了。

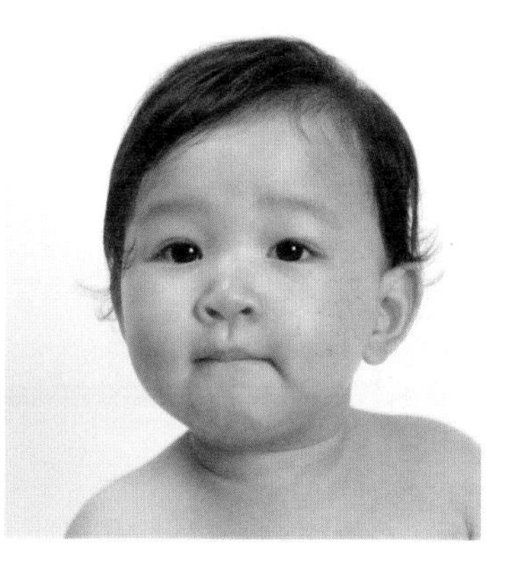

### ● 给宝宝食补最健康

一旦确定诊断宝宝缺乏某种营养素，应在医生指导下进行相应的补充。饮食不均衡是宝宝缺乏微量元素的重要原因，在无明显症状时，妈妈可调整宝宝的膳食结构，给宝宝食补。补铁可多食些瘦肉、动物肝脏、菠菜等，补锌可多食些动物肝脏、鱼、肉等。大量摄入纤维食物会影响铁、锌等微量元素的吸收，妈妈应避免只给宝宝吃粗粮。谷物、豆类和坚果中含有植酸，可与很多微量元素形成螯合物，也会影响人体对微量元素的吸收。食用高纤维、高植酸食物时，适当摄入动物蛋白，可提高微量元素的利用率。

## Q 怎么保证宝宝能摄入充足的钙质?

A 服用钙剂补钙，补到宝宝两岁时就可以了，两岁后最好通过食物来满足宝宝成长发育所需要的钙质。

只要坚持饮食平衡的原则，如每天喝 1 ～ 2 杯牛奶，再加上蔬菜、水果和豆制品中的钙，已经足够满足人体所需，不需要另外再补充钙片。

如果盲目给宝宝吃钙片，反而可能造成体内钙含量过高，引起血压偏低，增加日后患心脏病的危险；尿液中钙浓度过高，在膀胱中容易形成结石，给尿路埋下隐患，如果同时摄取维生素D，肝、肾等器官都会像骨骼一样“钙化”，后果非常严重；另外，体内钙水平过高，会抑制肠道对锌、铜、铁等微量元素的吸收。

而用饮食来补钙不会出现上述反应，所以两岁以后的宝宝以食物补钙为佳。含钙多的食物有牛奶、核桃、猪排骨、青菜、紫菜、芝麻酱、海带、虾皮等，在烹调上要注意科学性，增加钙的摄入。

PART

3

# 3 ~ 6岁:

## “小大人”的营养盛宴

人们常说：“早餐吃好，中餐吃饱，晚餐吃少”，“早餐是金，中餐是银，晚餐是铁”，可见一日三餐中，并不是不加区别的，而是各有侧重的。各种营养素和能量要合理分配。

3 ~ 6岁的宝宝正处于生长发育的关键阶段，身体的各器官持续发育并逐渐成熟，新陈代谢比较旺盛，对各种营养素的需求相对高于成人。如何科学安排好宝宝的一日三餐至关重要。通常情况下，早餐提供的能量约为30%，午餐提供的能量约占40%，晚餐提供的能量约占一日的30%。

# 早餐:全天能量摄入的“开关”

人们常说：“早餐吃好，中餐吃饱，晚餐吃少”，“早餐是金，中餐是银，晚餐是铁”，在一定程度上说明了早餐的重要性。早餐关系着宝宝一上午的能量消耗，也关系着宝宝长期的健康状况，要想宝宝的身体更强壮，就要重视早餐的质量。

## 怎样设计宝宝的营养早餐

孩子的营养早餐应根据不同年龄阶段孩子的消化吸收特点和兴趣口味特点来设计，以平衡膳食为指导。早餐的科学设计要注意以下三点：

### 营养搭配

通常情况下，早餐提供的能量约为30%。早餐的营养搭配，要按照“五谷搭配、荤素搭配、粗细搭配”的多样化搭配原则，尽可能做到食物多样化。同时要注意不同食物之间搭配的营养互补关系，如米、面与杂豆、杂粮的搭配等，使食物中的营养比例趋向平衡。在设计孩子的营养早餐时，可经常做些由杂豆粥、八宝粥、带馅面点、鸡蛋、水果丁、牛奶等食物组成的套餐，能够给孩子提供较为均衡的营养，进而激发孩子一天的活力。

### 食物制作

由于孩子的消化器官还不完善，尚处于生长发育的阶段，再加上经过一晚的休息，孩子早晨起床后，胃肠道消化功能需要逐步启动，所以给宝宝制作的营养早餐要注意细软些、清淡些、消化多一些。在制作营养早餐时，对食品的原料要处理得细致一点，切小些，做得精细些，以便孩子能够更好地消化吸收；早餐不能太油腻，否则会影响孩子的食欲。也不可用太多的调味品，要做得清淡些、清香些。

### 花样翻新

早晨孩子的食欲往往不太好，所以宝宝的早餐除了要注重营养外，还要花样翻新，

在色、香、味、形方面都要有新意，充分调动孩子的好奇心，促进食欲，提高进食兴趣，让他们感受到吃饭是一种乐趣。

比如今天主食是馒头，明天可以是豆粥，

后来是米饭；颜色的变化；烹调方法的变化，比如今天吃煮鸡蛋，明天吃鸡蛋饼等。

## 高质量早餐应包含哪几种食物

一顿质量好的早餐应包括谷类、动物食品、豆类或奶制品、新鲜水果、蔬菜，如果只包括其中三类可算质量较好，若只有一类或二类则质量较差。家长可对早餐进行合理调配，尽可能让孩子在一天的开始就能摄取到丰富而全面的营养。

宝宝的营养早餐应包括下面几类食物：

**谷类** 如馒头、包子、面包、大米（小米）粥、白薯粥、豆粥、玉米粥、麦片粥、面条汤、饺子、馄饨、饼干、杂粮窝头等。谷类食物是人体能量的主要来源，可为宝宝提供糖类、蛋白质、纤维素和B族维生素等物质。

**动物性食物** 鸡蛋、猪肉、牛肉、鸡肉、鱼肉等。这类食物是优质蛋白质、脂溶性维生素和矿物质的良好来源。

**奶类、豆类及豆制品** 牛奶、豆浆、豆腐脑、豆腐丝、黄豆芽、香豆腐干等。这类食物富含优质蛋白质、钙等，对宝宝的生长发育很有好处。

**蔬菜和水果** 如拌黄瓜、拌番茄、莴笋木耳炒胡萝卜等。酸性不太强、涩味不太浓的水果，是非常适合在早餐食用的，如苹果、梨、葡萄、西柚。这类食物富含丰富的矿物质、纤维素和维生素，能为宝宝的生长发育提供必需的营养物质。

**少量坚果** 开心果、腰果、核桃富含多种不饱和脂肪酸，不但可以减轻孩子在上午饥饿的感觉，还有益智的功效。

## 宝宝早餐没食欲，吃点流食开胃

如果排除了因为睡眠质量或者精神状态不佳而引起早上食欲不振的状态，妈妈们可以从早餐准备的食物入手，来帮宝宝开胃。

孩子起床后，可以让他们先从喝水、吃流食开始，先喝一小杯水，然后可以吃一小碗粥、一小碗面汤作为早餐，也可以增加点酸奶或者豆浆，让肠胃在早晨慢慢习惯食物。坚持一段时间后，肠胃开始有"记忆"，知道每天早上到了某个点就有食物进来，就能逐渐培养定时分泌消化液的习惯，食欲也就渐渐旺盛。

喝水

所以，孩子没食欲不能强求，也不能听之任之就干脆不让他们吃早餐，就算是周末、节假日也要准时吃早餐，不要中断肠胃道的这种"记忆"。

值得妈妈们注意的是，当宝宝渐渐对早餐感兴趣时，就应该适当加入其他食物，而不要只停留在流质早餐。

早餐最好要有淀粉类主食、有富含优质蛋白质的食物、有蔬果，这样的搭配才堪称优质早餐。淀粉类主食可以是面包、馒头、粥点，优质蛋白质的食物可以来自鸡蛋、豆浆、牛奶、熟肉、豆腐等，蔬菜可以来自菜包、青菜面汤，或者额外做一小盘氽青菜，水果可以用小番茄、葡萄或者切成小片的苹果、梨子等简单的水果来实现。

作为过渡期的流质早餐确实重要，不要烹调这类早餐还是要看孩子喜好，以清淡营养为主，让孩子一步一步接受早餐。

# 早餐营养食谱推荐

## 蛋麦粥

**材料：**燕麦片 50 克，鸡蛋 1 个，大米 100 克，白糖少许。

**做法：**

1. 将鸡蛋去壳，蛋液入碗，调匀。

2. 大米淘洗干净，入锅，放入适量水、麦片，一同煮熟后，加入鸡蛋液，放少许白糖，搅匀即可。

**妈妈喂养经：**

在粥里搭配丰富多彩的食材，不仅可以保证宝宝获得丰富的营养素，而且有利于宝宝消化吸收。

## 鲤鱼油菜粥

**材料：**鲤鱼肉 100 克，芋头 50 克，油菜 50 克，核桃仁 1 个，大米 100 克，葱花、盐各少许。

**做法：**

1. 将鲤鱼洗净去刺，去皮，剁成蓉；芋头去皮、洗净，切丁；油菜洗净，切末；核桃仁洗净，压碎。

2. 大米淘洗干净，入锅，放适量水，放入鲤鱼、芋头、葱花、核桃仁煮至八成熟时，放入油菜，继续煮熟后放入少许盐即成。

**妈妈喂养经：**

此粥荤素搭配，营养均衡，可为宝宝的成长提供丰富的动物蛋白、植物蛋白、不饱和脂肪酸和膳食纤维，还有助于宝宝的智力发育。

## 酸甜水果粥

**材料：**苹果半个，梨半个，香蕉半根，橙子半个，猕猴桃 1 个，米饭 1 碗。

**做法：**

1. 普通锅中倒入热开水，加入米饭煮开。

2. 加入水果，再次煮开，煮 5 ～ 10 分钟。

3. 关火，撒点糖，搅拌溶化即可盛起。

## 嫩炒蛋

**材料：**鸡蛋 2 个，牛奶 50 毫升，盐适量。

**做法：**

1. 鸡蛋充分打散，加入牛奶、盐。打匀。
2. 锅里倒入适量橄榄油，烧热后倒入蛋液，边搅边炒。
3. 炒至八九成熟时关火盛出。

**妈妈喂养经：**

炒蛋时加入了牛奶，炒出来的鸡蛋更嫩，而且带着一股奶香，鸡蛋和牛奶的营养可谓一网打尽。

## 海苔蛋碎粥

**材料：**大米 120 克，鸡蛋 2 个，日式海苔料适量，盐少许。

**做法：**

1. 大米淘洗干净，倒入电压力锅中，加适量水，选择预约煮粥方式煮粥。
2. 鸡蛋充分打散，加入盐搅匀。
3. 锅烧热，倒入适量油烧热，倒入鸡蛋液，用筷子快速搅散成蛋碎。
4. 粥盛入碗里，放入蛋碎和海苔料碎，吃时拌开。

**妈妈喂养经：**

此粥在大米粥的基础上，增加了蛋碎、海苔，即增加了优质白质、卵磷脂、铁、碘等营养素，有助于孩子智力发育。

## 瘦肉粥

**材料：**瘦肉 100 克，小白菜 80 克，西蓝花 50 克，海米 20 克，熟米饭 250 克，盐、料酒、生粉各适量。

**做法：**

1. 瘦肉切丁，加适量料酒、盐、生粉，抓匀，腌制一夜。
2. 小白菜洗净切碎，西蓝花洗净掰小朵，洋葱洗净切碎。
3. 锅底放油烧热，下洋葱煸炒至透明。下肉丁炒至变色。加入海米炒匀，淋入料酒，炒掉酒味儿。倒入足量的水烧开。
4. 撇掉浮油和沫，倒入米饭，烧开后转小火煮 15 ~ 20 分钟。粥煮至米粒软烂，加入小白菜和西蓝花，调入剩下的盐，再煮 1 ~ 2 分钟即可。

## 胡萝卜碎肉粥

**材料：**熟米饭 250 克，胡萝卜 80 克，炖好的排骨 2 ~ 3 块，熟鹌鹑蛋 6 个，姜 2 片，盐、香油、胡椒粉各适量。

**做法：**

1. 锅中倒入米饭，加 1000 毫升水，大火烧开后转小火煮 20 分钟左右。
2. 胡萝卜擦成丝，姜切很细的丝，排骨的肉撕成丝或肉碎。
3. 米粥煮到变稠，倒入胡萝卜、姜丝和肉碎，调入盐，再煮 5 分钟至胡萝卜熟软。
4. 最后调入香油，喜欢胡椒粉的可以适当加点，搅匀，放入剥壳的鹌鹑蛋，闷热即可。

## 香菇鸡肉粥

**材料：**米饭、鸡脯肉各 50 克，鲜香菇 2 朵。

**做法：**

1. 先将鲜香菇洗净，剁碎；鸡脯肉洗净，剁成泥状。
2. 锅内倒油烧热，加入鸡肉泥、香菇末翻炒。
3. 把米饭下入锅中翻炒数下，使之均匀地与香菇末、鸡肉泥混合。
4. 锅内加水，用大火煮沸，再转水火熬至黏稠即可。

## 丝瓜虾仁糙米粥

**材料：**丝瓜 20 克，虾仁 30 克，糙米 50 克，盐适量。

**做法：**

1. 将糙米清洗 3 次；虾仁洗净；丝瓜去皮，洗净，切成末。
2. 将糙米和虾仁放入锅中，加入 2 碗水，用中火煮 15 分钟成粥状。
3. 放入丝瓜，稍煮一会儿，加入适量盐调味即可。

**妈妈喂养经：**

糙米富含糖类，能为宝宝身体及大脑发育补充能量。虾仁和丝瓜，一荤一素，营养全面丰富，可为宝宝大脑提供充足的营养。

## 薏米红枣粥

**材料：**薏米 30 克，红枣 3 粒，白砂糖少许。

**做法：**

1. 将薏米洗净，提前一晚浸泡于冷水中。煮粥前将红枣用热水泡软，去除枣核备用。

2. 将薏米和红枣放入锅中并加适量水，大火煮至沸腾，然后转小火熬制 45 分钟或更长时间，使薏米变软烂。

3. 煮好后加上少许白砂糖调味即成。

**制作小窍门：**

薏米不易煮烂，所以需要提前浸泡。

## 混合饭团

**材料：**米饭 60 克，黄瓜、胡萝卜各 20 克，鱼肉 15 克，紫菜 1/4 张，香油、芝麻各少量。

**做法：**

1. 用盐搓掉黄瓜表皮的刺后，切成 7 毫米大小的丁，胡萝卜去皮，切成同样大小的丁，最后把胡萝卜丁、黄瓜丁放入锅中炒熟。

2. 鱼肉用水浸泡 10 分钟后去水，炒干后捣碎，紫菜烤干后弄碎。

3. 米饭里加入上述食材及香油、芝麻，充分搅拌后捏成适当的大小，做成饭团即可。

**妈妈喂养经：**

戴上卫生手套后捏饭团，不易黏手。

## 什锦小米粥

**材料：**花生 10 粒，大米 20 克，小米 40 克，胡萝卜碎、鲜玉米粒各少许，水适量。

**做法：**

1. 前一天晚睡前，将所有材料浸泡好（夏天除外），第二天早上，将所有材料连同浸泡的水一同倒入高压锅中。

2. 盖上盖子，检查下盖子有没有盖好，气阀是否通畅。开大火烧至气阀"哧哧"作响，转中火，压 10 分钟，关火，待自然泄气后再开盖。

## 胡萝卜软饼

**材料：** 面粉100克，胡萝卜50克，鸡蛋2个（约120克），盐3克。

**做法：**

1. 将胡萝卜洗净，擦成丝；鸡蛋打散。

2. 在面粉中加入适量清水、盐、胡萝卜丝和蛋液搅成稀糊状。

3. 平底锅中加少量油，舀入一勺面糊，将面糊摊成软饼，两面煎熟即成。

**制作小窍门：**

面糊的浓稠度直接决定软饼的厚度，喜欢吃厚些的，就将面糊调浓一些，反之就调稀点。

## 藕丝饼

**材料：** 藕200克，糯米粉100克，盐、油各适量。

**做法：**

1. 藕洗净去皮，擦成细丝，用水漂洗干净，捞出沥净水分。

2. 糯米粉、盐与藕丝混合，搅拌均匀成较稠的糊状。

3. 平底锅加入少许油，中火加热至六成热，用勺子舀起一勺糯米藕丝糊放入锅中，用勺背稍微压平，并整理成圆饼状。

4. 中小火煎至金黄色，翻至另一面继续煎至金黄色盛出。将所有面糊都煎成小饼即可。

## 牛肉蛋花汤

**材料：** 剁碎牛肉100克，西芹20克，鸡蛋1个，番茄1个，盐、料酒各适量。

**做法：**

1. 西芹洗净，切成小粒，用开水烫一下；番茄去皮，切碎；鸡蛋磕入碗中，搅成蛋液。

2. 锅置火上，加适量清水，放入牛肉，大火烧开后，改用小火炖，煮熟。

3. 煮熟后加入盐调味，然后放入西芹末、番茄末，待滚烫后淋入鸡蛋液，洒入少许料酒即可。

## 蔬菜米饭饼

**材料：**米饭60克，虾仁20克，胡萝卜20克，洋葱10克，鸡蛋1个，青甜椒5克，糯米粉1大勺，植物油适量。

**做法：**

1. 虾仁洗净后捣碎；胡萝卜和洋葱去皮后捣碎；青甜椒去子后捣碎。
2. 鸡蛋打入碗中，充分搅拌，然后把米饭、糯米粉、虾仁、胡萝卜、洋葱、青甜椒放入碗中充分搅拌。
3. 锅中放入植物油，用勺放入大小一致的量，煎至两面焦黄即可。

**妈妈喂养经：**

这款米饭新作，荤素搭配，富含蛋白质、钙质及多种维生素，是宝宝的一道美味早餐。

---

## 黄鱼小馅饼

**材料：**黄鱼肉泥100克，牛奶50毫升，鸡蛋1个，淀粉、葱末、盐、植物油各少许。

**做法：**

1. 以上各料放入盆中搅拌成有黏性的鱼馅。
2. 平底锅烧至温热时，放入少量油，把鱼馅制成小圆饼入锅煎至两面熟透。

**妈妈喂养经：**

提供蛋白质、钙、铁、锌和维生素A、维生素D、维生素E等。

---

## 香芹腐竹炒木耳

**材料：**腐竹30克，黑木耳20克，香芹10克，葱姜末2克，盐1克，高汤1大匙，油5毫升。

**做法：**

1. 腐竹与黑木耳提前用温水浸泡至完全发开，然后冲洗干净。
2. 将泡好的腐竹切成菱形的小块；黑木耳切成与腐竹同样大小的小片；香芹洗净，先剖成两半后再切成小段。
3. 油温烧至六成热时，爆香葱姜末，之后放入切好的腐竹和黑木耳，翻炒两分钟后加入高汤和香芹，盖上锅盖焖1分钟，最后放入少量的盐调味。

## 奶香蒸糕

**材料：**全麦面包30克，牛奶100克，鸡蛋1个，植物油适量，白糖少许。

**做法：**

1. 将鸡蛋打入碗内，搅拌均匀；全麦面包切丁，放到碗里。
2. 将牛奶、白糖、鸡蛋都倒入碗内，与面包丁搅拌均匀。
3. 取一个容器，涂满植物油后，将混合好的牛奶面包丁倒进去，然后上锅蒸，大约10分钟即可。

## 玉米窝窝头

**材料：**玉米粉75克，糯米粉30克，面粉30克，奶粉20克，牛奶40克，白糖20克，鸡蛋30克，色拉油5克，酵母1克。

**做法：**

1. 将除牛奶之外的所有食材放入盆中之后，缓慢加入牛奶，并用筷子顺一个方向搅拌成絮状，然后用手揉成光滑的面团。
2. 面团放在盆中，盖上保鲜膜，静置30分钟。
3. 用手取一小块面团，揉捏成圆锥状。边揉捏边用大拇指在底部戳一个小孔。依次处理好所有的面团，摆入垫了屉布的蒸锅中。
4. 冷水上锅蒸，水沸上汽后继续蒸10分钟即可。

**妈妈喂养经：**

1. 这款窝窝头松软绵糯、奶香味浓，营养丰富。大人孩子都爱吃。
2. 放凉后的窝窝头非常硬，回锅再蒸一下就好了。

## 白菜豆腐汤

**材料：**白菜200克，豆腐150克，鸡汤、姜丝、盐各适量，香油少许。

**做法：**

锅里放鸡汤烧开，放入姜丝、撕碎的白菜片和切成小块的豆腐，煮开后转小火煮10分钟左右，调入盐，关火后点几滴香油即成。

**妈妈喂养经：**

豆腐不但富含蛋白质，其钙含量也很丰富。

## 孜然馒头丁

**材料：** 大馒头1个，鸡蛋1个，葱花、孜然粉、白芝麻、盐、白砂糖各适量。

**做法：**

1. 馒头切成丁状，将鸡蛋打散后倒入馒头丁中，拌匀后，静置15分钟。
2. 炒锅中放入少许食用油，将馒头丁放入，小火煎至两面金黄。
3. 加入孜然粉，调入适量盐，翻炒均匀。加入白芝麻，炒匀，再加少许白砂糖提味。
4. 最后撒入葱花，略炒片刻即可。

## 银鱼蛋饼

**材料：** 新鲜小银鱼90克，鸡蛋2个，牛奶50毫升，面粉70克，小葱1根，盐、胡椒粉、番茄沙司各适量。

**做法：**

1. 鸡蛋充分打散，倒入牛奶搅打均匀，倒入面粉，彻底拌匀，放入切碎的小葱。
2. 小银鱼洗净，沥水，倒入面糊中，调入盐和胡椒粉，搅匀。
3. 不粘锅烧热，淋入油抹匀，倒入调好的面糊摊开。
4. 改小火，盖上锅盖，煎至两面均匀上色呈金黄色，取出切件，搭配番茄沙司上桌即可。

## 三鲜面

**材料：** 细挂面50克，小白菜、虾仁、鱼片各20克，调料米酒1小匙，姜末、盐各少许。

**做法：**

1. 虾仁、鱼片洗净后，放到碗内，加米酒和姜末腌10分钟；小白菜洗净，切段。
2. 锅内倒入水煮开后，下入挂面和虾仁、鱼片，煮滚后，下入小白菜段，再略煮一会儿，加盐调味即可。

**妈妈喂养经：**

挂面富含淀粉，与海鲜、青菜搭配，营养更加全面，且容易消化，有利于宝宝消化吸收，作为宝宝的早餐很合适。

## 黄瓜木耳蛋汤

**材料：**黄瓜1根，泡发木耳50克，鸡蛋1个，葱花、生抽、盐各适量，香油少许。

**做法：**

1.黄瓜洗净，切片；木耳泡发后洗净撕成小朵；鸡蛋充分打散。

2.炒锅放油烧热，爆香葱花。倒入黄瓜片和木耳翻炒1分钟。淋入生抽炒匀，倒入足量的水，水开后转小火煮2分钟，调入盐，转大火。

3.蛋液中加入少许水打匀。用筷子将锅里的汤搅动起来，淋入蛋液成蛋花，滴几滴香油，略一搅动即可关火出锅。

**妈妈喂养经：**

这款家常汤提供了充足的水分，具有生津养胃的作用，且含有丰富的优质蛋白质、磷脂、B族维生素、维生素C等营养素。

## 萝卜素蒸包

**材料：**面粉150克，萝卜200克，洋葱60克，粉丝15克，鸡蛋2个，盐、姜末、香油各适量。

**做法：**

1.面粉中冲入适量沸水，边搅匀边揉成烫面面团，覆盖松弛。

2.萝卜清洗干净，用擦子擦成丝。锅中烧开水，放入粉丝，焯煮2分钟，捞出投入凉水里。锅中继续倒入萝卜丝，焯2分钟，挥出过凉后切碎。洋葱切碎。鸡蛋打散。

3.炒锅放油烧热，倒入洋葱碎，小火炒至透明。调入适量盐，倒入蛋液炒碎，炒至八分熟时关火，放凉。粉丝捞出沥水切碎，和萝卜碎、洋葱蛋碎一起放入盆里。调入姜末、盐和香油，拌匀成馅。

4.取出烫面面团搓成长条，切成每个约30克的小剂子，擀开，包入萝卜馅。将包子沿边包起，捏紧。依次做完所有的包子生坯。

5.蒸锅烧开水，将萝卜素蒸包放入铺好干净纱布的笼屉中，加盖，上汽后大火蒸8～10分钟。

**制作小窍门：**

1.此蒸包是用烫面面团做皮，省去了发酵的麻烦。

2.包子馅中的萝卜，既可以是白萝卜、胡萝卜，也可以青萝卜。

3.可以头天晚上将包子包好蒸熟，冷藏保存，这样第二天早上可以直接上锅蒸，省时方便。

## 肉夹馍

**材料：**面粉 250 克，五花肉 250 克，酵母 3 克，全能烧卤汁 1 瓶，姜 2 片，老抽、糖各适量。

**做法：**

1. 将五花肉洗净，切成大块。全能烧卤汁和清水按 1 ：10 比例兑好。如果卤汁不怎么上色，可以再加些老抽，再放 2 片姜，把肉放进卤水中，大火煮沸后，转小火卤 1.5 小时。
2. 面粉中加酵母和糖，加适量水揉成光滑面团后，置于温暖处发酵至 2 倍大。
3. 将发酵好的面团放在案板上，轻揉出气泡，盖上保鲜膜松弛 20 分钟。
4. 分割成 5 等份，搓圆按扁后放入平底煎锅中，锅中不放油，小火干烙至两面微黄。
5. 将馍剖开但不要剖断，夹进剁碎的卤肉，再淋上两勺卤汁，即可。另外还可以加些切碎的青椒，或者香菜。

## 鸡蛋面片汤

**材料：**面粉 200 克，鸡蛋 2 个，菠菜 100 克，香油 15 克，酱油、盐各适量。

**做法：**

1. 将面粉放入盆内，加入鸡蛋液，和成面团，揉好擀成薄片，切成小象眼块待用；菠菜洗净，焯水片刻，捞出切段。
2. 将锅内倒入适量水，放在火上烧开，然后把面片下入，煮好后，加入菠菜段、酱油，滴入少许香油即可。

## 双料豆浆

**材料：**黄豆、绿豆各 50 克。

**做法：**

1. 将黄豆、绿豆洗净，加冷水浸泡 2 ～ 3 个小时。
2. 将黄豆、绿豆放入豆浆机，磨成豆浆，煮熟即可。

**妈妈喂养经：**

鲜豆浆中含有丰富的优质蛋白质及多种人体所需的微量元素，植物蛋白的含量比母乳、牛奶还要高。多喝豆浆有助于宝宝大脑皮质等神经组织的发育、肌肉组织的强健。

## 菜肉汤面

**材料：**西红柿1个，卷心菜100克，泡发木耳75克，猪五花肉50克，挂面120克，葱花、姜丝各适量，料酒、生抽、盐各适量，香油少许。

**做法：**

1. 西红柿洗净去皮，切块。卷心菜、木耳、猪肉分别洗净切丝。
2. 炒锅放油烧热，下入肉丝炒至变色，下葱花、姜丝炒匀，淋入料酒、生抽，炒至肉丝上色，倒入菜丝和木耳丝，翻炒均匀。
3. 倒入足量的水。将水再次烧开，下入挂面、西红柿块，调入盐，大火烧开，转中火煮。煮至挂面熟透，汤变稠，关火，淋入少许香油拌匀。

## 番茄疙瘩汤

**材料：**番茄1/2个（约30克），鸡蛋1个，面粉50克，芝麻香油3毫升，盐1克，油10毫升。

**做法：**

1. 将面粉放入一个大碗中，加入适量的水用筷子和成小疙瘩，备用。
2. 番茄洗净，切成小丁。鸡蛋在碗中打散，待用。
3. 中火烧热锅中的油，放入番茄块翻炒片刻，加入200毫升水煮开，转小火，放入小疙瘩煮熟，倒入蛋液再次烧开，离火，调入盐和芝麻香油，即可。

**制作小窍门：**

1. 面疙瘩随用随做，不要事先做好，以防止疙瘩粘连。
2. 面疙瘩下锅后，要迅速用筷子把疙瘩打散。

## 肉末海带面

**材料：**细面条100克，瘦猪肉50克，泡发海带50克，鸡蛋1个，香油少许。

**做法：**

1. 海带洗净，切成碎末；鸡蛋打散搅匀；瘦猪肉洗净，切碎末。
2. 水烧开，把细面条弄成小段下入锅中，加入海带、瘦猪肉末，小火共同煮熟。
3. 在锅中淋入鸡蛋，煮熟后淋上几滴香油即可。

## 紫菜馄饨

**材料**：速冻小馄饨3个，紫菜、小虾皮各5克，红菜椒10克，香葱碎3克，姜末、盐各2克，香醋、芝麻香油各3毫升。

**做法**：

1. 将紫菜用开水烫一下，沥去水分。红菜椒切成细丝。
2. 大火烧开小煮锅中的水，放入小馄饨煮熟，捞出。
3. 将煮熟的小馄饨、烫好的紫菜、小虾皮、红菜椒丝、香葱碎、姜末、盐放入碗中，加入煮馄饨的汤，然后再加香醋和芝麻香油即可。

## 水炒蛋三文治

**材料**：方面包4片，鸡蛋1个，花生酱、奶油各适量。

**做法**：

1. 将2片方面包抹上少许奶油、花生酱。
2. 鸡蛋加入少许盐打散。
3. 烧热锅（不要下油），放下两汤匙水烧滚，调慢火，倒入鸡蛋炒熟，铲起放在面包上，盖上另两片面包，切去边，再切成4个三角形，便成水炒蛋三文治。

**制作小窍门**：

1. 用水炒蛋不油腻，还比用油炒更香浓。
2. 炒时锅铲铲动得快，不太粘锅底，否则，会有少许粘锅。

## 黄金火腿三明治

**材料**：面包片3片，鸡蛋1个，火腿1片，肉松5克，香芹末5克，油适量。

**做法**：

1. 鸡蛋打散成蛋液，放入香芹末搅拌均匀。
2. 把面包片在蛋液中蘸一下，然后用平底锅煎至两面焦黄。
3. 把一片面包放在盘子上，上面铺上火腿，然后再放上一片面包，再撒上一层肉松，把最后一片面包放在最上面，然后对角切成三角形。

**妈妈喂养经**：

三明治中还可以夹入宝宝奶酪片，给宝宝补充钙质。

## 西葫芦肉汤面

**材料：**猪肉100克，西葫芦1个，挂面150克，葱花、姜丝、香菜、料酒、生抽、盐各适量，香油少许。

**做法：**

1. 猪肉洗净切片；西葫芦用擦子擦成细丝。

2. 炒锅放油烧热，下肉片炒至变色。加入葱、姜炒香，淋入料酒和生抽，炒掉酒味。

3. 倒入足量水，大火烧开后下入挂面。再次煮开后撇掉浮沫，继续中火煮。

4. 锅里的面煮至断生，调入盐，放入西葫芦丝，再煮1分钟，放入切碎的香菜搅匀，关火，淋少许香油即成。

**妈妈喂养经：**

一碗西葫芦肉汤面，有肉、有菜，营养搭配合理，咸淡适中，定能让孩子胃口为之一振。

## 西红柿鸡蛋饺子

**材料：**西红柿2个，鸡蛋3个，饺子皮儿250克（25张左右），淀粉、盐、胡椒粉、白砂糖各适量。

**做法：**

1. 西红柿表皮轻划“十”字，放入沸水中焯30秒取出，此时划“十”字的部位已经裂开，沿裂口剥去外皮。

2. 西红柿去皮后，挖出里面的软芯（做馅的时候，软芯会出水，不易包）。

3. 处理好后的西红柿切小丁，用纱布包起来，挤出水分后待用（可加少许白砂糖来提鲜）。

4. 鸡蛋打入碗中，加少许淀粉和盐，打散。加入淀粉后炒出来的鸡蛋更蓬松。

5. 炒锅中倒油，烧至六成热时倒入鸡蛋液，迅速划散。炒成碎蛋花，盛出。

6. 再次滗出西红柿汁水后与蛋花混合。调入盐和胡椒粉，拌匀，饺子馅即完成。

7. 按常法包完饺子即可。

**制作小窍门：**

如果是自己揉面包饺子，可以用纱布包裹西红柿丁挤出来的汁来和面，这样的饺子皮有淡淡的粉色，很漂亮。

## 南瓜面疙瘩

**材料：**南瓜150克，面粉100克，葱、蒜各少许，生抽、盐、胡椒粉各适量。

**做法：**

1. 南瓜洗净后切片，葱和蒜切成薄片。
2. 油热后，将葱、蒜放入炒香。放入南瓜片，炒约3分钟。
3. 倒入足量的清水，煮至沸腾。
4. 在等锅中水烧至沸腾的时候，调一份面粉糊。面粉加清水，边加水边搅拌，成浓稠的糊糊状。
5. 锅中水沸腾后，用筷子将面粉糊挑进锅中，同时用铲子略加搅拌以免糊锅。调入生抽、盐和胡椒粉。出锅前撒上葱花即可。

**制作小窍门：**

调制面粉糊时不用太拘泥，调稀了就加些面粉，调干了就加点水，吃多少做多少。喜欢软疙瘩的，就将面糊调稀点；喜欢硬口感的，就将面糊调成棉絮似的干粉状。

---

## 蘸着番茄酱吃的饺子

**材料：**无刺鱼肉、芹菜、面粉各150克，香菇5只，西红柿2只，盐适量。

**做法：**

1. 无刺的鱼肉洗净剁碎后加盐调匀。香菇和芹菜洗净切末，与鱼肉混匀，用盐适当调味，制成馅料。
2. 面粉加水和成面团，擀出饺子皮，加馅包成小饺子。
3. 西红柿入沸水烫去外皮后切丁，入油锅中翻炒成番茄酱。
4. 锅中烧沸水，放入小饺子煮熟、煮软，捞出淋上番茄酱即可。

**制作小窍门：**

1. 在制作鱼肉馅的时候，尽量选择无刺或少刺的鱼肉，而且在剁馅之前，还应该细细检查一次，看鱼肉中是否夹着细刺。

2. 工作繁忙的妈妈可以利用周末的时间做，而且做的时候不妨做出两三顿的，将多余的放入冰箱急冻后，按每顿的量分别装进保鲜袋中再冻好，在一周内将它们吃完即可。

## 奶酪鸡蛋三明治

**材料：**原味面包 2 片，鸡蛋、熟火腿、奶酪、番茄、沙拉酱、植物油各适量。

**做法：**

1. 平底锅小火加热，将面包片切去四边，入锅中烤至单面焦黄，取出。锅内倒入少许油，将鸡蛋煎成荷包蛋。

2. 面包片没有烤过的一面朝上，涂上少许沙拉酱，放上火腿片、一片横切的番茄、一片奶酪、荷包蛋，盖上另一片面包片。将三明治切成 1.5 厘米见方的块。

## 营养比萨饼

**材料：**吐司 4 片，洋葱 50 克，番茄 50 克，青椒半个，紫甘蓝 30 克，乳酪 1 片。

**做法：**

1. 洋葱和番茄洗净后，都切成碎丁。

2. 用洋葱、番茄碎和水拌匀，放到锅内煮成浓浓的比萨汁。

3. 青椒和紫甘蓝洗净，与乳酪都切成细丝。

4. 将比萨汁抹到吐司上，然后放上其他的蔬菜和乳酪丝，放到烤箱中烤至浅黄色即可。

**妈妈喂养经：**

这道比萨饼营养丰富，且颜色鲜艳，能够勾起宝宝的食欲。

## 培根芝士蛋堡

**材料：**餐包 2 个，鸡蛋 2 个，培根 2 片，黄瓜 8 片，奶酪 2 片。

**做法：**

1. 锅中抹一层薄薄的底油，放入培根，敲入鸡蛋，煎熟。

2. 半片餐包上摆培根、鸡蛋、奶酪片和黄瓜，合上另一半餐包即可。

**妈妈喂养经：**

1. 除了培根外，也可用火腿片，或者是鸡肉、鱼肉、肉松等，想吃什么就放什么。

2. 蔬菜部分的选择也很多，如生菜、紫甘蓝、卷心菜、西红柿等。

## 火腿菠菜通心面

**材料：**曲型通心粉400克，黄油15克，洋葱1/2个（切碎），淡奶油150毫升，菠菜叶150克，火腿200克（切条），奶酪粉100克，盐3克。

**做法：**

1. 曲型通心粉放入沸水中，用中火煮制约15分钟，捞出用冷水冲凉待用。

2. 中火加热锅中的黄油，放入洋葱碎翻炒，倒入淡奶油再加热3分钟。

3. 将煮好的通心粉、菠菜叶和火腿条放入奶油汁中翻炒，再加入奶酪粉搅匀，调入盐即可。

## 肉末菜粥

**材料：**熟米饭200克，绞肉、菠菜各100克，姜1片，料酒、生抽、盐各适量。

**做法：**

1. 锅里加入足量水，倒入熟米饭，大火煮开后转小火煮10～15分钟。另起锅烧开水，放入洗净的菠菜焯烫1分钟，捞出冲凉，挤掉水分，切碎。姜切细丝。

2. 炒锅放油烧热，放入肉末炒至变色，加入姜丝，调入料酒、生抽，炒至变干，放入煮稠的粥里，调入盐，再煮5分钟。待粥稠度合适、米粒软烂时加入菠菜碎，再煮1分钟即成。

**妈妈喂养经：**

肉末菜粥采用了菠菜这种绿叶蔬菜，能提供胡萝卜素，有益孩子视力健康。

## 桃仁拌莴笋

**材料：**莴笋50克，核桃仁10克，香油1小匙，盐、鸡精各少许。

**做法：**

1. 将莴笋切厚片，每片中间竖切一个口；核桃仁切条备用。

2. 将锅置火上，加适量清水烧沸，放入莴笋片、核桃仁焯烫至变色后捞出备用。

3. 把莴笋片中间开口处掀开，将桃仁嵌入莴笋片中，放入盘中，加入盐、香油、鸡精拌匀即可。

# 午餐：一天营养的“接力棒”

经过一上午的学习和活动，到了中午的时候，宝宝从早餐中获得的能量和营养已经被消耗得差不多了，需要及时进行补充。为下午的学习和活动提供充足的能量。午餐正是起着这样一个承上启下的营养“接力棒”的作用。

## 怎样设计宝宝的营养午餐

为宝宝设计午餐应坚持平衡膳食的原则，以学龄前儿童膳食宝塔为指导，不仅要保证食物品种全面、搭配合理，也要照顾到菜肴的色香味形。具体要考虑以下两个方面的内容：

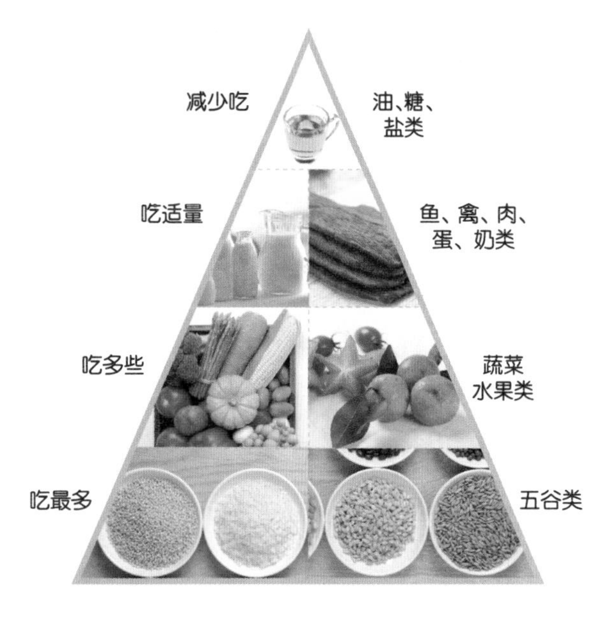


**主食讲究精细搭配** 除了大米、白面这些细粮外，适当多吃一些粗粮，即小米、高粱、玉米、荞麦、燕麦、红豆等。相对于大米、白面等细粮，粗粮中的膳食纤维、B族维生素和矿物质的含量要高得多。另一方面，不同种类的粮食及其加工品的合理搭配，可以提高其营养价值，如谷类蛋白质赖氨酸含量低，豆类蛋白质中富含赖氨酸，若将两者合用，正好营养互补，从而可以提高蛋白质的生理功能。

**菜谱讲究荤素结合** 动物性食品包括肉、禽、鱼、奶、蛋等。主要提供蛋白质、脂肪、矿物质、维生素A、B族维生素和维生素D；豆类和坚果包括大豆、其他干豆及花生、核桃等坚果类，主要提供蛋白质、脂肪、膳食纤维、矿物质、B族维生素和维生素E；蔬菜水果和菌藻类主要提供膳食纤维、矿物质、维生素C和胡萝卜素、维生素K及有益健康的植物化学物质。荤素搭配不仅有利于均衡营养、平衡膳食，而且有助于肠胃消化吸收。

# 午餐营养食谱推荐

## 香菇墨鱼粥

**材料：**墨鱼干10克，大米50克，瘦猪肉10克，冬笋5克，水发香菇10克，盐1小匙。

**做法：**

1.将大米用清水淘洗干净；瘦猪肉洗净，切成丝。

2.将墨鱼干放入温水中浸泡30分钟，用剪刀剪成细丝；香菇、冬笋均洗净切成丝。

3.将锅置火上，放入清水，再放入墨鱼、瘦猪肉，熬煮至烂，然后加入大米、香菇、冬笋、盐熬煮成稀粥。

**妈妈喂养经：**

补充蛋白质、磷脂、香菇素及膳食纤维，补益大脑，消除疲劳，适用于烦躁不安、注意力不集中的小儿。

## 蛋包饭

**材料：**米饭1小碗，鸡蛋2个，鸡胸肉1小块，豌豆、玉米粒、葱、番茄酱各适量，盐、白胡椒粉各少许。

**做法：**

1. 鸡胸肉洗净后切成小丁，加一点点盐和白胡椒粉腌10分钟；再将鸡蛋加少许盐打散成蛋液。

2. 炒锅里加油烧热，爆香葱花，加入鸡肉丁翻炒至变色；加入玉米粒和豌豆粒翻炒一会儿，倒入米饭，加少许的盐翻炒均匀后盛出备用。

3. 另取一个平底锅，倒入一大匙油，倒入蛋液摊成蛋皮，在蛋液即将凝固的时候，在蛋皮一侧放上炒好的米饭；将蛋皮对折用锅铲压紧收口处就可以装盘了，吃的时候可以淋上少许番茄酱。

**妈妈喂养经：**

宝宝的午餐是全天中最丰富的一餐，因此要注意主食的摄取。在制作食谱的时候，可以把主食变换模式，搭配各种各样的食材，不仅更能补充宝宝成长所需的各种营养，还能勾起小宝宝的食欲。

## 咖喱盖饭

**材料**：米饭60克，咖喱粉1小勺，牛肉15克，胡萝卜5克，洋葱10克，土豆20克，西葫芦10克，植物油少量。

**做法**：

1. 咖喱粉加水后搅拌。

2. 牛肉切成长7毫米大小的方块；胡萝卜、洋葱、土豆去皮后切成1厘米大小；西葫芦切成长7毫米大小的方块。

3. 锅置火上，倒入油，然后把牛肉、胡萝卜、洋葱、土豆、西葫芦粒倒入锅中翻炒一段时间后，加入咖喱后煮熟，最后浇到米饭上即可。

**妈妈喂养经**：

咖喱是由不同的天然香料组成的，小孩适量吃咖喱不仅可以预防流感，还能帮助大脑智力发育。

## 火腿豆焖饭

**材料**：火腿、青蚕豆各100克，土豆1个（约80克），大米80克，盐5克，油15毫升，鸡汤30毫升。

**做法**：

1. 大米淘洗，加入适量冷水（水量以没过米2厘米为宜）蒸熟成米饭。

2. 青蚕豆清洗干净。火腿切成1厘米见方的小丁。土豆削去外皮，洗净后也切成1厘米见方的小丁，用冷水浸泡2分钟，捞出沥去水分。

3. 大火烧油至七成热，放入土豆丁，翻炒3分钟，至土豆六成熟。放入切好的火腿丁，翻炒1分钟，再放入青蚕豆，调入盐和鸡汤，翻炒均匀。

4. 将蒸熟的米饭倒入锅中，改小火，待菜的汤汁收干后用铲子将米饭与炒制的菜翻拌均匀即可。

**制作小窍门**：

1. 鸡汤可以由一副鸡骨架和几片火腿，加上适量冷水熬制成。如果没有现成的鸡汤，用清水代替也是可以的。

2. 隔夜饭也可以用来制作豆焖饭，做的时候适当多加一些高汤或者水，翻炒时注意将黏在一起的米饭团压开，这样焖出的饭口感松散入味。

## 卤肉饭

**材料：**干香菇2朵，五花肉50克，软饭1小碗，洋葱末、植物油、料酒、酱油、白糖各适量。

**做法：**

1. 香菇泡软，切小块备用；五花肉洗净，剁成肉馅。

2. 油放锅中烧热，爆炒洋葱，加香菇和肉馅炒至半熟，加入料酒、酱油、白糖和水，用小火焖煮1小时即为卤肉料。

3. 将卤肉汁浇在软饭上即可。

---

## 洋葱焗饭

**材料：**米饭100克，腊肠20克，马苏里拉奶酪15克，胡萝卜、青豆、洋葱各10克，黑胡椒碎、盐各适量。

**做法：**

1. 将洋葱去皮、洗净，切丝；腊肠切成薄片；青豆去皮；胡萝卜切丁；奶酪刨成细丝备用。

2. 把米饭放入烤碗中，将所有食材铺在表面，撒上少许盐和黑胡椒碎，最后铺上奶酪丝。

3. 烤箱预热至200℃，将烤碗放入烤制10分钟，香喷喷的焗饭就出炉啦！

**妈妈喂养经：**

1. 焗饭成功的关键是原材料中不能含有很多水，所以一定要将所有食材沥干水分，并将烤碗擦干。

2. 洋葱含有多种维生素和矿物质，有“菜中皇后”的美誉，其中所含的硒元素能增强宝宝的免疫力。

---

## 大虾仁蛋炒饭

**材料：**大虾仁、生菜各50克，鸡蛋1个，米饭200克，盐、植物油各适量。

**做法：**

1. 将大虾仁去虾线，片成大片，放入开水锅内烫一下；鸡蛋磕入碗内打匀；生菜洗净切碎块。

2. 炒锅下油烧热，倒入鸡蛋炒匀。

3. 下入虾肉片翻炒，放入米饭、生菜，加入盐炒匀即可。

## 豆沙锅饼

**材料：**面粉 100 克，红豆沙适量。

**做法：**

1. 用适量开水用画圈的方式倒入面粉中，并用筷子不停地搅拌成絮状，再加适量冷水，用手轻揉成软硬适中的面团，盖上保鲜膜，饧 20 分钟。
2. 将饧好的面团分成数等份，用擀面杖擀成圆形的面片。
3. 在面片的中间均匀地抹上红豆沙，然后上下左右对折。
4. 平底锅放油，将面饼放入锅中煎至两面金黄。

**妈妈喂养经：**

豆沙锅饼因为是用烫面做的，松软酥脆，非常可口。

## 葱油饼

**材料：**面粉 125 克，开水 75 毫升，冷水 30 毫升，葱花、盐各少许。

**做法：**

1. 如豆沙饼的烫面做法，揉好面团，面团表面抹油后盖保鲜膜松弛 30 分钟。
2. 将松弛好的面团分成2等份，按扁后用擀面杖擀成长条状。
3. 用手在面皮表面抹层油，然后铺上葱花，并撒少许盐。
4. 将面皮卷成筒状。然后绕成螺旋状，盖上保鲜膜松弛 15 分钟。
5. 用手将面团压平，抻开，再用擀面杖擀得均匀些。
6. 煎锅中放少许油，烧热后，将饼放入煎至两面金黄即可。

**制作小窍门：**

如果时间充裕，每 1 步中的松弛可以延长至 1 小时，这样面团会更好整形。抹油后的面团不粘手，所以整形的时候不需要撒手粉，记得在面板和擀面杖也抹些油。

## 清蒸带鱼

**材料：**新鲜带鱼 1 条（约 200 克），盐、料酒各适量。

**做法：**

1. 带鱼去杂后，用温水洗净，切段。
2. 将带鱼段加盐拌匀后，加入料酒，再蘸满花生油，放入盘中。
3. 将带鱼放入锅中蒸 20 分钟即可。

## 韭菜盒子

**材料：**面粉200克，韭菜250克，虾皮10克，粉丝80克，猪肉馅200克，生油、盐、热水各适量，香油、鸡精各少许。

**做法：**

1. 将面粉加入热水和成面团，盖上湿的屉布饧半个小时。
2. 韭菜洗净沥干水后切末，粉丝加水泡软后切碎，虾皮剁碎。把韭菜、粉丝、虾皮和肉馅拌在一起，加盐、香油、生抽和鸡精，搅拌均匀成馅料。
3. 把饧好的面团揉成长条的面棍，然后分成大小相等的剂子，再将剂子擀成圆皮。
4. 取一个面皮，包入适量馅料，像捏包子那样把边捏在一起，将有褶的一面向下放在案板上，用手压成扁圆形。
5. 平底锅里倒入少许油，烧至五成热，把包好的韭菜合子放进去，小火慢慢地把两面都煎成金黄色。依次将包好的韭菜合子都煎熟即可。

**制作小窍门：**

1. 猪肉韭菜馅是最传统的做法，还可根据个人口味，调制成其他的馅料。
2. 煎韭菜盒子的时候要使用小火，才能保证韭菜盒子里面的馅都熟了，大火会造成皮熟馅不熟的情况。

---

## 三鲜水饺

**材料：**面粉500克，猪肉400克，水发海参、虾肉各100克，水发黑木耳适量，香油、酱油、料酒、盐、葱末、姜末各适量。

**做法：**

1. 面粉用凉水和成面团，饧1小时左右。
2. 猪肉、海参、黑木耳、虾肉分别洗净，切末。
3. 猪肉末放盆内，加水打至黏稠，加入海参末、虾肉末和木耳末，以及料酒、酱油、盐、葱末、姜末、香油，拌匀成饺子馅。
4. 将饧好的面团揉匀、搓条，做成小剂子，擀成圆形坯皮，包入馅，捏成饺子生坯。
5. 锅中放水煮沸，下入饺子用勺推转，见饺子浮起后，加盖焖煮5分钟，中间分3次加凉水，水沸捞出即可。

## 芝麻山药麦饼

**材料：** 全麦面粉150克，燕麦片100克，黑芝麻粒15克，山药100克，精盐少许。

**做法：**

1. 山药去皮、切块捣成泥，加入黑芝麻粒、燕麦片、精盐，搅拌均匀。

2. 加上全麦面粉和水充分揉合后，分成数个小面饼团。

3. 在面饼表面薄薄抹上一层花生油，用电锅蒸熟即可。

## 糯米馒头

**材料：** 自发面粉500克，糯米200克，植物油、白糖各适量。

**做法：**

1. 糯米淘洗干净，浸泡2小时，加水上笼，蒸熟制成糯米饭。

2. 趁热将白糖和植物油拌入糯米饭中，制成馅料。

3. 自发面粉用水和成面团，饧透下剂，包入馅料，制成糯米馒头。

4. 制成的馒头放入蒸锅中略饧，蒸熟即可。

**妈妈喂养经：**

此馒头松软可口，健脾开胃，要是在里面加点果酱或果仁，味道会更好。

## 香米包

**材料：** 香米面200克，面粉400克，酵母20克，奶油50克，猪肉200克，海米50克，小茴香50克，酱油、生油、香油、葱姜末、精盐、鸡精各适量。

**做法：**

1.将小茴香洗净，切碎后挤去水分，用生油搅拌均匀。

2.将猪肉切丁，加葱姜末、精盐、鸡精、酱油搅拌入味，再加入小茴香、海米、香油搅拌均匀，制成馅料。

3.香米面、面粉以1∶1的比例混合，加奶油、酵母搅拌均匀，加温水和成面团，盖湿布饧发。

4.取饧发好的面团搓条，下剂，擀皮，包入馅料，制成包子生坯。

5.待包子生坯饧发后上笼用旺火蒸熟即成。

## 鸡丝凉瓜

**材料：**苦瓜100克，鸡胸肉50克，姜末少许，淀粉少许，盐微量，橄榄油少许。

**做法：**

1. 将苦瓜洗净从中间剖开，剔出瓜瓤后切细条，入沸水中焯一下，捞出沥干水分。

2. 鸡胸肉洗净切丝，用盐、淀粉拌匀腌一会儿。

3. 热锅放油，爆香姜末，下鸡肉滑炒变色，放入苦瓜翻炒至食材熟透，加盐调味即可。

## 豆芽炒猪肝

**材料：**豆芽100克，猪肝20克，姜2片，植物油、盐、酱油、醋、料酒、鸡精各适量。

**做法：**

1. 将豆芽洗净，用沸水焯烫后，捞出来沥干水备用；将猪肝洗净，剔去筋膜，放入锅中煮熟，取出凉凉，切成薄片备用；姜洗净切丝备用。

2. 锅内加入植物油烧热，放入姜丝爆香，倒入豆芽，大火翻炒几下，烹入适量醋后炒匀，盛入盘中。

3. 另起锅加入植物油烧热后，倒入肝片，迅速炒散，加入酱油、料酒，翻炒几下后将炒好的豆芽倒入锅内，加入鸡精、盐，翻炒均匀即可。

## 五彩鱼片

**材料：**鱼片50克，青豆、黑木耳、黄瓜各10克，红彩椒5克，油5毫升，葱末2克，盐1克，料酒1小匙，淀粉、水淀粉各1大匙。

**做法：**

1. 鱼片用料酒和干淀粉腌制15分钟；黑木耳事先用冷水泡发，撕成小朵；黄瓜洗净后去皮，切成薄片；红彩椒洗净后切成小块。

2. 炒锅中倒入油，待油温五成热时，放入鱼片，轻轻翻炒至变色，盛出备用。

3. 锅中留底油，爆香葱末后，将黄瓜片、红彩椒块、黑木耳和青豆放入，翻炒1分钟后放入炒好的鱼片。

4. 翻炒均匀后，放入盐调味，最后用水淀粉勾芡即可。

## 菠菜鸡丝

**材料:** 菠菜80克，鸡胸肉30克，熟芝麻适量，枸杞适量，盐1大匙，白砂糖1克，花椒1克，油5毫升。

**做法:**

1. 把洗好的菠菜放入沸水中焯一下，再过一遍冷水，然后捞出沥干水分，切成几段备用。

2. 将鸡胸肉和泡好的枸杞放入蒸锅蒸15分钟后取出，再将熟的鸡胸肉用手撕成细丝，和菠菜、枸杞一起放入盘中。

3. 油温烧至五成热时，放入花椒，见花椒在油中聚集，闻到香味时即可关火，花椒油就制成了。

4. 将制好的花椒油趁热均匀地撒在菠菜和鸡肉丝上，加入少许糖和盐调味，再撒入少许熟芝麻，搅拌均匀即可。

## 木耳冬瓜汤

**材料:** 冬瓜500克，木耳25克，海米、玉米粒各适量，精盐、生姜、胡椒粉、水淀粉各少许。

**做法:**

1. 冬瓜洗净切块，木耳泡发后撕小片，生姜切丝，海米泡发。将冬瓜、木耳、海米、姜丝在锅中煸炒。

2. 另起锅倒入清水，大火煮沸。将冬瓜、木耳、海米、姜丝、玉米粒放入水中，大火煮沸后转小火继续煮，调入精盐、胡椒粉，最后用水淀粉勾芡即可。

## 番茄鱼丸汤

**材料:** 鱼丸200克，番茄1个，猪瘦肉100克，香菜少许，老姜1块，盐适量，鸡粉少许。

**做法:**

1.将番茄洗净切瓣；瘦肉洗净切块；姜洗净去皮拍碎；香菜洗净切末。

2.起锅烧水，煮沸后放入瘦肉，氽烫除去表面血渍，捞出后用水洗净备用。

3.沙煲一个，放入番茄、鱼丸、瘦肉、姜，加入清水，旺火煮沸后转小火煲；煲两个小时后调入盐、鸡粉，撒上香菜末即成。

## 玉米排骨汤

**材料：**排骨250克，玉米1根，盐、香油各少许。

**做法：**

1. 将排骨洗净，用热水汆烫去血水，捞出，沥干水；玉米洗净，切段。

2. 锅置火上，放入排骨和玉米以及盐、香油，加入适量清水，大火煮开后，改中火煮5～8分钟，加盖后熄火。

3. 放入焖烧锅中，焖约两小时即可打开盛起食用。

## 鳝鱼羹面

**材料：**鳝鱼2条，胡萝卜30克，葱1段，蒜3瓣，生面条100克，高汤、生抽、老抽、料酒、盐、胡椒粉、水淀粉各适量。

**做法：**

1. 鳝鱼切段，胡萝卜和葱切丝，葱白和蒜切片。

2. 油热后，放入葱蒜炒香。放入鳝鱼并调入料酒和老抽，炒至鳝鱼变色。

3. 倒入足量的高汤，没有高汤就用清水代替。煮沸后倒入胡萝卜丝同煮，调入适量生抽和胡椒粉。

4. 胡萝卜丝煮熟后倒入适量水淀粉，汤汁煮稠后放入葱丝即可关火。

5. 另取一个汤锅，加清水煮沸后放入生面条煮熟捞出，盛入汤碗中，淋上鳝鱼羹即可。

## 三鲜豆腐

**材料：**豆腐、蘑菇各50克，胡萝卜、油菜各10克，海米5克，姜末、葱丝各少许，植物油、鸡精、盐、水淀粉、高汤各适量。

**做法：**

1. 将海米用温水泡发，洗干净泥沙备用；豆腐洗净切片，投入沸水中焯烫一下捞出，沥干水备用；蘑菇洗净，放到开水锅里焯烫一下，捞出来切片。

2. 胡萝卜洗净切片；油菜洗净，沥干水备用。

3. 锅内加入植物油烧热，放入海米、葱、姜、胡萝卜煸炒出香味，加入盐、蘑菇，翻炒几下，加入高汤。

4. 放入豆腐，烧开，加油菜、鸡精，烧开后用水淀粉勾芡即可。

## 木须肉

**材料：**猪肉100克，鸡蛋2个，黑木耳10克，料酒1大匙，酱油1大匙，盐、水淀粉各适量。

**做法：**

1. 鸡蛋磕入碗中，留一个蛋清，其他搅成蛋液。

2. 猪肉洗净，切丝，放入碗内，加入料酒、蛋清、盐和淀粉拌匀。

3. 锅置火上，烧热，放油，放入肉丝煸炒至熟，盛出，随即倒入蛋液炒熟，再放入木耳丝和肉丝，最后加入酱油和适量水，调好口味，翻炒匀透，装盘即可。

**妈妈喂养经：**

这道菜味道鲜美，营养丰富，特别适合缺钙、铁及维生素A的宝宝食用。还可以加些黄瓜丝，色香味俱全，营养又美味。

## 银芽鸡丝

**材料：**芹菜、胡萝卜各25克，鸡胸肉、绿豆芽各50克，香油、盐各少许。

**做法：**

1. 鸡胸肉洗净，放入锅中加半锅冷水煮开，焖10分钟，捞出冲冷水，待凉，用手剥成细丝备用。

2. 芹菜洗净，切成3厘米小段，绿豆芽洗净，去除根部，一起放入沸水中焯烫，捞起，以冷开水冲凉。

3. 胡萝卜去皮、切细丝，放入碗中，加一半盐腌至微软，以清水冲净，放入盘中。

4. 加入烫好的鸡丝和芹菜、绿豆芽混合搅拌，加入剩余的盐、香油拌匀即可。

## 海带炖鸡

**材料：**水发海带20克，鸡肉50克，葱、姜各适量，料酒、盐各适量。

**做法：**

1. 鸡肉洗净，剁成小块；海带洗净，切成小块。

2. 锅置火上，加适量清水，放入鸡块，烧开后去浮沫，放入葱、姜、料酒、海带，烧开后改用小火。

3. 炖至鸡肉熟烂时加盐，烧至鸡肉入味，出锅装汤盘即可。

## 拌双耳

**材料：**银耳、黑木耳各50克，盐、白糖各1小匙，葱、香油、醋、鸡精各适量。

**做法：**

1. 将银耳和黑木耳分别用温水泡发，去掉根蒂，洗净，撕成小朵，用开水焯烫，捞出投入凉开水中过凉，再捞出沥干水；葱洗净，切成细丝。

2. 将银耳和黑木耳装入盘中，撒上葱丝。

3. 将盐、醋、鸡精、白糖、香油用冷开水调匀，浇在银耳和黑木耳上，拌匀即可。

## 四色炒蛋

**材料：**鸡蛋1个，青椒5克，黑木耳20克，植物油、葱、姜、盐、水淀粉各少许。

**做法：**

1. 将鸡蛋的蛋清和蛋黄分别放入两个碗中（用滤网过滤出蛋清），并分别加入少许盐搅打均匀；青椒和木耳洗净，切成菱形块。

2. 锅置火上，放油烧热，分别放入蛋清和蛋黄煸炒，盛出。再起油锅，放入葱、姜爆香，放入青椒和黑木耳，炒到快熟时，加入少许盐，再放入炒好的蛋清和蛋黄，用水淀粉勾芡即可。

## 茄汁虾仁

**材料：**虾仁100克，黄瓜20克，蛋清1个，水淀粉、料酒、盐、淀粉各1小匙，白糖少许，植物油、高汤、番茄酱、鸡精各适量。

**做法：**

1. 将虾仁洗净，放到一个大的碗中，加入少量盐，用手抓捏，挤干水备用；黄瓜洗净，切丁备用。

2. 在放虾仁的碗中加入蛋清、鸡精和淀粉，搅拌至虾仁表面裹上一层半透明的浆衣。

3. 锅内加入植物油烧热，放入虾仁炒熟，盛出备用。

4. 锅中留少许底油烧热，加入番茄酱、料酒、白糖、鸡精、盐和少许高汤，烧开，用水淀粉勾芡。

5. 将虾仁和黄瓜丁倒入锅中翻炒均匀即可。

## 核桃炒鱼丁

**材料：**核桃5只，鲤鱼肉150克，植物油、葱花、姜末、料酒、盐、酱油各适量。

**做法：**

1. 核桃去壳，核桃仁用刀背拍碎。

2. 鲤鱼肉洗净，去皮、去骨、去刺，切成丁，用开水焯后弃水，捞出沥干。

3. 锅热后，放入植物油，约五成热时，放入葱花、姜末、料酒、酱油，炒出香味时，放入鲤鱼丁、核桃仁，大火翻炒，放入盐，炒匀即可。

## 萝卜炖鱼

**材料：**青条鱼1条，萝卜100克，水发冬菇20克，肥猪肉30克，香菜、葱、姜、盐、料酒、醋、清汤、花椒油各少许。

**做法：**

1. 将鱼洗净，在鱼体两面划两刀，放入沸水锅内汆烫，捞出，沥干水；冬菇洗净，切两半；萝卜去皮，洗净，切片；猪肉洗净，切条；香菜洗净，切末。

2. 锅置火上，放油烧至六七成热，放入鱼，用中火将两面煎至淡黄色时捞出。

3. 锅留底油烧热，放入肥猪肉条，炒至变色，放入冬菇、萝卜片略炒，烹入料酒、醋，兑入清汤，放入煎过的鱼，用旺火略炒，加入葱、姜，改用小火加盖炖30分钟左右。

4. 放入盐调味，拣出葱、姜，撒上香菜末，淋上花椒油，即可。

## 豆腐干炒肉丝

**材料：**猪肉50克，蒜苗200克，香干豆腐50克，姜丝少许，酱油、盐各适量。

**做法：**

1. 猪肉、豆腐干洗净切丝；蒜苗择洗好，切成3厘米长的段。

2. 锅置火上，放油烧热，放入蒜苗翻炒，再放入姜丝、肉丝、酱油同炒，炒熟盛出。

3. 锅内油烧热，放入豆腐丝炒几下，再放入已炒好的肉丝、蒜苗，加入盐炒熟即可。

## 香菇鸡丝面

**材料：**鸡腿肉 20 克，胡萝卜 5 克，鲜香菇 10 克，宝宝挂面 40 克，香菜 3 克，姜丝 3 克，鸡汤适量，料酒 1 小匙，白胡椒粉 1 克，盐 1 克。

**做法：**

1. 鸡腿洗净后放在清水中煮熟，然后用小刀把鸡腿剔骨，剔好的鸡腿肉切成条状备用；鲜香菇去蒂，洗净后切成细丝；胡萝卜洗净、去皮，切成细丝；香菜洗净，切小段备用。

2. 锅中倒入适量鸡汤，把胡萝卜丝、香菇丝和鸡肉丝放入锅中，同时放入姜丝和料酒，大火煮开后加少许盐和白胡椒粉调味。

3. 另起锅，烧水把宝宝挂面煮熟，面条煮好后捞出放入碗中，倒入鸡汤、鸡肉丝和蔬菜，点上些许香菜段即可。

## 东北炖粉条

**材料：**五花肉 50 克，白菜 5 克，土豆 10 克，扁豆 5 克，油菜 5 克，粉条 5 根，五香粉 1 小匙，盐 1 克，姜片 2 片，葱段 2 段，八角 1 个，酱油 1 大匙。

**做法：**

1. 五花肉洗净切成小块；白菜洗净撕成小片；油菜只取嫩心洗净；土豆去皮切成小块；扁豆洗净后在沸水中烫熟，去筋后切成 3 厘米的小段；粉条放在水中浸泡 30 分钟。

2. 锅中倒入适量的清水，放入姜片、葱段、五花肉与土豆、粉条、扁豆、五香粉、八角和酱油用小火熬煮 20 分钟。

3. 出锅前 5 分钟放入撕好的白菜与油菜心，并加少许盐调味，煮至白菜变软即可。

## 黄瓜肉丝

**材料：**猪瘦肉 300 克，黄瓜 1 根，老抽 5 毫升，干淀粉 5 克，料酒 10 毫升，姜末、大蒜末各 2 克，盐 3 克，油 15 毫升。

**做法：**

1. 猪瘦肉冲洗干净，沥去水分，切成 3 厘米长的肉丝，加入干淀粉和料酒抓拌均匀上浆。黄瓜刷洗干净，切成细丝。

2. 大火烧热炒锅中的油至七成热，迅速放入上过浆的肉丝滑炒，边滑炒边加入姜末、大蒜末、老抽和盐，至肉丝滑熟，盛出。

3. 将滑炒好的肉丝和黄瓜丝一起拌匀即可。

## 花生米炒芹菜

**材料：** 芹菜100克，生花生米30克，瘦猪肉20克，大蒜3瓣，水淀粉1大匙，酱油、盐各1小匙。

**做法：**

1. 将瘦猪肉洗净，剁成肉末，加入酱油拌匀，腌5分钟左右；芹菜洗净，切成小段；花生米洗净，沥干水；大蒜去皮洗净切片。

2. 锅内加入植物油烧热，放入花生米，小火炸熟后捞出控油。

3. 锅内留少许底油烧热，下入肉末炒散，加入蒜、芹菜，中火炒至七八成熟，加入盐，翻炒均匀。

4. 倒入炸好的花生米，用水淀粉勾芡，翻炒均匀即可。

**妈妈喂养经：**

如果家里有红甜椒的话，可以洗净切块，和芹菜一块同炒熟，这样会丰富这道菜的颜色，宝宝会更喜欢的。

## 拌花生菠菜

**材料：** 菠菜40克，油少许，花生米10克，盐1克，熟芝麻适量，醋1小匙，香油适量。

**做法：**

1. 炒锅中直接倒入少许的凉油和花生米，用小火加热，感觉到花生变轻后出锅，沥干油后稍加碾磨成花生碎。

2. 将菠菜洗净，切成小段，在开水中烫一下，取出后再放入凉水中过一下，捞出沥干水分。

3. 把菠菜和花生碎放置于盘中，加入盐、醋和香油，最后撒上少许芝麻，搅拌均匀后即可食用。

## 莴笋炒香菇

**材料：** 莴笋250克，水发香菇30克，白糖、盐、酱油、胡椒粉、水淀粉各适量。

**做法：**

1. 将莴笋去皮，洗净，切片；香菇去蒂，洗净，切片。

2. 锅置火上，放油烧热，放入莴笋片和香菇片，煸炒几下，加入酱油、盐、白糖，炒至入味后放入胡椒粉，用水淀粉勾芡，翻几下，出锅即可。

## 多彩茭白

**材料：** 茭白20克，胡萝卜10克，青豆10克，猪里脊肉10克，姜丝少许，淀粉少许，高汤1大匙，生抽1小匙，盐1克，油5毫升。

**做法：**

1. 茭白和胡萝卜洗净、去皮，切成细丝；里脊肉洗净切成细丝，加入盐、生抽和淀粉一起腌制5分钟；青豆在热水中煮熟，稍加碾碎。

2. 炒锅中放入油加热，爆香姜丝后放入腌制好的里脊肉翻炒至熟。锅中留底油，倒入茭白、胡萝卜、青豆翻炒1分钟。

3. 在高汤中掺入少许淀粉制作成水淀粉，勾芡后出锅。

**妈妈喂养经：**

茭白含有丰富的糖类和硫元素，能帮助宝宝去热和利尿，但是茭白也含有草酸，不宜过量食用。

## 酱肉四季豆

**材料：** 四季豆50克，牛肉30克，胡萝卜20克，姜2片，醪糟半小匙，植物油、淀粉、香油、盐各少许。

**做法：**

1. 牛肉洗净，切成0.5厘米左右粗细的丝，放入碗中，加入醪糟、淀粉，搅拌均匀，腌制10分钟左右；将四季豆洗净，斜切成丝备用；将胡萝卜和姜洗净去皮，切丝备用。

2. 锅内加入植物油烧热，加入姜丝爆香，再加入腌制好的牛肉丝，大火翻炒几下，盛出备用。

3. 锅中留少许底油烧热，依次加入四季豆、胡萝卜丝，用中火炒匀。

4. 加入适量清水，小火焖煮至豆熟后将牛肉丝倒入拌匀，加入盐，淋上香油即可。

## 爆炒羊肝

**材料：** 羊肝200克，淀粉10克，葱1段，姜1片，盐适量。

**做法：**

1. 羊肝除去筋膜，切成片，用淀粉拌匀。

2. 锅内倒入油，油热后下入葱姜爆香，倒入羊肝翻炒。

3. 加入盐调味即可。

## 白萝卜炖大排

**材料：** 猪排100克，白萝卜20克，姜片、盐各适量。

**做法：**

1. 猪排剁成小块，入开水锅中焯一下，捞出用凉水冲洗干净，重新入开水锅中，放姜片，用中火煮炖90分钟，捞出去骨；白萝卜去皮，切条，用开水焯一下，去生味。

2. 锅内煮的排骨汤继续烧开，投入去骨排骨和萝卜条，炖15分钟，肉烂、萝卜软即可。

## 番茄鲜蘑排骨汤

**材料：** 排骨100克，鲜蘑20克，番茄20克，盐、黄酒各适量。

**做法：**

1. 将排骨洗净，用刀背拍松，再敲断骨髓，切成1.5厘米长的小段儿，放入碗中加黄酒、盐腌15分钟。

2. 将鲜蘑洗净去根，切成小块，用沸水焯一下，断生即可，过凉后沥干水分备用。

3. 番茄洗净，用沸水焯一下，剥皮后切成小块。

4. 锅内加入适量清水烧沸，放入排骨、黄酒稍煮一会儿，撇去浮沫，将排骨煮至熟烂，加入鲜蘑块、番茄块，再煮至熟烂加盐即可。

## 银鱼炒韭菜

**材料：** 银鱼100克，鸡蛋2个，韭菜、彩椒各5克，姜片、盐、酱油各适量。

**做法：**

1. 起锅放水烧开，把银鱼入沸水焯烫，捞出沥干。

2. 将韭菜、彩椒切末；姜切片；蛋打散搅匀。

3. 将银鱼、韭菜、红椒末放入碗中，加盐、姜片、酱油搅拌均匀腌渍片刻。

4. 另起锅热油，倒入蛋液，再加入已腌拌的银鱼和配料炒熟即成。

**妈妈喂养经：**

银鱼高蛋白低脂肪食品，很适合给体虚、消化不良的宝宝食用。

## 番茄烧牛肉

**材料：**番茄1个，牛肉片100克，植物油、葱、姜各少许，盐、清汤各适量。

**做法：**

1. 将牛肉洗净，切成1厘米见方的块；番茄切小块。将牛肉放入电饭煲中加水炖30分钟。

2. 锅放油烧热，加入葱、姜爆香，放入番茄翻炒，放入牛肉和清汤，加入盐再煮至肉烂汤浓即可。

## 茄泥肉丸

**材料：**猪肉（肥瘦各一半）200克，茄子200克，鸡蛋1个，葱1根，姜1片，酱油、料酒各1大匙，淀粉2小匙，盐、胡椒粉各1小匙。

**做法：**

1.将猪肉洗净绞碎，放入一个大碗中，加入酱油、料酒、盐、胡椒粉及少量淀粉拌匀；将鸡蛋打到一个干净的碗里搅匀；葱、姜均洗净切末备用。

2.茄子洗净切条，隔水蒸20分钟左右。

3.取出茄子，加入少许葱姜，捣成泥状，拌入肉泥中搅匀。

4.锅内加入植物油烧热，将茄泥肉糊用小勺挑到手中，用大拇指和食指挤成小丸，蘸上蛋液和淀粉，放到锅里炸。

5.先用中火稍炸，后用小火炸熟内部，起锅前再用大火将外皮炸脆，捞出来控干油，摆入盘中即可。

## 虾仁紫菜汤

**材料：**虾仁50克，紫菜10克，盐、水淀粉、植物油各适量，葱末、姜末各少许。

**做法：**

1. 将紫菜洗净，切成适口小片。

2. 将虾仁洗净，去虾线，放入碗中加少许盐、水淀粉调匀备用。

3. 将油锅烧至七八成热，用姜末、葱末炝锅，放入虾仁煸炒，加入适量清水，待水烧沸后放入紫菜稍煮，放盐调味即可。

## 茼蒿猪肝鸡蛋汤

**材料：**茼蒿50克，猪肝20克，鸡蛋1个，盐适量。

**做法：**

1. 茼蒿洗净备用；猪肝洗净，切薄片备用；鸡蛋打碎搅匀。

2. 将锅置于火上，加适量清水，煮滚。

3. 放入茼蒿，滚熟后倒入猪肝，待猪肝熟后，放入鸡蛋浆。

4. 加入盐调味，将蛋浆搅成蛋花即可。

## 娃娃菜煲

**材料：**骨汤800毫升，北豆腐1块（约200克），粉丝1小把（约10克），娃娃菜1棵（约50克），盐5克。

**做法：**

1. 娃娃菜清洗干净，沥去水分，对半剖开，切成4厘米长的段。粉丝用温水泡软。北豆腐切成2厘米见方的块。

2. 将骨汤倒入砂锅中，加入切好的豆腐块，大火煮开后，放入泡软的粉丝和切好的娃娃菜，再次煮滚后，转小火，炖煮6分钟，加入盐调味即可。

**妈妈喂养经：**

娃娃菜富含维生素C和硒元素，能提高宝宝的免疫力。清淡的白菜和豆腐，因为用骨汤炖煮出来，所以口感更丰富。

## 木耳炒鸭肉片

**材料：**鸭肉100克，水发木耳25克，葱丝、姜末、蒜末各少许，料酒1大匙，酱油、水淀粉、盐、高汤各适量。

**做法：**

1. 将鸭肉洗净，切成薄片，用水淀粉浆好；酱油、料酒、水淀粉、盐、葱丝、姜末、蒜末、高汤放一碗内，调成芡汁。

2. 炒锅置火上，放油烧热，放入肉片滑透，捞出，控净油。

3. 再将油锅置火上，放入撕成小块的木耳，翻炒片刻，将肉片回锅，加入配好的芡汁，炒匀即可。

# 晚餐：宝宝成长的营养储备

对于处在生长发育这一特殊时期的宝宝而言，晚餐的营养同样是非常重要的。因为儿童生长激素分泌量最多的时间是晚上，特别是在熟睡时其生长激素以脉冲式释放，并且释放数量是白天的两倍以上。晚餐的营养是宝宝长身体、长知识的储备力量，其各种营养素供给量应不少于全天总量的30%，以维持他们良好的生长发育和智力发展。

## 怎样设计宝宝的营养晚餐

宝宝晚餐营养食谱的设计，同样应以合理营养和平衡膳食为指导，同时应考虑到其生长发育的特殊需求，并根据不同年龄段宝宝的消化吸收生理特点和兴趣口味需求而定。在晚餐的食物品种上，尽可能做到与午餐不一样，具体可从以下一些方面作考虑：

● 主食除了米饭或面食，也可适当吃些薯类食物，如给宝宝一份红薯米饭、燕麦米饭或南瓜米饭等，这类食物既能提供给宝宝足够的糖类以及相应的矿物质、维生素等营养素，又能促进肠胃的蠕动。

● 晚餐中各种营养素的设计量，应占全天总供给量的30%，其中对在早、午餐中可能摄入不足的营养素，在晚餐中可适当增加些，从而确保宝宝一天营养的均衡摄取。

● 在晚餐的食物营养供给中，应坚持多样化原则。宝宝正处于生长发育的阶段，特别要注意供给足量的优质蛋白质、钙、锌、铁、维生素A等与生长发育紧密相关的营养素。

● 在选择食物的种类方面，不仅要注重营养的科学搭配，还要注重食谱的色泽和形状。多给宝宝吃一些色泽较深的蔬菜，因为深色蔬菜光照充足，营养成分高。在制作上要切小一些，颜色搭配合理些，以调动宝宝的进食欲望。

● 多选择一些脂肪少、易消化的食物品种。因为晚上活动量较少，如果摄入太多能量，多余的能量会在胰岛素作用下合成脂肪储存在体内，容易导致肥胖。在供应各种植物性食物时，要选择相对嫩一些的瓜果蔬菜，以免食物中过多的膳食纤维、植酸及草酸影响了宝宝对钙、锌等生长发育所需矿物质的吸收利用。

# 晚餐营养食谱推荐

## 南瓜百合蒸饭

**材料：**小南瓜1个，大米150克，鲜百合75克，冰糖、白糖、枸杞子各适量。

**做法：**

1. 鲜百合、大米、枸杞子分别洗净，大米加适量水蒸熟；冰糖、白糖加热水制成糖汁。

2. 南瓜洗净，切开顶部，挖出瓜瓤，制成南瓜盅。

3. 将蒸好的米饭、百合、枸杞子装入南瓜盅内，倒入溶化的糖汁，水量没过米饭约2厘米，加南瓜盖，上屉蒸30分钟即可。

## 红薯木耳粥

**材料：**红薯1颗，海参20克，黑木耳30克，白糖适量。

**做法：**

1. 将海参、黑木耳分别用温开水泡软，洗净。红薯去皮切成小块备用。

2. 将海参、黑木耳、红薯一起放入锅内煮熟，放入白糖即可。

## 蛋香煎米饼

**材料：**剩米饭1碗，豌豆20克，玉米粒20克，火腿30克，鸡蛋1个，盐、胡椒粉各适量。

**做法：**

1. 火腿切丁，玉米粒、豌豆洗净，鸡蛋敲入碗中打散。

2. 将米饭和玉米粒、豌豆、火腿丁混合，倒入打散的鸡蛋液。调入盐和胡椒粉拌匀。

3. 平底锅烧热油，用勺子将米饭放入，略压成饼状，煎至两面焦黄。

**制作小窍门：**

1. 配菜里的豌豆，先用开水焯至断生，或者用黄瓜代替豌豆，就可以直接拌进米饭里了。

2. 最好搭配一些新鲜的水果和蔬菜，以解煎米饼的油腻。

## 鱼香杂锦粥

**材料：**鲫鱼1条，玉米糁30克，大米15克，小西红柿2个，姜1片，油少许。

**做法：**

1. 鲫鱼剖洗干净，用厨房纸吸去鱼身上多余的水分。热锅放油将鲫鱼两面略煎出黄色，加清水、姜片大火烧开煮出奶白色浓汤。

2. 将鱼汤滤出，加入淘洗干净的大米、玉米糁煮成6分稠的粥。

3. 小西红柿烫去外皮切小块，放入粥中煮熟即可。

## 黑木耳番茄香粥

**材料：**大米30克，黑木耳、火腿各5克，鸡蛋1个，番茄10克，盐1克。

**做法：**

1. 黑木耳提前用温水浸泡2个小时，完全泡发后去蒂冲洗干净，切成细丝；火腿切丁；番茄洗净去皮后切成小丁；大米放在水里浸泡1小时。

2. 砂锅中倒入大米和水，大火煮开后改成小火，加入番茄熬煮20分钟，然后倒入黑木耳、火腿丁继续熬煮10分钟，最后把鸡蛋打散后倒入锅中稍加搅拌，待蛋液凝固后调入少许盐关火。

**妈妈喂养经：**

因为有了番茄的参与，口感更加酸甜，虽然番茄煮熟会损失掉一部分的维生素C，但是能起到增强免疫力等功效的番茄红素成分却更充足了。

## 羊肉萝卜馄饨

**材料：**馄饨皮20张，羊肉馅50克，胡萝卜末40克，香菇末30克，紫菜碎、虾米、盐、酱油、葱末、姜末、香油各适量。

**做法：**

1. 羊肉馅加香菇末、胡萝卜末、盐、酱油、葱末、姜末搅匀，做成馅，包入皮中，做成馄饨生坯。

2. 锅置火上，加水煮沸，放入馄饨煮熟，下紫菜碎和虾米，煮沸后加盐和香油调味即可。

## 香蕉麦片粥

**材料：** 香蕉3根，麦片50克，葡萄干20克，牛奶250毫升，蜂蜜适量。

**做法：**

1. 香蕉剥皮后切片，麦片清洗后稍浸泡。

2. 将所有的材料放入锅中，煮的过程中注意搅拌，煮熟后调入蜂蜜即可食用。

**妈妈喂养经：**

本品富含铜、铁、钙、磷、色氨酸，能对中枢神经系统起到镇静安神的作用，有助于促进宝宝睡眠。

## 芝士焗饭

**材料：** 米饭50克，洋葱、甜椒各30克，牛里脊30克，宝宝芝士2片，盐适量。

**做法：**

1. 牛里脊、甜椒洗净切粒，洋葱去皮切粒，芝士切细丝备用。

2. 热锅中放少许油，倒入洋葱粒爆香，然后放入牛肉粒和甜椒粒炒熟，放入米饭翻炒均匀，加盐调味。

3. 将饭盛出撒上芝士，放烤箱焗烤至芝士微黄，吃时拌匀即可。

**妈妈喂养经：**

牛肉中的氨基酸组成比猪肉更接近人体需要，可以提高孩子的免疫力，满足生长发育的需要。

## 雪菜肉丝面

**材料：** 拉面100克，雪里红20克，瘦猪肉30克，红柿椒、豆芽、芹菜各5克，酱油、绍酒、水淀粉、盐、香油、鲜汤各适量。

**做法：**

1. 瘦猪肉切成丝，拌入调味料，腌制5分钟。

2. 雪里红洗干净，切成小段；红辣椒切成丝；芹菜梗切成段；豆芽掐去两头，备用。

3. 汤锅上火，加入清水，烧沸后下入拉面，煮6分钟至熟，捞出装碗。

4. 炒锅上火烧热，下入调味料，肉丝炒散后，再下入雪里蕻略炒，加入鲜汤、红椒丝、芹菜、豆芽及调味料，见汤沸倒入面碗中即可。

## 虾仁伊府面

**材料：**全蛋面100克，虾仁30克，冬菇、青豆、胡萝卜各10克，葱、姜末各少许，植物油、盐各适量。

**做法：**

1. 将虾仁挑去沙线，清洗干净；冬菇、胡萝卜切片，然后焯水处理。

2. 汤锅上火，加1/2清水，烧沸后下入全蛋面，煮3分钟，捞出备用。

3. 将炒锅上火烧热，倒植物油，放入葱、姜末炝锅；下入调味料和鲜汤，再下入虾仁、冬菇片、胡萝卜片和全蛋面，转小火，煨至汤汁浓稠。

4. 再下入调味料和青豆即可。

**妈妈喂养经：**

汤汁鲜香，面条软烂，还可以为宝宝补充丰富的蛋白质、钙、铁、锌等营养物质，除了促进宝宝的生长发育，还对增强宝宝的智力有良好的作用。

## 豆沙包

**材料：**红豆沙50克，面粉100克，发酵粉适量。

**做法：**

1. 将面粉放入盆中，加入适量清水与发酵粉揉匀，发酵后做成面剂，擀成面皮，放入豆沙馅包好。

2. 锅中放水烧开，将做好的豆沙包放入屉上蒸20分钟即可。

**妈妈喂养经：**

红豆沙清香润滑，甘凉可口，防暑消热。

## 蒜香薯丸

**材料：**红薯250克，生姜1小块，蒜2瓣，醋、盐各适量。

**做法：**

1.将红薯洗净去皮切成片，放入笼屉蒸熟取出。

2.把蒸熟的红薯捣碎，再加醋捣成泥。

3.蒜瓣、生姜切碎与盐一并放入薯泥中用力搅打均匀。

4.起锅热油，将薯泥捏成小圆粒逐个下锅炸至呈酱红色，倒入漏勺沥去油装盘即成。

## 三鲜馄饨

**材料：**面粉300克，猪肉馅100克，去壳虾仁50克，鲜香菇3个，虾皮、紫菜、油菜各适量，蛋清1只，料酒、盐、鸡精、糖各适量，葱姜末、香菜末、白胡椒粉、香油各少许。

**做法：**

1. 将面粉、半只蛋清、适量温水揉成面团饧20分钟，做成馄饨皮备用。紫菜、虾皮用温水泡5分钟沥干，油菜洗净焯熟备用。

2. 将虾仁去肠泥洗净剁成茸，香菇洗净切末与肉馅、葱姜末、蛋清、盐、鸡精、糖、料酒顺同一方向搅成馅料备用。

3. 面皮中放入馅料，捏成元宝状的馄饨，入沸水锅中煮熟。

4. 在碗中放入紫菜、虾皮和油菜，煮好的馄饨连汤盛入碗中，滴几滴香油，撒上白胡椒粉、盐、香菜末即可。

**妈妈喂养经：**

1. 虾仁中含有优质的蛋白质和丰富的钙，对于孩子来说是非常好的食物，可以促进孩子健康成长。但要注意的是，对虾过敏的孩子要慎食。

2. 买的鲜虾可先放入冰箱冷冻半个小时，再取出来剥虾仁，这样会非常的方便。

## 香菇虾皮小笼包

**材料：**肉馅100克，鲜香菇5朵，北豆腐30克，新鲜虾皮、紫菜各10克，鸡蛋1个，面粉100克，酵母适量，姜末、盐、橄榄油各少许。

**做法：**

1. 用温水把虾皮与紫菜洗净泡软切碎。香菇、北豆腐洗净切块，入沸水中焯一下捞出沥干再切碎。鸡蛋打散，入油锅炒成蛋饼盛出切碎。

2. 酵母用温水化开，与面粉和匀成柔软的面团，盖上湿布饧发15分钟。

3. 将虾皮、紫菜、炒鸡蛋、香菇、豆腐、肉馅搅拌上劲，加适量盐、姜末调味制成馅料。

4. 面饧好后揉成长条，切成小剂子擀成面皮，包入馅料做成小包子，入沸水锅隔水蒸10分钟即可。

**制作小窍门：**

蒸饺子的时间也要根据饺子的大小、馅料的多少适当调整。

## 菜花炒肉

**材料：**菜花150克，瘦猪肉30克，葱、姜、水淀粉、盐各适量。

**做法：**

1. 将瘦猪肉洗净，切片，放入盘内，加入水淀粉、盐拌匀上浆；菜花切成小瓣，用开水烫一下去其味。

2. 锅置火上，放油烧热，放入猪肉，滑散，捞出，控干油。

3. 炒锅置火上，放油烧热，放入葱、姜末炝锅，放入菜花、肉片翻炒几下，加入适量清水，烧开后加入盐搅匀，用水淀粉勾芡，即可。

**妈妈喂养经：**

菜花质地细嫩，味甘鲜美，食后极易消化吸收，其嫩茎纤维，烹炒后柔嫩可口，适宜于宝宝和脾胃虚弱、消化功能不强者食用。

## 木耳莴笋拌鸡丝

**材料：**鸡胸肉50克，木耳10克，莴笋30克，青甜椒、红甜椒少许，盐、香油各适量。

**做法：**

1. 鸡胸肉切丝，用沸水焯熟。

2. 莴笋、木耳、青甜椒、红甜椒切丝，用开水稍焯一下。

3. 将全部原料用盐拌匀，淋少许香油即可。

## 木耳黄花面

**材料：**鸡胸肉200克，水发黑木耳、黄花各20克，小油菜50克，手擀面50克，盐、葱花、香油、酱油各适量。

**做法：**

1. 将鸡胸肉洗净，切成薄片，并用少量盐和水淀粉码味拌匀上浆；小油菜、黄花、木耳择洗干净，沥水备用。

2. 将炒锅置旺火上，加花生油烧至八成热，放入鸡胸片，煸炒至七成熟，盛出待用。

3. 热油锅放入葱花爆香，加入木耳、黄花、小油菜、酱油和盐，炒至七成熟出锅待用。

4. 锅加清水适量并烧开，放入面条，煮至七成熟，倒掉面汤，加入适量鲜汤，烧开后把待用的鸡肉、黑木耳、黄花、小油菜入锅内煮沸至熟出锅，淋上香油，拌匀食用。

## 青椒土豆丝

**材料：**土豆1个，青、红甜椒各1只，盐、植物油各少许。

**做法：**

1. 土豆刨好丝，放入淡盐水中浸泡，以防止变色，保持脆爽。

2. 将青、红甜椒洗净，去子，切丝。

3. 锅置火上，放油烧热，放入青、红甜椒丝煸炒片刻，放入土豆丝炒熟，加少许盐翻炒片刻即可。

**妈妈喂养经：**

青、红甜椒中所含有的辣椒素，能够促进脂肪的新陈代谢，减少体内脂肪的积存。

## 丝瓜炒鸡蛋

**材料：**丝瓜100克，鸡蛋1个，葱末、姜末、植物油、盐、鸡精各适量。

**做法：**

1. 将丝瓜去皮洗净，切成滚刀块；鸡蛋磕入碗中，加入少许盐打散搅匀。

2. 炒锅置旺火上，加入植物油，烧至五成热时放入鸡蛋炒熟出锅。

3. 炒锅另加入油，烧热后放入葱姜末炝锅，再放入丝瓜略炒几下，放入盐、鸡精、熟鸡蛋，翻匀即可。

## 香菇炒菜花

**材料：**菜花100克，干香菇2朵，葱丝少许，姜1片，鸡汤1碗，盐1小匙，植物油、鸡精各适量。

**做法：**

1.香菇用温水泡发，洗净；菜花洗净，切成小块，放到沸水锅中焯烫一下捞出，沥干水备用。

2.锅内加入植物油烧热，放入葱姜爆香，加入鸡汤、盐、鸡精烧开。

3.捞出葱、姜，放入香菇、菜花，用小火煨至入味即可。

## 鸡丝烩菠菜

**材料：**菠菜100克，鸡胸肉50克，蒜2瓣，枸杞10粒，盐1小匙，植物油、清汤各适量。

**做法：**

1. 将鸡胸肉切成丝；菠菜洗净，放入热水中焯烫，捞出沥干水，切成段；蒜洗净切片；枸杞泡透。

2. 锅内加入植物油烧热，放入蒜片、鸡丝炒香，倒入适量清汤，加入枸杞烧开。

3. 再加入菠菜，调入盐，用中火煮透入味即可。

---

## 橙香萝卜丝

**材料：**白萝卜150克，橙汁10毫升，白砂糖5克，盐2克，油15毫升。

**做法：**

1. 白萝卜洗净，用刨丝器刨成细丝，放入白砂糖、盐，拌匀后待用。

2. 将橙汁淋在刨好的白萝卜丝上，拌匀即可。

**妈妈喂养经：**

萝卜味甘辛，有健胃、消食的作用。用这种方法烹饪的萝卜丝甜酸爽口。

---

## 炝炒紫甘蓝

**材料：**紫甘蓝100克，海米10克，葱、姜、植物油、盐、鸡精各适量。

**做法：**

1. 将紫甘蓝择洗干净，撕成小片，投入沸水中焯烫2分钟，捞出来沥干水。将海米用温水泡发，洗净备用；葱、姜洗净，切成末备用。

2. 锅内加入植物油烧热，放入葱姜末，炒出香味，再依次加入甘蓝、海米，大火快炒几下后加入盐、鸡精炒匀即可。

## 鸡汤炒芦笋

**材料：**芦笋100克，百合20克，枸杞5粒，姜1片，鸡汤半碗，水淀粉1大匙，盐半小匙，植物油适量。

**做法：**

1. 用清水将枸杞浸泡软后洗净备用；姜洗净切丝备用。芦笋削去粗皮洗净，切段。
2. 锅内加入植物油烧热，放入姜丝爆香，再放入芦笋煸炒1分钟左右，倒入百合，马上调入盐翻炒几下即倒出装盘。
3. 将锅置于火上，倒入鸡汤、枸杞，大火煮开后，调成小火，用水淀粉勾芡，最后将芡汁淋到芦笋、百合上即可。

**妈妈喂养经：**

百合不光有糯软的口感，还能起到润肺、降火、明目的功效。

## 香爆草菇

**材料：**草菇40克，玉米粒10克，红彩椒10克，料酒1小匙，高汤1大匙，盐1克，油5毫升。

**做法：**

1. 将草菇洗净，切成薄片后在沸水中烫1分钟，捞出沥干水分；玉米粒烫熟；红彩椒切成细丝备用。
2. 炒锅中放油烧至六成热，放入沥干水分的草菇片大火翻炒，同时放入料酒烹香。
3. 放入高汤和玉米粒，加盖焖3分钟，然后放入红彩椒和盐，用大火翻炒收汁。

## 黑木耳炒黄花菜

**材料：**木耳30克，黄花菜20克，植物油、盐、水淀粉各适量。

**做法：**

1. 将木耳用温水泡发，去杂洗净，用手撕成片；黄花菜用冷水泡发，去杂洗净，挤干水。
2. 锅置火上，放油烧热，放入木耳、黄花菜煸炒，加入盐煸炒至木耳、黄花菜熟入味，用水淀粉勾芡，出锅即可。

## 炒面

**材料：** 面条100克，鸡胸肉20克，油菜1棵，葱花、姜丝、盐、花生油各适量。

**做法：**

1.将鸡胸肉洗净，切成细丝；油菜洗净，切成丝。

2.面条用开水煮至八成熟，盛出放凉。

3.将鸡丝用热油滑熟，另置炒锅内加油烧热，下入葱花、姜丝爆锅，再加入面条、鸡丝、油菜丝一同炒匀，加入盐调味即可。

## 茼蒿炒肉丝

**材料：** 茼蒿100克，猪肉30克，植物油、盐、酱油、葱丝、姜片各适量。

**做法：**

1. 猪肉洗净，切成细丝；茼蒿去老茎，洗净切小段。

2. 炒锅放油烧热，放肉片煸炒至水干，加入酱油再炒，然后加入盐、葱丝、姜片煸炒至肉片熟烂。

3. 放入茼蒿继续煸炒至熟，即可。

## 凉拌芹菜腐竹

**材料：** 芹菜50克，水发腐竹20克，盐、香油各少许。

**做法：**

1. 芹菜洗净，切丝；腐竹用温水浸泡，切丝。

2. 将芹菜与腐竹分别用开水焯烫，用凉水过凉，沥干水。

3. 将以上食材放入盘内，加入盐、香油拌匀即可。

## 蜇头木耳

**材料：** 水发蜇头100克，水发木耳20克，青蒜5克，酱油、醋、香油各适量。

**做法：**

1.将蜇头洗净泥沙，切成5厘米长的丝，下开水中氽一下，捞出；木耳切成丝入开水中烫一下，在凉开水中过凉、捞出；青蒜去杂洗净，切成小条。

2.将材料掺在一起，浇上酱油、醋、香油，拌匀即可。

## 清炒平菇

**材料：**新鲜平菇250克，盐、料酒、醋、清汤、水淀粉和香油各少许。

**做法：**

1. 将新鲜平菇去杂，洗净，放入沸水锅内氽烫，捞出，沥干水，切丝。

2. 锅置火上，放油烧热，放入平菇丝煸炒几下，加入盐、料酒、醋、清汤，烧至入味，用水淀粉勾芡，淋上香油装盘即可。

**妈妈喂养经：**

常食平菇不仅能起到改善人体的新陈代谢，还对增强体质有一定的好处。

## 扁豆炒肉丝

**材料：**扁豆50克，瘦猪肉30克，葱末、姜末各少许，植物油、盐、酱油各适量。

**做法：**

1. 扁豆切段；瘦猪肉切丝，用盐、酱油腌制5分钟。

2. 锅内倒入油，油热后下入葱、姜爆香，放肉丝煸炒，然后加入扁豆翻炒。

3. 倒入水，待水煮开后，放盐、酱油，转小火焖至扁豆熟烂即可。

## 木耳炒白菜

**材料：**水发木耳20克，大白菜50克，葱花、植物油、酱油、盐、水淀粉各适量。

**做法：**

1. 将泡发好的木耳择洗干净，撕成小片；选白菜的菜心，切成小片。

2. 锅内放油，烧热，下葱花炝锅，随即放入白菜片煸炒，炒至白菜片油润明亮时，放入木耳，加酱油、盐，炒拌均匀，用水淀粉勾芡即可。

## 海米白菜

**材料：**海米10克，白菜200克，精盐、酱油各适量。

**做法：**

1. 海米用温水浸泡发好；白菜洗净，切段。

2. 锅内放油烧热，放入白菜段炒至半熟，放入海米，加精盐、酱油调味，稍加清水，盖上锅盖烧熟透即可。

**妈妈喂养经：**

这道菜含锌量比较高，适合孩子补充锌元素。

## 鱼丝海带

**材料：**水发海带100克，草鱼肉100克，姜末、植物油、酱油、麻油、盐、白糖、水淀粉各适量，胡萝卜丝少许。

**做法：**

1. 水发海带洗净，切丝，蒸10分钟取下备用；草鱼肉洗净，切丝。

2. 锅热，放入植物油，五成热时，放入姜末、胡萝卜丝、草鱼肉丝煸炒1～2分钟，放入酱油、麻油，拌匀，出锅待用。

3. 锅内加入适量水，煮沸后放入海带丝，再煮沸，放入盐、白糖，烧煮几分钟后，放入炒熟的草鱼肉丝，翻炒均匀后，淋入水淀粉搅匀出锅即可。

**妈妈喂养经：**

此菜可为宝宝补充不饱和脂肪酸、蛋白质、氨基酸，以及碘、锌等矿物质，对宝宝的大脑发育有利。

## 萝卜紫菜汤

**材料：**白萝卜25克，虾米5克，紫菜少许，葱、姜、料酒、麻油、盐各适量。

**做法：**

1.白萝卜洗净去皮，切成细条；虾米用料酒泡发。

2.锅放油烧七成热放入葱花、姜末爆香，下虾米翻炒片刻，加适量清水煮沸，倒入萝卜条，再煮10分钟，放入紫菜，略煮加麻油、盐调味即可。

## 银耳鸭蛋羹

**材料：** 鸭蛋1个，水发银耳50克，白糖适量。

**做法：**

1. 将水发银耳去杂洗净，放入锅中加水煮一段时间，煮到软为止。

2. 鸭蛋打入碗中搅匀，倒入锅中煮沸，加白糖稍煮，盛入碗中即可。

**妈妈喂养经：**

银耳具有清肺益肺作用。鸭蛋性味甘凉，营养较为丰富。

## 蜜烧红薯

**材料：** 红薯100克，红枣5颗，蜂蜜5克，冰糖20克，植物油适量。

**做法：**

1. 将红薯洗净，削去皮，削成鸽蛋大小的丸子；红枣用温水泡发，洗净去核，切成碎末。

2. 锅内加入植物油烧热，放入红薯丸子炸熟，捞出来控干油。

3. 另起锅加清水，大火烧开，加入冰糖熬化，下入过油的红薯，小火煮至汤汁浓稠。

4. 加入蜂蜜，撒入红枣末，搅拌均匀，再煮5分钟即可。

## 鲫鱼豆腐汤

**材料：** 鲫鱼1（约150克），豆腐50克，葱、姜末各5克，油10毫升，盐5克，醋5毫升。

**做法：**

1. 鲫鱼除去内脏，清洗干净，如果鲫鱼较大，可将鱼切成4厘米长的段。豆腐切成1厘米小丁。

2. 中火加热锅中的油，将鱼放入锅中煎2分钟，加入葱、姜末煸一下，随后加入800毫升水，水开后，加入醋，再转小火煮制10分钟。

3. 将豆腐丁放入锅中，再煮10分钟，至汤色转白后，调入盐。

**妈妈喂养经：**

鲫鱼肉质鲜嫩，蛋白质含量很高，且容易被宝宝吸收。

# 加餐：成长的必需营养补充

## 加餐时可以选择哪些食物

全麦饼干、奶酪、牛奶、酸奶、水果（草莓、橘子、苹果、龙眼、荔枝、香蕉、大枣、葡萄、猕猴桃等都是不错的选择），还可以选择具有健脑作用的坚果类食品，如核桃、花生、黑芝麻、瓜子仁、松子、杏仁、莲子等。但需注意的是，这类食物最好炒熟、碾碎，再调成糊状或者煮开后给宝宝吃，也可做成各种小点心或加到粥里。

## 加餐中最好少吃或不吃哪些食物

● **彩色食品**

这类食品通常加入了人工合成色素，虽然加入的量在安全范围以内，但是由于宝宝肝脏解毒功能和肾脏排泄功能较差，有害物质易在体内蓄积，对宝宝健康和智力发育不利。

● **果冻类食品**

这类食品是用海藻酸钠、琼脂、明胶、卡拉胶等增稠剂加入少量香精、色素、甜味剂、酸味剂等配制而成，经常食用不仅无益于宝宝健康，而且还易误吸造成窒息。

● **冰镇类食品**

进食过多冰镇类食品，易影响正常的胃液分泌，引起消化不良、厌食、腹痛、腹泻等症状，还易使宝宝咽喉部抵抗力降低，使细菌乘虚而入，从而引起感冒、喉炎等。

● **碳酸饮料**

研究证实，过量饮用可乐型饮料会致使儿童性早熟，其实宝宝最好的饮料是白开水，因为白开水易透过细胞膜，有利于新陈代谢，保护免疫功能，提高抗病能力。也可以在白开水中加入少量鲜榨的果汁，但切勿过多，更不可用它代替白开水。

## 加餐要像吃正餐一样"专心"

也许对成年人来说，加餐只是一种消遣，而对于宝宝来说，这可是他"一日五餐"或者"一日六餐"中的一餐。所以，加餐要像吃正餐一样，要养成先洗手、坐下来专心吃的习惯，不要让宝宝边吃边玩，这样既不卫生，又易分散注意力，还会影响消化液的分泌。加餐时要注意以下几点：

（1）加餐要定时、定量，这样不仅可补充宝宝额外需要的营养，也不会影响宝宝吃正餐的食欲。

（2）清理家中的食品柜：不要在柜子里塞满巧克力、糖果、夹心饼干、奶油面包、果冻、炸薯片、果子露之类的食品。因为宝宝的控制力差，看到这些食品就会想吃。

# 加餐营养食谱推荐

## 木瓜牛奶汁

**材料：**木瓜 1/4 颗（约 100 克），牛奶 1 杯。

**做法：**

1.木瓜去皮切块，放入搅拌器中打成泥。

2.将木瓜泥取出倒进牛奶里搅拌均匀即可。

**妈妈喂养经：**

木瓜性温和，含有多种氨基酸和维生素，有调节脾胃的功效，能帮助分解食物，减轻胃的负担。

## 桂圆菠萝汤

**材料：**菠萝 100 克，桂圆肉 50 克，红枣 5 颗，盐少许。

**做法：**

1. 菠萝肉切成小块，放入淡盐水中浸泡 10 分钟；红枣洗净，去核。

2. 桂圆肉、菠萝块、红枣放入锅内，加入适量清水。

3. 用旺火煮沸后转用微火煮 10 分钟即可。

**妈妈喂养经：**

菠萝，味甘、微酸，性微寒，可清热解暑、生津止渴、利小便。

## 生梨百合汤

**材料：**鸭梨 1 个，鲜百合 15 克，冰糖 5 克。

**做法：**

1. 将鸭梨去皮洗净切块，鲜百合洗净。

2. 将梨块和百合放入小锅中，放入冰糖，再加入 600 毫升水，大火将水烧开，转小火再煮 10 分钟。

**妈妈喂养经：**

梨肉、百合具有润肺、止咳的功效，可饮用梨水，同时将梨一同吃掉，效果更好。适于干燥季节饮用。

## 双耳蒸冰糖

**材料：**银耳 10 克，黑木耳 10 克，冰糖 5 克。

**做法：**

1.将银耳、黑木耳用清水浸泡，去除杂质、蒂头、泥污。

2.将银耳、黑木耳放入小碗中，加冰糖，加清水适量，置蒸锅中文火蒸 1 小时即可食用。

## 红薯牛奶露

**材料：**红薯 50 克，牛奶 100 毫升。

**做法：**

1. 将红薯洗净，去皮，切小块。

2. 将红薯块上蒸锅中蒸熟，用汤匙压成泥。

3. 把牛奶倒入红薯泥中，两者混合搅拌均匀即可。

**妈妈喂养经：**

红薯含有丰富的淀粉、膳食纤维、胡萝卜素、维生素 A、B 族维生素、维生素 C、维生素 E，以及钾、铁、铜、硒、钙等十余种微量元素和亚油酸等，被营养学家们称为营养最均衡的食品。

## 银耳红薯糖水

**材料：**银耳 15 克，红薯 20 克，冰糖适量。

**做法：**

1. 银耳提前一晚用温水发开，洗净，择成小朵；红薯洗净、去皮，切成小丁。

2. 锅中放入适量清水，放入泡好的银耳，水沸腾后转小火继续熬煮 30 分钟，然后倒入切好的红薯丁，继续熬煮 30 分钟，出锅前适量放入少许冰糖即可。

**妈妈喂养经：**

吃红薯能帮助宝宝养胃润肠，通气利便。这是一款除了宝宝外，全家人都适合饮用的一款汤。银耳煮熟后要现吃，不能放置过久，否则会生成硝酸盐类对身体有害的物质，要现做现吃。

## 奶酪南瓜羹

**材料：**南瓜40克，奶酪10克，牛奶20毫升，干果碎5克。

**做法：**

1. 南瓜去皮，去子，切成薄薄的小块，放在蒸锅中用大火隔水蒸10分钟，然后用勺子碾成泥。

2. 锅中放入奶酪加热，待其熔化后倒入南瓜泥炒匀，最后倒入牛奶，待汤汁浓稠时关火，盛出后撒上些干果碎搅拌均匀即可。

**妈妈喂养经：**

奶酪含有丰富的蛋白质、B族维生素、钙，能促进宝宝的生长发育。南瓜含有的果胶能保护胃黏膜，还能促进肠道的蠕动，是宝宝消化系统的好帮手。

## 牛奶麦片粥

**材料：**麦片50克，牛奶50毫升，白糖少许。

**做法：**

将水烧沸，放入麦片50克（一边搅一边往里倒，以免结块），煮2～3分钟；将牛奶加白糖调匀，边搅边倒入麦片锅内，稍煮片刻即可。

**妈妈喂养经：**

麦片本身含有一定的钙和铁，是相宜的营养物质。选择原味麦片，不要选择营养麦片（也就是那些加了铁钙质等营养物质的麦片），以免与牛奶里的营养物质相克，影响宝宝吸收。

## 藕粉牛奶羹

**材料：**藕粉100克，配方奶150毫升。

**做法：**

1. 将藕粉调入凉水中，倒入锅中小火熬煮，一边煮一边搅拌均匀。

2. 当藕粉羹变成透明色后，用小火稍稍熬煮1分钟左右，加入配方奶，继续搅拌均匀。

# 喂养难题专家解答

## Q 可以给宝宝添加营养补品吗?

A 市场上为宝宝提供的各种营养品很多，有补锌的、补钙的、补充赖氨酸的，有开胃健脾、补血滋养的，等等。对于这些营养品家长要有正确的认识，那就是任何营养品只适用于一定的身体状况，并非像广告宣传的那样能包罗万象。

人体是一个非常精确的平衡体，多一点少一样都对人体的健康不利，尤其是幼儿的各系统功能还未发育成熟，调节功能相对差，不恰当的营养会造成各种疾病。如宝宝服用蜂王浆类的补品容易造成性早熟，宝宝补充维生素 A 过量易造成维生素 A 中毒。

不管怎样，你都要记着一点，正常情况下，宝宝从食物中就能摄取丰富全面的营养，只要不偏食。没有特殊的需要就没必要另外添加额外的营养品，如果你的宝宝确实存在某些问题需要增补营养，那最好也得经医生的提议，选择一种合适的补品有目的有针对性地去添加，你要懂得，小儿营养并非多多益善。

## Q 炎热夏季宝宝该怎么吃?

A 夏天炎热，有不少宝宝因"苦夏"而体重停止增长，这是正常现象，妈妈不必太担心。为了让宝宝健康度过夏天，妈妈可以遵循以下饮食原则。

● **充足的优质蛋白质**

夏天宝宝的胃口会受到影响，妈妈首先要保证充足的蛋白质供应。鱼、肉、蛋、禽、牛奶及豆制品都是优质蛋白质的良好来源，妈妈可以选用清淡不油腻的鱼类、鸡肉等，并增加豆腐、豆浆等植物蛋白质的供给，更利于宝宝消化吸收。

● **少量多餐**

夏天白天长黑夜短，妈妈在三餐两点心之外，采取少量多餐的原则，给宝宝增加一些饮品、蔬果和小点心，绿豆粥、海带排骨汤、酸梅汤、西瓜汁、小蛋糕、小饼干等都是不错的选择。但是注意，在正餐前 1 小时不要给宝宝加餐，以免影响宝宝在正餐进食时的食欲。

● **选择适合夏天吃的食物**

多吃一些夏季时令食物，如西瓜、苦瓜、桃、乌梅、草莓、番茄、绿豆、黄瓜等，都有清热利湿的效果，可有效帮助宝宝度夏。苦味食物，能清泄暑热，以燥其湿，可以健脾而增进宝宝的食欲，可以给宝宝适量选择苦瓜、苦菊、杏仁等苦味食品。夏季饮食一般以温为宜，在早、晚餐时喝点粥大有好处，如绿豆粥、赤豆粥、荷叶粥、莲子粥、百合粥、银耳粥和冬瓜粥等都能生津止渴、清凉解暑，又能补养身体。

● **注意烹饪方法**

夏天烹饪以清淡为主，妈妈应尽量用清蒸、清煮，避免油炸煎炒烹饪方法。夏天出汗比较多，可以做些汤，补充宝宝流失的水分。此外，如果生活在潮湿的南方，妈妈可以在烹饪时放些葱、姜、蒜，如果宝宝可以吃辣，可适量放些辣椒，补益肺气。

## Q 宝宝喝豆奶好还是牛奶好？

**A** 豆奶与牛奶相比，蛋白质含量与牛奶相近；但维生素 $B_2$ 只有牛奶的 1/3；烟酸、维生素 A、维生素 C 的含量则为零；铁的含量虽然较高，但不易被人体所吸收；钙的含量也只有牛奶的一半。对比可知牛奶的营养是比较全面的。因此，宝宝以喝牛奶为主比较好，但也可适当喝些豆奶。

## Q 宝宝爱吃糖果怎么办？

**A** 过量食用糖果是宝宝出现蛀牙、厌食偏食的重要原因，父母不但要限制宝宝吃糖，给宝宝吃含糖食品时，还要注意吃糖的方式。

● **控制宝宝所有的甜味食品**

糖不但会降低宝宝的消化功能，影响宝宝的食欲，还会在宝宝口腔里形成腐蚀珐琅质的酸，给牙齿造成危险。如果宝宝吃糖次数多，吃糖时间长，就更容易导致蛀牙。不仅是糖果、蛋糕、冰激凌等含糖的食品，果汁饮料危害和最甜的糖相差无几。所以，妈妈应注意控制宝宝吃的所有甜味食品，而不是一边严禁宝宝吃任何糖果，一边又给他吃大量其他含糖食品。

● **控制宝宝吃糖的方式**

缩短宝宝吃甜味食品的时间可减少对牙齿的伤害。一般来说，一块蛋糕要比能让宝宝舔上整个下午的棒棒糖好得多，因为糖形成的酸还没来得及侵蚀牙齿珐琅质，就离开了口腔。

而甜味食品的残渣停留在口腔中，对宝宝的牙齿也有很大的损害。咀嚼性强的甜味食品，如蛋糕、葡萄干、大枣和其他水果干等，都可能很顽固地留在牙缝里，妈妈在给宝宝吃完这些食物后，记得让宝宝漱口，刷牙是更彻底的办法。妈妈在宝宝要吃糖时，也可以选择能很快在嘴里融化的糖，例如奶糖等，并且鼓励宝宝在短时间内吃完所有的糖，比如五分钟吃完两颗糖，而不是每半小时吃一块，吃上一个小时。一定要让宝宝吃完糖后尽快喝水，并确保在下次刷牙时彻底清洁牙齿。

**特别提示**

妈妈可以在宝宝接触糖果之前就加以控制。如自己不吃糖，让其他孩子不在宝宝面前吃糖等，也许可以在宝宝两岁以前或更久的时候都让他不碰糖果，给宝宝乳牙一个健康生长的开端。但在现在的环境中，完全控制宝宝吃糖是不大可能的，妈妈只要注意适时适量即可。

## Q 怎样教宝宝规矩进餐？

A 常常有父母抱怨宝宝不好好吃饭，吃饭时跑来跑去，一顿饭要追着喂很长时间。还有些宝宝专挑喜欢的吃。可尽管如此，宝宝却更爱生病。这种情况要求父母千万不能过度溺爱宝宝，不能无原则地迁就他，必须定出进餐规矩。

### ● 自己吃饭

宝宝其实是喜欢自己吃饭的，从几个月大让他抱着奶瓶吃奶，到一岁拿杯子喝水，再到一岁多让他开始学习拿勺吃饭，宝宝大多愿意接受，食欲也越来越好。

开始时，宝宝拿勺吃，可以偶尔从旁喂一喂，慢慢地宝宝能自己吃饱时，就不用喂了，到两岁半以后，宝宝完全可以自己把自己喂饱。

### ● 在固定的地方吃饭

一定要让宝宝坐在一个固定的位置吃饭，不能让他跑来跑去，边吃边玩，否则进餐时间过长影响消化吸收。

如果在饭桌上与爸爸妈妈一起吃，不要让他成为全桌人注意的中心，大家都吃得很香定会感染宝宝，增加他的食欲。

### ● 不挑食、偏食

如果宝宝不爱吃什么东西，要给他讲清道理或讲一些有关的童话故事，让他明白吃的好处和不吃的坏处，但不要呵斥和强迫。

爸爸妈妈千万不要在饭桌上谈论自己不爱吃什么菜，这会对宝宝有很大影响。

### ● 不可暴食

爱吃的东西要适量地吃，特别对食欲好的宝宝，要有一定限制，否则会出现胃肠道疾病或者“吃伤了”，以后再也不吃的现象。

### ● 不贪吃零食

零食不能吃多，特别在饭前1小时不能吃，因为零食营养价值低，也影响宝宝的食欲。有的宝宝吃了过多零食就不好好吃饭，这样很容易造成营养缺乏症。

## Q 宝宝节日饮食要注意些什么?

A 节日期间，往往是鸡、鸭、鱼、蛋、肉、蟹、虾等这些高营养、高脂肪、高动物蛋白的食物唱主角，然而这种饮食结构不利于消化，也不利于体内酸碱平衡，容易诱发各种疾病。节日期间，宝宝的饮食应该注意以下几个方面。

### ● 蔬菜是主角

大多数绿叶蔬菜都是碱性食物，而且绿叶蔬菜中的青菜、油菜、菠菜、芽白、甘蓝、芹菜、韭菜、芥菜、菜花、生菜等，都是去油腻的最佳菜肴。

块茎瓜果中的番茄、南瓜、黄瓜、红萝卜、土豆、白萝卜、芋头、白薯、荸荠等，除了富含维生素、纤维素、矿物质外，还富含糖类，可为宝宝身体提供热量。

豆类食品中的黄豆、蚕豆、豆芽、水豆腐、豆干、豆皮、豆腐泡、腐竹等，富含植物蛋白和不饱和脂肪酸，对宝宝的大脑和体格的生长发育大有益处。

肉类则应该作为餐桌上的点睛之笔，适当食用即可。

### ● 主食一定要吃

节日菜式花样太多，每样菜吃几口就饱了，顾不上吃主食，实际上副食代替主食是很不科学的，副食吃多了容易损伤脾胃，影响消化吸收，也容易导致营养不均，影响生长发育。

### ● 零食要限制

节日期间一般吃得都比平时多，零食一定要加以限制，尽量不给宝宝提供热量较高的零食，与平时保持一样的量和次数。

● 白开水代替饮料

饮料中永远是白开水最好最健康，节日期间吃得较多，碳酸类饮料容易引起肠胃痛，且糖分多不利健康，白开水还有助于抵抗节日期间呼吸道感染。

● 科学烹调

在给宝宝烹调食物的时候应多采取蒸、煮、烩及少煎、炸的方法，避免油脂过多。

同时，注意少放刺激性的调味品，菜肴色泽尽量红、白、绿、黄色相映，口味要尽量甜、咸、酸搭配合理，使宝宝吃时感到有滋有味。

色泽、口味好及刺激性小的食物，有利于宝宝的胃肠消化吸收，从而促进生长发育。

● 吃菜顺序

最好先上凉菜，后上热菜；先上咸口味的菜肴，再上甜口味的菜；油炸菜肴应该安排在进餐中间或上大菜之前进食，不然，可能会减弱宝宝的食欲。

PART

4

# 四季特殊食谱，精心呵护宝宝

一年四季，每个季节都有各自的特点，每个季节身体需要的补益食物也是有所不同的。所以，妈妈应该根据季节的变化，针对宝宝的身体需求，选择适合当季的食物，保证孩子的营养和健康。

# 春季——长身体的重要季节

## 宝宝怎样“春补”才科学

### 选择合适的食物

春天，天气由寒冷渐转暖和，大地回春，但仍会有寒流来袭，天气乍暖乍寒，温差变化大，所以这一季节也多发感冒、肺炎等呼吸道的疾病。因此要多选择一些具有理气化痰、清热润肺功效的食物，如胡萝卜、油菜等。春天阳气升发，饮食上以清淡平和为宜，以平补、温补为原则。此外，宝宝冬季时出现口腔炎、口角炎、夜盲症和某些皮肤病，这些都是由于冬季新鲜蔬菜吃得少的缘故。因此要多补充新鲜的绿色蔬菜、水果等多纤维质的食物，并且减少摄取高脂肪、高胆固醇及高热量的食物。

### 注意摄取维生素和矿物质

春季宝宝对维生素需求增加，摄入量不能满足身体需要时，易发生“春季易感症”，如口角经常发炎、齿龈出血、皮肤变得粗糙等。因此，除了注意多给宝宝吃芹菜、菠菜、油菜、番茄、青椒、卷心菜、花菜等蔬菜外，还应多吃胡萝卜、山芋、土豆。主食上适当搭配粗粮和杂粮，如玉米、麦片和豌豆等。

## 春季饮食宜忌

### 宜多食甜，少食酸

中医学认为，脾胃是后天之本、人体气血生化之源。脾胃之气健旺，人可益寿延年。但春为肝气当令，肝气易于偏亢。根据中医五行理论，肝属木，脾属土，木土相克，也就是说肝气过旺可伤及脾胃，影响脾胃的消化吸收功能，导致食滞，或者不思饮食。中医又认为，五味入五脏，如酸味入肝、甘味入脾、咸味入肾等。甜味食物入脾，能补益脾气，故宜多食。如一些富含优质蛋白质、糖类的食物：瘦肉、禽蛋、大枣、新鲜蔬菜、水果等，适宜儿童食用。

### 忌食刺激性的食物

春天气温由冷转暖，阳气上升，如果过多食用热性食物如羊肉，或食用高脂肪及刺激性强的辛辣、油腻食物如辣椒、胡椒、姜、葱、蒜、肥肉等，容易损伤宝宝的脾胃。因此，要避免给宝宝吃热性、辛辣等食物。

## 推荐几种“春补”食物

### 海带

海带含碘多，碘有助于甲状腺激素的合成，而甲状腺激素有产

热效应，故冬末春初让宝宝常吃海带有一定的御寒作用。

### 鸡肉

鸡肉是优质蛋白的最佳来源，是宝宝理想的蛋白质食品。鸡汤食用效果更好，鸡汤中的特殊成分可促进体内的去甲肾上腺素的分泌，这种激素能振奋精神，使坏情绪和疲倦感一扫而光。

### 油菜

油菜，特别是早春的油菜，性平温和，其中富含胡萝卜素、维生素C、维生素$B_2$、钙、铁等营养素，具有清热解毒的功效，可防治春天里易发生的口角炎、口腔溃疡及牙龈出血等疾病。而且油菜清香味美，做出来的菜，宝宝也喜欢吃。

### 蘑菇

宝宝在春季经常食用蘑菇，有利于刺激食欲，增加营养和免疫力。

### 芹菜

鲜嫩的芹菜既可炒食，又可做馅、煮粥，还可凉拌，具有清热止咳、利肠通便的功效。春天里常吃芹菜，可增强宝宝骨骼的发育，预防小儿软骨病和便秘；把芹菜捣烂，加茶油调敷在腮腺处，对治疗流行性腮腺炎有辅助作用。

### 菠菜

春天的菠菜嫩而鲜，性凉滑肠，含有蛋白质、脂肪、钙、铁、维生素C、维生素$B_1$、维生素$B_2$及胡萝卜素等多种营养素。宝宝常吃菠菜，不仅可防治贫血、唇炎、舌炎、口腔溃疡、便秘，还可保护皮肤和眼睛的健康。提醒一点，新鲜菠菜洗净后，最好先在开水中焯一下捞出后再做菜。另外，宝宝腹泻时不宜吃菠菜。

### 荠菜

荠菜，特别是野生的荠菜，性平甘淡，含有较多的蛋白质、脂肪、胡萝卜素、多种矿物质等营养素，维生素C含量超过柑橘。春天多给宝宝做些荠菜粥喝，或用荠菜炒鸡蛋、烩豆腐干，或做荠菜春卷、馄饨、肉丝汤等，不仅可补充丰富的营养，还可防治麻疹、流脑等春季传染病及呼吸道感染的疾病。

### 芝麻

给宝宝吃点芝麻酱是不错的补钙方法，芝麻酱口感好，容易为宝宝所接受。宝宝经常吃芝麻酱，对预防佝偻病以及促进骨骼、牙齿的发育都大有益处。芝麻酱不仅对调整某些宝宝的偏食厌食有积极的作用，还能纠正和预防缺铁性贫血。

## 大枣

让宝宝在春季经常吃大枣，可以提高身体的免疫力。如果将大枣、大米、小米一起煮粥，不仅对预防胃炎、胃溃疡有作用，而且还可以减少患流感等传染病的概率。

## 樱桃

樱桃味美多汁，色泽鲜艳，营养丰富，其铁的含量尤为突出，超过柑橘、梨和苹果20倍以上。樱桃性温，味甘微酸，具有补中益气、健脾开胃的功效。春食樱桃可发汗、益气、祛风及透疹，可让宝宝适量食用。

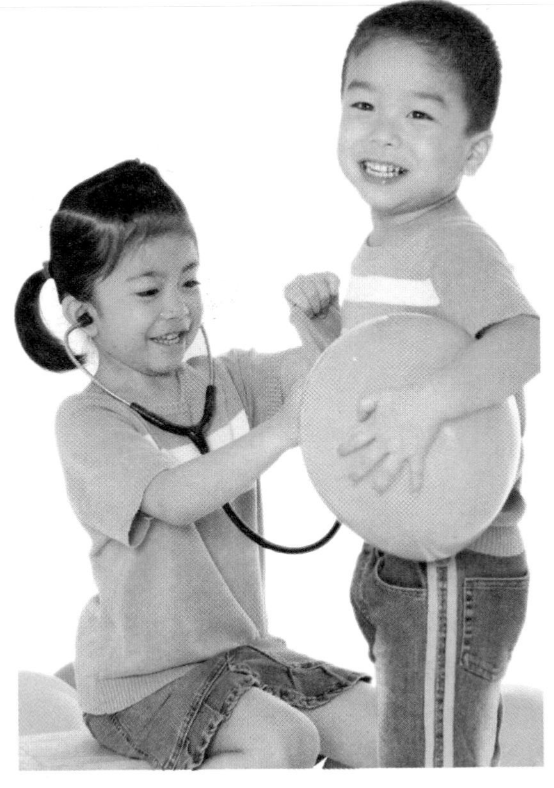

# 春季食谱精选

## 香椿拌豆腐

**材料：**豆腐100克，鲜香椿50克，盐、香油各1小匙。

**做法：**

1. 豆腐洗净，入沸水焯烫，捞出沥干，切条；香椿入沸水焯烫，捞出用凉开水浸凉，切成细末。

2. 把豆腐条放入盆中，撒上盐，略腌片刻，将渗出的水沥干。

3. 把香椿末撒在豆腐条上，淋上香油，拌匀即成。

## 韭菜炒蛋

**材料：**韭菜100克，鸡蛋2个，盐少许。

**做法：**

1. 韭菜择洗干净，切成1.5厘米长的段；鸡蛋磕入盆内打散待用。

2. 锅内倒油烧热，倒入蛋液，炒熟后投入韭菜快速煸炒，同时加入盐翻炒均匀即可。

**妈妈喂养经：**

韭菜的热量低，含有较多的膳食纤维，可防止宝宝发生便秘。韭菜还是胡萝卜素、维生素C、铁、钾的良好来源，能够保持皮肤和黏膜的健康，韭菜还有一种特殊的香味，能够增进食欲。

## 胡萝卜瘦肉汤

**材料：**胡萝卜1根，瘦猪肉150克，姜片、盐各少许。

**做法：**

1. 将瘦猪肉洗净，切块，放入开水锅中汆烫，捞出；胡萝卜洗净，去皮，切成小块。

2. 锅置火上，加入适量清水，放入瘦肉块，加入姜片，大火煮开，然后改中火煮30分钟。

3. 最后加入胡萝卜继续煮至熟烂，加盐调味即可。

## 荠菜淡菜汤

**材料：**荠菜50克，淡菜20克，清汤、植物油、盐各少许。

**做法：**

1. 荠菜去杂洗净，沥干水，切段；淡菜洗净，用开水泡发，洗净，切成小块。

2. 锅置火上，放油烧热，放入荠菜煸炒，加入盐、清汤、淡菜，烧至入味，出锅装碗即可。

## 香菇炒小油菜

**材料：**小油菜100克，干香菇5朵，高汤、蚝油、水淀粉各适量，盐少许。

**做法：**

1. 将小油菜择除老叶，洗净，用盐水汆烫，捞出，冲凉；香菇泡软，去蒂。

2. 锅置火上，放油烧热，放入小油菜，炒熟，加入盐调味后盛出。

3. 再放油烧热，放入香菇炒熟，加入盐、蚝油调味，再放入油菜，加入少许高汤，稍收干时用水淀粉勾芡，盛入盘内分开排放即可。

**妈妈喂养经：**

油菜中含有多种维生素和矿物质，尤其胡萝卜素、维生素C和钙、铁的含量较高，和香菇搭配，营养更加全面。

## 多味蔬菜丝

**材料：**卷心菜50克，水发海带、胡萝卜、芹菜各10克，醋、盐各1小匙，鸡精少许，香油适量。

**做法：**

1. 将芹菜、胡萝卜、海带、卷心菜分别洗净，切成细丝。

2. 将锅置于火上，加适量水烧开，将芹菜丝、胡萝卜丝、海带丝、卷心菜丝分别放入水中焯烫熟，捞出来沥干水，放入一个比较大的盆中。

3. 加入醋、盐、鸡精、香油，拌匀即可。

## 芹菜豆腐干

**材料：**芹菜100克，豆腐干50克，葱、姜各少许，黄豆芽汤、盐、酱油、水淀粉各适量。

**做法：**

1. 芹菜择去叶，洗净，切成小段；豆腐干切成薄片。

2. 芹菜、豆腐干放入沸水锅中焯烫透，捞出，沥干水。

3. 锅置火上，放油烧热，放入葱、姜炝锅，加入酱油，放入豆腐干、芹菜煸炒几下，再加入盐、黄豆芽汤略煨一下后，用水淀粉勾芡即可。

## 荠菜熘鱼片

**材料：**荠菜80克，净大黄鱼肉180克，植物油、鲜汤、盐、糖、料酒、水淀粉各适量。

**做法：**

1. 荠菜洗净切碎待用。

2. 剔净鱼骨的净鱼肉切成3厘米宽、5厘米长、0.3厘米厚的鱼片，在料酒、盐中上浆备用。

3. 锅烧热放冷油，待油烧至四成热时放入鱼片，待鱼片发白断生时取出，把油沥干净。

4. 炒锅留余油加入切碎荠菜略炒，加鲜汤，放入盐、糖少许，烧开投入鱼片，加水淀粉勾芡，淋上麻油即可。

## 香菇烧面筋

**材料：**油面筋150克，鲜香菇、竹笋、油菜各20克，酱油、水淀粉各1大匙，料酒少许，植物油、鸡精、盐各适量。

**做法：**

1. 把油面筋洗净切成方块；香菇洗净后从中间切开成两片；油菜洗净备用。

2. 将锅置于火上，加入适量清水烧沸，放入竹笋焯烫片刻，捞出沥干，切片备用。

3. 另起锅加入植物油烧热，放入香菇、笋片、油菜，烹入料酒，加入酱油、盐煸炒片刻，然后加入一大杯水，倒入面筋继续煮。

4. 加入鸡精炒匀，用水淀粉勾芡即可。

## 鲜虾韭菜粥

**材料：**粳米50克，韭菜20克，生虾20克，姜、葱各1大匙，盐半小匙。

**做法：**

1. 粳米淘洗干净，用水浸泡45分钟；生虾洗净，去皮，挑除沙线。

2. 韭菜用水洗净，切细待用。

3. 粳米入锅，加水适量煮粥，待粥将熟时，放入虾仁、韭菜、葱姜及盐。

4. 煮至虾熟米烂即可。

**妈妈喂养经：**

虾富含蛋白质和钙质，能够预防宝宝缺钙，和韭菜搭配，荤素结合，营养更加均衡。

---

## 番茄土豆鸡肉粥

**材料：**香米50克，鸡胸肉30克，番茄40克，土豆25克，植物油、盐各少许。

**做法：**

1. 香米洗净后用冷水泡2小时； 鸡胸肉剁成末。

2. 土豆洗净煮熟后去皮切成小丁；番茄洗净后用开水烫一下，去皮去蒂切成小丁。

3. 炒锅加热后放入植物油，将鸡肉末倒入锅中煸熟后推向一侧，放入番茄丁煸炒至熟后，将两者混在一起。

4. 将香米放入锅中加水煮，用旺火烧开后改用小火熬成粥，然后加入煸好的鸡肉末、番茄丁、土豆丁继续用小火熬5～10分钟，加入少许盐继续用小火煨至粥香外溢即可。

---

## 鸡丝粥

**材料：**大米适量，鸡丝1小碗，枸杞1小匙，盐少许。

**做法：**

1. 大米洗净，泡水30分钟；枸杞用冷开水泡洗。

2. 将大米放入锅中，加水熬煮成粥，然后加入鸡丝，待粥再滚即加入枸杞、盐，煮一下即可熄火。

# 夏季——摆脱苦夏的烦恼

## 夏季怎样调理宝宝的脾胃

### 补充足够的蛋白质

幼儿宝宝正值身体发育的旺盛时期，每天需摄入大量的优质蛋白，才能满足其生长发育的需要。但当气温高于35℃时，大量出汗会使体内蛋白质的分解代谢加剧，导致宝宝身体蛋白质摄入不足。因此要保证幼儿宝宝摄取到充足的蛋白质。鱼、蛋、奶和豆类等食物中的蛋白质比较丰富。酸奶可作为宝宝夏令时节补充蛋白质的一种佳品，它不仅保留了鲜牛奶的全部营养，而且味道酸甜可口，易于消化吸收。此外，酸奶含有乳酸菌，能够合成一些维生素，并可抑制肠道腐败细菌的生长繁殖，同时还可增加钙质的吸收，预防胃肠道炎症和佝偻病等，尤其对那些因肠道缺乏乳糖酶不能食用鲜牛奶的宝宝来说，酸奶既可满足其营养需求，又能防止腹胀、腹泻，是不错的选择。但牛奶和酸奶容易变质，不宜久藏，要选购那些优质、新鲜的产品，并现买现吃。

### 注意补充水分、矿物质

幼儿宝宝新陈代谢旺盛，活动量大，对水分的需求量相对比大人更多。夏季气温高，身体出汗多，当身体大量出汗或体温过高时，不但会造成体内水分不足，而且还会流失大量的钠、钾等矿物质，缺钠又可加重缺水，因此要注意补充水分和无机盐。在夏季可多为幼儿宝宝安排一些汤或粥类食物，可以多给宝宝准备一些绿豆粥、绿豆汤等清热解暑的食物，并注意在食物中放适宜的盐。这样，不仅可以补充宝宝体内被高温蒸发掉的水分，还可以补充宝宝出汗时流失的钾、钠等矿物质，防止宝宝身体脱水，出现厌食、乏力甚至中暑等现象。

### 注意补充维生素

夏季天气炎热，维生素的代谢增快，加上汗液排出水溶性维生素（尤其是维生素C），极易造成体内维生素含量的不足。因此，夏季要保证宝宝摄取到充足的维生素。新鲜蔬菜及各种时令水果含维生素C比较丰富，B族维生素在粮谷类、豆类、动物肝脏、瘦肉、蛋类中含量较多，可适量让宝宝多食。

### 注意补充钙质

宝宝在生长发育过程中如果钙质摄入不足，轻者会发生盗汗、易惊、烦躁不安的症状，重者会影响骨骼、智力的发育。夏季炎热潮湿，而宝宝对气候变化的适应能力较低，饮食的消化吸收易产生障碍，故在夏季容易出现缺钙症状。此外，宝宝在夏季晒太阳时间过长，促使骨骼加速钙化，血钙大量沉积于骨骼，而使经肠道吸收的钙相对不足，造成血钙下降，神经肌肉兴奋性增高。此时如果宝宝摄入的钙质不足，或不能及时补充钙质，容易导致低钙性惊厥症。所以，在夏季，要及时给宝宝多吃些含钙丰富的食物，如牛奶、豆制品、虾皮、海带、鱼、骨头汤等。

### 膳食清淡、易消化

高温条件下，人体消化道中的消化酶分泌会减少。幼儿宝宝的胃肠道消化能力还未发育完善，炎热酷暑时会比平时更弱。所以夏季的饮食要清淡一点，使宝宝容易消化吸收。一些营养价值低、有碍消化的食物，如各种含奶油较高的冷饮、可乐型及含有色素的饮料、泡泡糖、巧克力、油煎食品等，应该少吃或不吃。在烹调上宜采用汤、粥、羹、糕等形式，以利于脾胃消化和吸收。要注意让宝宝食有节制，防止进食过量，伤及脾胃。此外，还可以给宝宝多准备一些五谷杂粮，如小米、玉米、黄豆、赤豆等，对脾虚的宝宝很有帮助。吃饭前，可以让宝宝喝一点味道鲜美的汤，刺激胃液分泌，帮助宝宝消化正餐，但不要喝得太多，以防冲淡消化液，影响食物消化。

## 夏季饮食宜忌

### 宜吃清热利湿的食物

夏季酷热高温，湿气重，宜多吃些能清热利湿的食物，如西瓜、苦瓜、桃子、草莓、番茄、绿豆、黄瓜等。

### 宜适当吃些苦味的食物

夏季酷暑炎热、高温湿重，苦味食物如苦瓜等有清泄暑热、健脾胃的功效，可适量食用。

### 宜吃些酸味食物

味酸的食物能收涩，夏季汗多易伤阴，食酸能敛汗，止泄泻。如番茄具有生津止渴、健胃消食、凉血平肝、清热解毒的功效。其他味酸的食物还有枇杷、芒果、葡萄、李子、桃子、柠檬、山楂等。

### 忌吃温热助火的食物

夏季暑气旺盛，饮食不当易使人上火，所以不宜食用温热助火的食物，如羊肉、狗肉、鹿肉、麻雀肉、龙眼、荔枝、韭菜、洋葱、花椒、肉桂及炒花生、炒黄豆、炒瓜子等。

### 忌多吃生冷食物

天热时，很多幼儿宝宝喜欢喝冰凉饮料和吃冰淇淋等生冷食品，但宝宝胃肠黏膜柔嫩，对食物温度比较敏感，如果这类生冷的食物吃得过多，就会刺激胃肠黏膜，使消化酶分泌减少，减弱消化能力。另外，血管会因冷刺激而收缩，影响身体往外散热，会使宝宝咽喉部黏膜的血液循环不良，抗病力下降，导致宝宝容易发生呼吸道感染。冷刺激还会增强肠蠕动或使肠道痉挛，导致腹痛甚至腹泻等病症。

## 推荐几种“清暑”食物

### 西瓜

西瓜营养丰富，果肉含葡萄糖、蔗糖、果糖、苹果酸、谷氨酸、蔗糖酶、钙、铁、磷、粗纤维及维生素 A、B 族维生素、维生素 C 等营养物质。

西瓜果瓤脆嫩，味甜多汁，很受宝宝喜爱，是宝宝夏日消暑的佳果。

中医认为，西瓜性寒凉，体虚胃寒、大便滑泄、胃炎或胃溃疡者不可多吃，否则易引起胃痛、腹泻和腹胀等症。

### 苦瓜

苦瓜又称凉瓜，虽具有特殊的苦味，但因其丰富的营养而受到人们的欢迎。苦瓜是夏季常用来清暑祛火的蔬菜。

苦瓜营养价值高，含有丰富的B族维生素、维生素 C、钙、钾等营养物质。中医认为，苦瓜性味苦寒，具有清暑涤热、明目、解毒的功效。

### 黄瓜

黄瓜脆甜多汁，具有清香气味，是较受小宝宝欢迎的夏季蔬菜。黄瓜为低热量食物。黄瓜中含有一定量的维生素 C、钙、磷、钾和铁等营养物质。中医认为，黄瓜性味甘、凉，有除热、利水、解毒的功效。

### 冬瓜

冬瓜营养丰富，含有蛋白质、糖、多种维生素和人体必需的微量元素，有助于人体的代谢平衡。

冬瓜本身脂肪含量低，能量不高，而且冬瓜中所含的丙醇二酸，能有效地抑制糖类转化为脂肪，因此，冬瓜是肥胖宝宝减肥的理想蔬菜。

中医认为，冬瓜性凉，有利水、消痰、清热、解毒的功效。

### 茄子

茄子含有蛋白质、脂肪、糖类、维生素及钙、磷、铁等多种营养成分，特别是维生素 PP 的含量很高，能够帮助宝宝增强对传染病的抵抗力。

茄子属于寒凉性质的食物，有助于清热解暑，比较适合在夏天吃。体质燥热，容易长痱子、生痤、大便干燥的宝宝吃茄子也比较合适，有利于清除内热，恢复健康。但脾胃虚寒、容易腹泻的宝宝则不要多吃，否则会加重原来的症状。

### 绿豆

绿豆营养价值非常高，含有丰富的磷脂、胡萝卜素、B族维生素、维生素C、蛋白质、糖类、钙、铁、磷等多种营养成分。中医认为，绿豆性味甘凉，能够清热解毒、清暑益气、止渴利尿。但绿豆性凉，脾胃虚弱的宝宝不宜多吃。

# 夏季食谱精选

## 绿豆粥

**材料：**大米100克，绿豆50克。

**做法：**

1. 将大米用清水淘洗干净；绿豆除去杂质，用清水淘洗干净，然后放入清水中浸泡3个小时，捞出。

2. 锅内放入适量清水，放入泡软的绿豆，大火烧开，转小火，焖至绿豆酥烂。放入大米，用中火煮至米粒开花，粥汤稠浓即可。

## 绿豆百合汤

**材料：**绿豆20克，鲜百合5克，白砂糖2克。

**做法：**

1. 绿豆洗净后，兑入适量水，盖锅煮至沸腾，然后转小火继续煮至绿豆呈开花状。

2. 把鲜百合洗净，用手轻轻掰成小瓣，放入锅中小火煮至透明。

3. 最后放入白砂糖，待完全溶化后，搅拌均匀即可。

**妈妈喂养经：**

利尿解毒，润肺补胃，适合夏季饮用。对宝宝湿疹有一定效果。

## 防暑三豆汤

**材料：**绿豆、赤豆（红小豆）、黑豆各10克。

**做法：**

1. 绿豆、赤豆、黑豆洗净，放入小煮锅中，加入600毫升水，用大火将水烧开，转小火继续加热40分钟。

2. 待锅中的汤变少至大约300毫升时，离火，放凉，即可连豆带汤食用。

**妈妈喂养经：**

清热解毒、健脾利湿。从入夏即开始服此汤的小儿很少生痱子。

## 牛奶南瓜羹

**材料：**南瓜 50 克，牛奶、面包屑各适量，白砂糖少许。

**做法：**

1. 先将南瓜洗净，去皮切成小块，将南瓜块蒸至熟透，再将其放入碗中，搅成南瓜泥。

2. 在南瓜泥中加入牛奶和白砂糖，搅拌均匀，上锅再蒸 5 分钟。

3. 取出后在表面撒上面包屑，搅匀即可食用。

**妈妈喂养经：**

1. 夏季是吃南瓜的好季节，南瓜可健脾胃，还有消暑的功效。

2. 南瓜最好用蒸的方法做，这样营养流失少，而且建议蒸南瓜要蒸透些，蒸得越透南瓜的味道越香甜诱人。

## 冬瓜荷叶汤

**材料：**冬瓜、嫩荷叶各适量。

**做法：**

冬瓜洗净连皮切块，荷叶剪碎煎汤，煮沸后去掉荷叶，加入冬瓜块和盐继续煮熟即可。

**妈妈喂养经：**

冬瓜消肿利尿，荷叶生津止渴，清热消暑。

## 冬瓜丸子汤

**材料：**猪肉馅 150 克，冬瓜 150 克，蛋清 1 个，料酒 1 匙，姜末 1 匙，姜片 2 片，盐 2 匙，香菜 3 克，香油 1 匙。

**做法：**

1. 冬瓜削去绿皮，切成厚 0.5 厘米的薄片；肉馅放入大碗中，加入蛋清、姜末、料酒，少许盐搅拌均匀。

2. 汤锅加水烧开，放入姜片，调为小火，把肉末挤成个头均匀的肉丸子，随挤随放入锅中，待肉丸变色发紧时，用汤勺轻轻推动，使之不粘连。

3. 丸子全部挤好后开大火将汤烧滚，放入冬瓜片煮 5 分钟，加入盐调味，最后放入香菜，滴入香油即可。

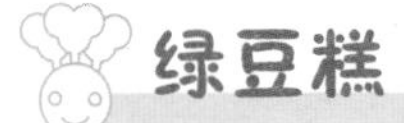

## 绿豆糕

**材料：**绿豆100克，蜂蜜5克，白糖50克，饴糖5克，香油10毫升。

**做法：**

1. 将绿豆除净杂质，用清水洗净，倒入锅里用小火熬煮，以未煮破皮为好。
2. 绿豆煮熟出锅摊开凉凉至干，脱去豆皮，碾成绿豆粉。
3. 将白糖掺入绿豆粉中，当中开成坑，倒入香油、蜂蜜和饴糖搅拌均匀。
4. 将拌好的绿豆粉填入糕模里，按实后削平，磕出后即为清凉爽口的绿豆糕。

**妈妈喂养经：**

绿豆性味甘凉，能清暑益气、止渴利尿，在人体出汗多的夏季，不仅能补充水分，而且还能及时补充矿物质。

## 西瓜蔬菜汁

**材料：**圆白菜、西瓜各200克，蜂蜜适量。

**做法：**

1. 圆白菜、西瓜分别洗净后切碎榨汁。
2. 将圆白菜汁兑入西瓜汁，搅匀后调入蜂蜜即可。

## 清凉西瓜盅

**材料：**小西瓜1个，菠萝肉50克，苹果1个，雪梨1个，冰糖适量。

**做法：**

1. 将菠萝肉切块；苹果、雪梨洗净，去皮、核，切块备用。
2. 西瓜洗净，在离瓜蒂1/6的地方呈锯齿形削开。将西瓜肉取出，西瓜盅洗净备用。
3. 锅内放水煮沸，放入冰糖煮化，再加入全部水果块略煮，凉凉后倒入西瓜盅中，再放入冰箱冷藏，食用时取出即可。

## 苦瓜炒荸荠

**材料：**苦瓜 50 克，荸荠 10 克，蒜、葱、水淀粉各适量，盐、白糖各少许。

**做法：**

1. 苦瓜去瓤，洗净切片；荸荠去皮，洗净，切片；蒜去皮，洗净切末；葱去皮，洗净切成葱花。
2. 锅内加水烧开，放入切好的苦瓜片汆烫，捞起沥干，备用。
3. 油锅烧热，下蒜末、葱花炒香，加苦瓜片、荸荠片翻炒，调入盐、白糖炒匀，用水淀粉勾薄芡即成。

## 益气清暑粥

**材料：**西洋参 1 克，北沙参 5 克，石斛 5 克，知母 2 克，大米 30 克，白糖少许。

**做法：**

1. 先将北沙参、石斛、知母用布包好，加水煎 30 分钟，去渣留汁备用。
2. 再将西洋参研成粉末，与大米一起加入药汁中煮成粥，加白糖调味，早、晚服用。

**妈妈喂养经：**

西洋参益气养阴，北沙参、石斛、知母养阴清热止渴，适用于发热持续不退、口渴、无汗或少汗的患儿。

## 银鳕鱼粥

**材料：**银鳕鱼 50 克，青豆 30 克，大米 60 克，鲜牛奶 50 毫升。

**做法：**

1. 银鳕鱼洗净切丁，青豆捣碎备用。
2. 锅内放适量的清水，放入大米和青豆同煮；水沸腾后放入银鳕鱼，转小火熬粥。
3. 粥快成时放入鲜牛奶，再次沸腾后熄火即可。

**妈妈喂养经：**

夏季，给宝宝多准备一些粥类，既能使宝宝容易消化吸收，又能为宝宝补充丰富的营养物质。在给宝宝准备蔬菜水果的同时，也不要忘了给宝宝制作富含蛋白质、钙质等营养物质的食品，让宝宝全面摄取所需的营养。

## 黏香金银粥

**材料：**大米100克，小米80克，适量肉松、蛋黄等。

**做法：**

大米、小米分别淘洗干净，先将大米放入煮锅内加水，旺火烧开后加入小米，略煮后，转微火熬至黏稠，不妨在粥内放点肉松、蛋黄泥等，营养更丰富。

## 番茄银耳小米粥

**材料：**番茄、小米各100克，银耳10克，水淀粉、冰糖各少许。

**做法：**

1. 将小米放入冷水中浸泡1小时，待用。
2. 番茄洗净切成小片，银耳用温水泡发，除去黄色部分后切成小片，待用。
3. 将银耳放入锅中加水烧开后，转小火炖烂，加入番茄、小米一并烧煮，待小米煮稠后加入冰糖，淋上水淀粉勾芡即成。

**妈妈喂养经：**

银耳滋阴润肺；番茄富含维生素，有清热解毒的功效。此粥口感鲜甜，能够促进宝宝消化。

## 菠菜鸭血豆腐汤

**材料：**鸭血1小块（20克左右），嫩豆腐1小块（20克左右），新鲜菠菜叶1把（20克左右），枸杞5粒，高汤适量。

**做法：**

1. 先将菠菜叶洗干净，放入开水中焯2分钟。
2. 将鸭血和豆腐切成薄片待用。枸杞淘洗干净待用。
3. 砂锅内放高汤，将鸭血、豆腐、枸杞下进去，用小火炖30分钟左右。
4. 下入菠菜，再煮1～2分钟即可。

**妈妈喂养经：**

鸭血是铁含量最丰富的食物之一，蛋白质的含量也很高，还具有清洁血液的能力。豆腐富含蛋白质和钙，也具有清火作用。菠菜含有丰富的叶酸，并且能预防便秘。三者搭配，既能提供充足的营养，又能帮助人体排污，适合在夏天吃。

# 秋季——润肺解秋燥是关键

## 秋季宝宝饮食如何调理

### 营养平衡，食物丰富

饮食平衡是保证营养均衡的重要条件。秋季更应注意饮食中食物的多样性，保持营养全面充足，这样才能补充夏季因气候炎热、食欲下降而导致的营养不足。秋天是丰收的季节，各类瓜果蔬菜纷纷“登场”，这时应该多吃些蔬菜，以增加肝脏的功能，抵御过盛肺气的侵入。冬瓜、萝卜、南瓜、绿叶菜都是不错的选择。

### 膳食甘淡，清热润燥

秋季干燥，饮食应以甘淡滋润为宜，可适当进食些性滋润、味甘淡的食品，如芝麻、蜂蜜、核桃等，既能补脾胃，又能养肺润肠，还可防治秋燥带来的肺、肠津液不足及常见的干咳、咽干口燥、肠燥便秘等身体不适症状。此外，一些新鲜的瓜果蔬菜，如梨、甘蔗、石榴、柿、柑橘、马蹄、胡萝卜、冬瓜、藕、银耳以及豆类、豆制品、食用菌类、海带、紫菜等都是滋阴润燥的佳品。

## 秋季饮食宜忌

### 宜少辛增酸

所谓少辛，是指要少吃一些辛味的食物，这是因为肺属金，通气于秋，肺气盛于秋。少吃辛味，是要防肺气太盛。中医认为，金克木，即肺气太盛可损伤肝的功能，故在秋天要“增酸”，以增强肝脏的功能，抵御过盛肺气的侵入。根据中医营养学的这一原则，在秋季要少吃一些辛味的葱、姜、蒜、韭、椒等，而要多吃一些酸味的水果和蔬菜。

此外，还要注意“秋瓜坏肚”。即立秋之后，夏季的消暑佳品，如西瓜、香瓜、菜瓜等，都不能恣意多吃了，否则会损伤脾胃的阳气。

### 宜早上喝粥

初秋时节，不少地方仍然是湿热交蒸，以致脾胃内虚，抵抗力下降。这时若能吃些温食，特别是喝些粥类对身体很有好处。

### 忌过量吃柿子

秋天是柿子丰收的季节。柿子味道甜美，但柿子里含有大量的柿胶酚、单宁和胶质，如果经常在餐前大量吃柿子，就会在胃内形成不

能溶解的硬块，影响宝宝的健康。因此，柿子不应多食，并且给宝宝吃柿子最好安排在餐后。

### 忌滥吃螃蟹

秋季是品尝螃蟹的好时节。秋蟹味美，营养丰富，但如果毫无讲究地吃，可能会损害健康。当螃蟹垂死或已死时，蟹体内会分解产生一种有毒的物质组胺，因此，死蟹一定不能吃。吃蒸煮熟的螃蟹才卫生安全。吃时必须除尽蟹腮、蟹心、蟹胃、蟹肠四样物质，这四样东西含有细菌、病毒、污泥等。螃蟹性寒，脾胃虚寒者应尽量少吃，以免引起腹痛、腹泻。螃蟹不宜与茶水、柿子同食，因为茶水和柿子中的鞣酸跟螃蟹的蛋白质相遇后，会凝固成不易消化的块状物，使人出现腹痛、呕吐等症状。另外，有胃病、腹泻者不宜吃螃蟹，否则会加重病情。

## 推荐几种“润肺去燥”食物

### 梨

梨性微寒、味甘，能生津、润燥、清热、化痰等，对缓解秋燥有独特的功效。对上呼吸道感染和急性支气管炎引起的咽干鼻燥、舌干口渴、咳嗽无痰、咽喉疼痛、便秘尿赤、皮肤干涩等症状，都有缓解作用。

梨生吃有清热泻火的功效，适合内火较盛，大便秘结，口渴烦躁的宝宝食用；熟吃有滋阴润燥之功，适合阴虚内热，久咳不止的宝宝食用。就治疗咳嗽而言，外感风热、咳嗽适宜吃生梨，阴虚久咳适宜吃熟梨。

### 莲藕

秋天天气变得越来越燥，藕中含有很多容易吸收的糖类、维生素E及锌、锰、钾、镁等。生食鲜藕能使宝宝清热生津、润肺止咳，尤其适合上火的宝宝，对防治秋燥有独特的效果。熟藕的药性则由凉变温，没有了散淤清热的功能，变成了益胃健脾、养血补虚的食物，特别适合脾胃虚弱及病后的宝宝食用。

### 木耳

木耳有黑白之分，白木耳就是常说的雪耳、银耳，富含胶质，爽滑可口，容易消化，为清补的滋养食品。白木耳具有滋阴、润肺、生津的作用，加上冰糖熬水炖服，就是一种理想的滋阴润肺佳品，可以用来调理宝宝秋季的肺燥干咳。

黑木耳的营养成分与白木耳相似，黑木耳的铁元素含量非常丰富，可以改善宝宝的缺铁性贫血。

### 鸭肉

鸭肉含有丰富的蛋白质、脂肪、钙、磷、铁和维生素$B_1$、维生素$B_2$、泛酸等营养成分。鸭肉味甘、咸，性微凉，清虚热，秋天容易上火、燥热、咽干口渴的宝宝可以适量食用，可起到清补作用。

鸭肉性寒凉，腹泻和脾胃虚寒的宝宝不宜多吃。

## 萝卜

萝卜含有较多的水分、维生素 C 和一定量的钙、磷、碳水化合物，还含有少量的蛋白质、铁等有益成分，具有清热化痰的功效。萝卜生吃熟食效果不同，生吃具有止渴、清内热的作用，熟食可消食健脾。萝卜能调理脾胃，对秋季常见的消化不良、风热型感冒、扁桃体炎、咳喘多痰、咽喉痛等疾病也有辅助治疗作用。

## 南瓜

秋天气候干燥，许多小朋友会出现不同程度的嘴唇干裂、鼻腔流血及皮肤干燥等症状。专家建议，给宝宝增加含有丰富维生素 A、维生素 E 的食物，可使小儿增强机体免疫力，对改善秋燥症状大有好处。南瓜所含的 β－胡萝卜素，可由人体吸收后转化为维生素 A，对于保护宝宝的眼睛很有帮助。

## 百合

百合含有淀粉、蛋白质、脂肪、矿物质和维生素等营养成分，不仅有良好的营养滋补作用，而且有润肺、止咳、清新安神的功效，还能提高宝宝的睡眠质量，让宝宝睡得更香甜。

## 蜂蜜

蜂蜜是一种营养丰富的天然滋养食品，也是最常用的滋补品之一。蜂蜜中含有钙、钾、磷等多种无机盐和铁、铜、锰等多种有益人体健康的微量元素，以及维生素、果糖、葡萄糖等营养物质，在秋天里吃蜂蜜，可以防止“秋燥”对于宝宝的伤害，起到润肺、养肺的作用。

蜂蜜适于 1 岁以上的宝宝。每天早、晚空腹食用 25 克，以不超过 60℃的温开水冲服。

# 秋季食谱精选

## 润燥木耳汤

**材料：**黑芝麻10克，干木耳20克，冰糖10克。

**做法：**

1. 将干木耳放入温水中浸泡半小时，直至木耳泡发后，清洗干净。小火加热炒锅（不放油），把黑芝麻放入锅中炒熟。

2. 将泡好的木耳与炒熟的黑芝麻一起放在锅里，加入400毫升水，小火慢慢煎煮10分钟，最后在汤中加入冰糖，放凉即可食用。

**妈妈喂养经：**

此汤可以分几次给宝宝食用。芝麻和木耳都具有良好的润燥作用，适合秋季饮用，尤适用于大便干燥的宝宝。

## 山药大米粥

**材料：**鸡蛋1个，山药50克，大米150克，红枣5颗，白糖适量。

**做法：**

1. 将山药、大米洗净，山药切片；红枣洗净、去核；鸡蛋打破去蛋清留蛋黄置碗内，搅散。

2. 将水和红枣入锅，待大火将水烧开后再加大米、山药，改小火熬粥至熟，起锅前再将蛋黄和白糖加入并搅匀，煮沸即可。

## 秋梨奶羹

**材料：**秋梨1个，牛奶200毫升，米粉10克，白糖适量。

**做法：**

1. 秋梨去皮、去核并切成小块，加少量清水煮软，白糖调味。

2. 兑入温热牛奶、米粉，混匀即成。

**妈妈喂养经：**

煮着吃的秋梨性平和，制成奶羹对宝宝的脾胃刺激小，适合肺虚气喘、咳嗽体弱的宝宝吃。

## 鲜藕梨汁

**材料：** 新鲜莲藕 200 克，鸭梨 1 个（约 200 克），冰糖少许。

**做法：**

1. 莲藕洗净、去皮；鸭梨洗净、去皮、去核：一起放入搅拌机中搅碎。
2. 用消毒纱布过滤掉食物残渣。
3. 果汁中加入适量冰糖即可。

---

## 银耳豆腐

**材料：** 银耳 30 克，豆腐 50 克，香菜 10 克，盐、鸡精、高汤、水淀粉各适量。

**做法：**

1. 将银耳泡发后洗净，放入沸水中焯一下，捞出凉凉后，沥干水分撕成小片，均匀地放在盘内。
2. 将豆腐洗净，切成 1 厘米见方的小块，放入沸水中煮熟，捞出过凉后，沥干水分压成泥状，加入盐、鸡精搅成糊。
3. 将香菜去黄叶，去根洗净，切成末。
4. 将调好的豆腐泥均匀地放在盛有银耳的盘内，上面撒上香菜末。
5. 锅中放入适量高汤，烧开后加入盐、鸡精，用水淀粉勾芡，浇在银耳、豆腐上。

---

## 清炒山药

**材料：** 山药 100 克，葱、枸杞少许，植物油、盐、鸡精各适量。

**做法：**

1. 山药去皮，切成 0.5 厘米厚的菱形片，用开水焯烫后捞出来沥干水分。
2. 葱只取嫩叶，洗净，切成葱花；枸杞用清水泡软备用。
3. 锅内加入植物油烧热，放入山药片，中火炒熟后，加入盐、鸡精、葱花、枸杞，翻炒均匀后即可。

**妈妈喂养经：**

秋季要适量多吃些健脾利胃的食品，如山药、栗子、莲子、扁豆等。

## 淮山鸭子汤

**材料：** 山药、鸭肉、枸杞、干百合、姜、大葱各适量。

**做法：**

1. 鸭肉切块，开水烫一下，除去杂质；姜拍碎；葱切段。
2. 将鸭肉放入砂锅加适量清水和姜、葱、料酒一起大火煮开，转小火慢炖1个半小时左右。
3. 山药切块放入鸭子汤内，再慢炖30分钟即可。

**妈妈喂养经：**

鸭肉与山药共食可消除油腻，再搭配百合，滋阴补肺作用更强。

## 海带牡蛎汤

**材料：** 牡蛎肉100克，海带丝30克，姜、植物油各少许，料酒、盐、肉汤各适量。

**做法：**

1. 将牡蛎肉洗净，用热水浸泡，发涨后去杂洗净，切成丝或小块，放入碗中；浸泡牡蛎的水澄清后滤至碗中，一并上笼蒸1小时。
2. 锅置火上，放油烧热，放入姜片煸出香味，烹入料酒，加入肉汤、盐，放入牡蛎和海带丝，煮一会儿即可。

## 藕香炖排骨

**材料：** 莲藕120克，排骨100克，香菜10克，枸杞10粒，葱段、姜片、盐、料酒、醋各适量。

**做法：**

1. 排骨洗净后放在水中浸泡1～2个小时；莲藕洗净、去皮，切成小块；枸杞洗净后泡在温水里；香菜洗净切成小段。
2. 将泡好的排骨放入锅中，大火煮沸后撇去浮沫。放入葱段、姜片、醋和料酒，小火炖制1小时。
3. 将莲藕放入锅中，继续炖至莲藕变软，放入盐调味。最后撒入香菜和泡好的枸杞即可。

**妈妈喂养经：**

熟吃莲藕可以健脾开胃、益血补心，配上排骨一起炖制营养更是加倍。

## 金针菇豆腐汤

**材料：**金针菇 100 克，豆腐 50 克，葱花、料酒、酱油、盐、香油、醋各适量。

**做法：**

1.将豆腐洗净，切成小块；金针菇洗净，去根，对切两半；锅中水开后倒入豆腐汆烫，捞出。

2.锅置火上，放油烧热，放入豆腐，加入料酒用大火炖至表皮出现小洞，然后加水，放入金针菇，加点酱油、盐、几滴醋用小火炖 15 分钟。

3.淋入香油，撒入葱花即可。

## 萝卜香菇豆苗汤

**材料：**白萝卜 50 克，发好香菇 5 克，豌豆苗 10 克，精盐、黄豆芽汤各适量。

**做法：**

1.将白萝卜削去皮冲洗干净后切成细丝，下开水锅内煮至八成熟时捞出放入大碗内。

2.豌豆苗择洗干净下开水锅稍焯捞出。

3.锅烧热倒入黄豆芽汤，加入精盐，烧开后撇净浮沫，下入白萝卜丝、香菇丝，继续烧开撒上豌豆苗起勺即成。

## 肉末胡萝卜汤

**材料：**瘦猪肉 20 克，胡萝卜 50 克，盐、葱各少许。

**做法：**

1. 瘦猪肉洗净剁成细末，加盐、葱，蒸熟或炒熟。

2. 胡萝卜洗净，切成小块，放入锅中煮烂，捞出挤压成糊状，再放回原汤中煮沸。

3. 将熟肉末加入胡萝卜汤中拌匀。

**妈妈喂养经：**

胡萝卜富含胡萝卜素，它是维生素 A 的主要来源，有助于维持宝宝的免疫系统的正常功能，以及维持宝宝皮肤、黏膜的健康，可帮助宝宝祛除秋燥。

# 冬季——进补的好时节

## 冬季宝宝饮食如何调理

### 增加热量摄入

在寒冷的冬天里，要注意为宝宝的身体补充热源，富含糖类、脂肪、蛋白质的食物对宝宝的身体有保暖作用。特别是富含优质蛋白质的食物如瘦肉、鸡肉、鸭肉、鸡蛋、鱼类、牛奶、豆制品等效果更好，也更有利于宝宝消化吸收，能够增强宝宝的抵抗力。此外，寒冷也会影响人体的泌尿系统，排尿增多，随尿排出的钠、钾、钙等无机盐也较多。因此，应多吃含钾、钠、钙等无机盐的食物，如芝麻、虾米、虾皮、猪肝、乳制品、胡萝卜、山芋、藕、叶类蔬菜等。

### 提供富含维生素的食物

寒冷的天气会影响人体内营养代谢，使人体氧化功能加强，致使各种维生素消耗量增加，容易导致维生素缺乏。因此，冬季是宝宝患各种营养缺乏症如口角炎、佝偻病、反复呼吸道感染、皮肤干燥或出现皲裂等的高峰期。此时容易缺乏维生素$B_2$、维生素A、维生素C、维生素D等。

缺乏维生素$B_2$会导致皮肤干燥、皲裂、口角炎、舌炎或唇炎等症，富含维生素$B_2$的食物有动物肝脏、鸡蛋、牛奶、豆类、油菜、菠菜等。

缺乏维生素A会导致抗感染力下降，增大呼吸道感染和腹泻的概率。奶制品、蛋类、动物肝脏、菠菜、胡萝卜、红薯、柿子中所富含的胡萝卜素，可在体内转化为维生素A。

维生素D可促进人体对钙和磷的吸收利用，起到强化骨骼及牙齿的作用，防治佝偻病。由于宝宝在寒冷的冬天晒太阳的时间减少，易引起体内维生素D缺乏，所以更应注意从食物中摄取。含脂肪高的海鱼和鱼卵、动物肝脏、蛋黄、奶油和奶酪中含量相对较多，瘦肉、坚果中只含有微量的维生素D。

维生素C有提高人体免疫力的功效，冬春季节传染病流行时，尤其要注意摄入富含维生素C的食物，如橘子、柚子、猕猴桃、芒果、卷心菜、花椰菜等。

## 冬季饮食宜忌

### 宜适当吃薯类食物

当冬天绿叶蔬菜相对减少时，可适当吃些红薯、土豆等，它们富含维生素 C 和维生素 $B_2$，红心红薯还富含维生素 A，多吃薯类不仅可补充维生素，还可清内热、去瘟毒。

### 宜适当摄取时令蔬菜

在冬天上市的蔬菜中，大白菜、圆白菜、胡萝卜、白萝卜、黄豆芽、油菜等都含有丰富的维生素，如果经常调换品种，合理搭配，可避免发生维生素 A、维生素 $B_2$、维生素 C 缺乏症。

### 忌摄取性寒凉的食物

冬天天气寒冷，不宜进食性属寒冷的食物，如螃蟹、田螺、绿豆、绿豆芽、菜花、生藕、生冷瓜果、香蕉、柿子、金银花等。

### 忌过多食用橘子

橘子是含热量比较高的水果，一次食用过多，不论大人还是孩子，都会导致上火，出现口干舌燥、咽喉肿痛等症状。

## 推荐几种“冬补”食材

### 黄豆

黄豆又叫大豆，是豆类中营养价值最高的，含有非常丰富的蛋白质，是优质植物性蛋白质的主要来源，它也是唯一能够替代动物蛋白的植物性食品，所以黄豆有“绿色乳牛”的美誉。

黄豆除含丰富的蛋白质外，还含有大量的不饱和脂肪酸，钙、磷、钾、钠等多种矿物质以及维生素 A、维生素 E 等，能补充宝宝生长发育所需的多种营养素，其中所含的不饱和脂肪酸和黄豆磷脂有健脑的功效。

黄豆味甘，性平，能健脾利湿，益血补虚，解毒。非常适合贫血、营养不良、体质虚弱的宝宝食用。

### 胡萝卜

胡萝卜，又称红萝卜，其含有的主要营养素是胡萝卜素（维生素 A 原），能够在人体内释放出维生素 A，对促进宝宝的生长发育及维持正常视觉功能具有十分重要的作用，对治疗夜盲症和眼干燥症有疗效。另外，它含有的维生素 C、维生素 $B_1$、维生素 $B_2$ 等营养成分，有润肤、抗衰老的作用。

胡萝卜味甘，性平，有健脾和胃、补益肝肾、清热解毒、止咳的功效，对肠胃不好、便秘、食欲不振、咳嗽的宝宝来说是很好的食疗食物。

### 卷心菜

卷心菜又叫圆白菜、洋白菜、包菜，属于甘蓝的变种，我国各地都有栽培。卷心菜含有大量的叶酸、维生素 C、纤维素、糖类及钾、钠、钙、镁等矿物质，具有壮筋骨、利关节、和五脏、调六腑的功效。包菜里所含的叶酸，对帮助宝宝预防巨幼红细胞性贫血有很好的作用。

包菜性平、味甘，归脾、胃经，具有很好的补益作用，还能帮助宝宝增强免疫力。但是包菜含有比较多的粗纤维，比较不容易消化，所以消化功能差、腹泻的宝宝最好不要吃。

## 红薯

红薯又名甘薯，含有丰富的淀粉、维生素C、维生素A、维生素$B_1$、胡萝卜素以及钾等营养成分，而且味道甜美，口感软嫩，又易于消化，可供给大量的热能，非常适合宝宝在冬天食用。

需注意的是，长了黑斑的红薯会产生毒素，危害宝宝的肝脏。这些毒素的耐热性很强，即使煮、蒸等方法也不能破坏它。所以，绝对不要给宝宝吃长了黑斑的红薯。

## 牛肉

牛肉是一种高能量、高蛋白质、低脂肪、味道鲜美的肉类，素有“肉中骄子”的美誉。牛肉中包括所有的必需氨基酸，其比值和人体蛋白质中氨基酸的比值几乎完全一致，可强壮宝宝骨骼，促进宝宝健康成长。牛肉中还含有能提高婴幼儿智力的亚油酸和锌、铁等微量元素，可以增强宝宝的抵抗力。

牛肉性温，可以在天气较寒冷或宝宝活动量较大时给宝宝吃些牛肉，以补充能量，较肥胖的宝宝吃些牛肉也没关系。

## 鸡肉

鸡肉的肉纤维细腻，滋味鲜美，营养丰富。与羊肉、猪肉相比，鸡肉蛋白质的质量较高、脂肪含量较低。鸡肉蛋白质包含全部人体必需氨基酸，其含量与蛋、乳中的氨基酸模式相似，属于优质蛋白。

传统医学认为，鸡肉有温中益气、健脾胃、活血脉、强筋骨等功效，对营养不良、畏寒怕冷、乏力疲劳等症有很好的食疗作用。

## 红枣

红枣是宝宝不可多得的“天然维生素丸”。它含有丰富的维生素A、维生素C、维生素$B_2$等，其中鲜红枣中维生素C的含量尤其高。

红枣中黄酮类化合物及磷、钾、镁、钙、铁等36种微量元素含量也比较高。其中所含的环磷酸腺苷有扩张血管的作用，可增强心肌收缩力，有利于宝宝的心脏发育。

红枣中还含有谷氨苯酸、赖氨酸、精氨酸等14种氨基酸，苹果酸等6种有机酸等，有益于宝宝健康发育。

红枣性温，能补中益气、养血生津，对于因为脾胃虚弱而引起的消化不良、咳嗽和贫血有很好的食疗作用。

# 冬季食谱精选

## 萝卜丝炖汤

**材料：**胡萝卜1个，骨头汤（或肉汤）1汤匙，鸡蛋2个，盐、香油、虾皮各适量。

**做法：**

1. 胡萝卜切丝，放入锅内，加骨头汤或者肉汤（以盖过萝卜丝为好），大火烧开转小火焖。将鸡蛋搅散。

2. 待萝卜丝焖烂时用筷子轻轻挑起使鸡蛋液钻入萝卜丝中，不要搅动，盖上锅盖焖3分钟（此时要注意用小火，否则鸡蛋容易结底）后加入盐，起锅后滴几滴香油，还可以在汤中加入虾皮。

## 红薯糙米粥

**材料：**红薯250克，糙米60克，白糖适量。

**做法：**

1. 将红薯连皮切成小块。

2. 锅置火上，放入适量水、糙米同煮成稀粥。

3. 待粥成时，加入白糖，再煮沸两次即可。

**妈妈喂养经：**

红薯含有大量黏液蛋白，能够防止肝脏和肾脏结缔组织萎缩，提高机体免疫力，预防胶原病发生。

## 南瓜红薯玉米粥

**材料：**红薯20克，南瓜30克，玉米面50克，红糖少许。

**做法：**

1.将红薯、南瓜去皮，洗净，剁成碎末，或放到榨汁机里打成糊（需要少加一点儿凉开水）；玉米面用适量的冷水调成稀糊。

2.锅置火上，加适量清水，烧开，放入红薯和南瓜煮5分钟左右，倒入玉米糊，煮至黏稠。

3.加入红糖调味，搅拌均匀即可。

## 白菜肉卷

**材料：**白菜叶 50 克，瘦猪肉 20 克，鸡蛋半个，花生油、料酒、面粉、盐各适量，葱、姜末各少许。

**做法：**

1. 将白菜叶用开水烫一下；瘦猪肉绞好，调味成馅。

2. 把调好的馅放在摊开的白菜叶上，卷起成筒状，再切成段，放入盘内加葱、姜、料酒和盐，上笼蒸 30 分钟即可。

## 牛肉蔬菜燕麦粥

**材料：**牛肉（瘦）50 克，番茄 20 克，大米 50 克，快煮燕麦片 30 克，油菜 1 棵，盐少许。

**做法：**

1. 将大米淘洗干净，先用冷水泡两个小时左右；燕麦片与半杯冷水混合，泡 3 个小时左右。

2. 将牛肉洗干净，用刀剁成极细的蓉，或用料理机绞成肉泥，加入盐腌 15 分钟左右。

3. 将油菜洗干净，放入开水锅中焯烫一下，捞出来沥干水，切成碎末备用；番茄洗干净，用开水烫一下，去掉皮和子，切成碎末备用。

4. 锅内加水，加入泡好的大米、燕麦和牛肉，先煮 30 分钟，加入油菜和番茄，边煮边搅拌，再煮 5 分钟左右即可。

## 海带鸭肉汤

**材料：**水鸭肉 300 克，水发海带 100 克，鸡蛋 1 个，盐 1 小匙，淀粉 1 小匙，味精、胡椒粉各少许。

**做法：**

1. 将鸭肉洗净切片；海带泡洗干净，切片；鸡蛋清加淀粉和少量水，制成蛋清糊。

2. 将鸭肉片用蛋清糊上浆后，放入沸水锅内氽烫后捞出备用。

3. 起锅加适量水，放海带片，用小火炖 30 分钟。

4. 加入鸭片，加盐、胡椒粉、味精调味，煮沸即成。

## 鱼肉鸡蛋饼

**材料：**洋葱 10 克，鱼肉 20 克，鸡蛋半个，黄油、奶酪各适量。

**做法：**

1. 将洋葱洗净，切碎；鱼肉煮熟，放入碗内研碎成鱼泥。

2. 将鸡蛋磕入碗中，搅成蛋液，取一半加入鱼泥、洋葱末搅拌均匀，成馅。

3. 平底锅置火上，放入黄油，烧至熔化，将馅团成小圆饼，放入油锅内煎炸，煎好后浇上奶酪即可。

**妈妈喂养经：**

此饼含维生素 C 和胡萝卜素以及磷脂和固醇类物质，补充生长发育所需营养素。

## 蔬果虾蓉饭

**材料：**番茄 1 个，香菇 3 个，胡萝卜 1 根，大虾 50 克，西芹少许，米饭 1 碗。

**做法：**

1. 将香菇洗净，去蒂，切成小碎块；胡萝卜切粒；西芹切成末。

2. 将番茄放入开水中烫一下，然后去皮，再切成小块；大虾煮熟后去皮，取虾仁剁成蓉。

3. 锅置火上，放入香菇、胡萝卜、西芹末，加少量水煮熟，最后再加入虾蓉，一起煮熟，将此汤料淋在饭上拌匀即可。

## 虾仁炒豆腐

**材料：**豆腐 100 克，虾仁 50 克，葱花、姜末、料酒各半小匙，植物油、盐、鸡精各少许。

**做法：**

1. 将虾仁洗净备用；豆腐洗净，切成小方丁备用。

2. 将盐、料酒、葱花、姜末放入碗中，兑成芡汁。

3. 锅内加入植物油烧热，倒入虾仁，用大火快炒几下，再倒入豆腐，继续翻炒，倒入芡汁、鸡精炒匀即可。

## 猪肝丸子

**材料**：猪肝20克，面包粉15克，葱头10克，鸡蛋汁15克，番茄20克，色拉油15毫升，番茄酱少许，淀粉9克。

**做法**：

1. 将猪肝剁成泥，葱头切碎同放一碗内，加入面包粉，鸡蛋汁、淀粉拌匀成馅。

2. 将炒锅置于火上，放油烧热，把肝泥馅挤成丸子，下入锅内煎熟。

3. 将切碎的番茄和番茄酱下入锅内炒至呈半糊状，倒在丸子上即可。

## 鸡肉粥

**材料**：鸡胸脯肉15克，米饭30克，海带清汤1/2杯(50毫升)，菠菜15克，酱油、白糖适量。

**做法**：

1. 将鸡胸脯肉去筋，切成小块，用酱油和白糖腌一下。

2. 将菠菜炖熟并切碎。

3. 米饭用海带清汤煮一下，再放入菠菜、鸡肉同煮。

**妈妈喂养经**：

本品含有丰富的蛋白质、脂肪、钙、铁、碘及维生素等营养素，易消化，营养价值高。

## 胡萝卜牛肉粥

**材料**：牛肉15克，胡萝卜30克，白米粥适量，盐少许。

**做法**：

1. 将牛肉洗净，剁碎，用盐调味；胡萝卜去皮，切丁。

2. 将牛肉、胡萝卜放入煮好的白米粥中，煮熟并调味即可。

**妈妈喂养经**：

胡萝卜中所含的β－胡萝卜素是脂溶性的，用适量的油炒制或者搭配肉类，会更有利于胡萝卜素的吸收。

# PART 5 宝宝常见病调养食谱

0 ~ 6 岁宝宝的各部分器官功能还不完善，免疫力也比较低，容易发生疾病。适当地采用食疗，在宝宝品味美食的同时，就能达到治疗疾病、促进健康的目的。在一些急性疾病的治疗期间，食疗也是一种不错的辅助治疗方式。

# 宝宝贫血

贫血是宝宝常见的一种疾病，有些家长误认为是小孩皮肤白。没有在意，当贫血加重时就来医院检查，化验血常规，已是中重度贫血，此时才引起家长重视。WHO（世界卫生组织）的标准是6个月～6岁的孩子如果血红蛋白低于11克，就属于贫血，6～14岁孩子的血红蛋白如果低于12克就属于贫血，新生儿如果血红蛋白低于14.5克就属于贫血。需要提醒家长的是，孩子贫血时间久了，会影响生长发育，还是要重视；另外，贫血不代表就是白血病。

## 常见病因

### 家族史

有无遗传因素，婴儿时期与遗传有关的贫血较多；如血红蛋白病，地中海贫血，先天性红细胞酶缺陷。范可尼贫血等疾病。家族（或近亲）中常有同样患者。

### 缺铁性贫血

八九个月到两周岁左右的宝宝贫血，多因食物中缺乏足够的铁质引起。多见于从母体中未获得足够铁量的早产儿，通常生后八九个月仍以母乳为主，如不吃些蛋类和鱼，就会出现铁不足，经血液检查，假如诊断为贫血；新生儿的饮食主要为人乳或牛奶，而人乳和牛奶中含铁量均较低，单纯用乳类喂养而不及时添加含铁较多的辅食，则易发生贫血。

### 造血不良引起的贫血

如缺乏造血所需的叶酸、维生素 $B_{12}$、铁等物质，或再生障碍性贫血，感染、恶性肿瘤、血液病等均可导致骨髓造血功能受到抑制。

### 溶血性贫血

可由红细胞内的异常因素或红细胞外的异常因素引起红细胞的大量破坏溶解，而导致贫血。

### 失血过多引起的贫血

可有急性失血如创伤大出血、出血性疾病等，慢性出血如溃疡病、钩虫病、肠息肉等导致的贫血。

## 症状表现

### 一般表现

皮肤、黏膜苍白为突出表现。由于红细胞数及血红蛋白含量减低，使皮肤（面，耳轮、手掌等）、黏膜（睑结膜、口腔黏膜）及甲床呈苍白色。重度贫血时皮肤往往呈蜡黄色，每易误诊为合并轻度黄疸，相反，伴有黄疸，青紫或其他皮肤色素改变时可掩盖贫血的表现。此外，病程较长的还常有易疲倦，毛发干枯，营养低下，体格发育迟缓等症状。

### 造血器官反应

婴儿期由于造血器官的功能尚未稳定，当造血需要增加时，往往骨髓外造血器官和组织呈增生性反应，回复到胎儿时期的造血状态，出现肝脾和淋巴结不同程度增大（再生障碍性贫血骨髓外造血一般不增强），末梢血液中可出现有核红细胞、幼稚粒细胞。

### 各系统症状

**循环和呼吸系统** 这两个系统的症状是互相联系的，贫血时，由于组织缺氧，可出现一系列代偿功能改变，如通过心率加快和呼吸加速来达到增加运输氧气的能力（活动后更明显）。体格检查可发现心率加快，脉搏加强，动脉压增高，有时可见毛细血管搏动。到重度贫血代偿功能失调时，出现心脏扩大，心前区收缩期杂音，甚至发生充血性心力衰竭。

**消化系统** 胃肠蠕动及消化酶的分泌功能均受到影响，出现食欲减退、恶心、腹胀或便秘等。偶有舌炎，舌乳头萎缩等。

**神经系统** 常表现精神不振、注意力不集中，性情易激动等，脑组织严重缺氧可出现昏厥。年长儿可有头痛、昏眩、眼前有黑点或耳鸣等。

# 调养食谱

## 桂圆枸杞粥

**材料：**桂圆肉、枸杞子、黑米、粳米各15克。

**做作：**

1. 将桂圆肉、枸杞子、黑米、粳米分别洗净。

2. 将上料同入锅，加水适量，大火煮沸后改小火煨煮，至米烂汤稠即可。

**妈妈喂养经：**

每日1剂，分早、晚2次吃完。经常食用有效。

## 菠菜猪肝汤

**材料：**鲜菠菜200克，猪肝100克，油、精盐各适量。

**做法：**

1. 将菠菜洗净，切碎；猪肝切成小薄片，用油、精盐拌匀，备用。

2. 锅中加清水500毫升煮沸后加入菠菜及猪肝，煮至猪肝熟即可。

**妈妈喂养经：**

喝汤，食菠菜及猪肝，每日1剂，1次用完，可长期食用。适用于缺铁性贫血症状较轻者。

## 脊肉粥

**材料：**猪脊肉100克，粳米100克，精盐、胡椒粉、香油各适量。

**做法：**

1. 先将猪脊肉洗净切成小块，放锅内用香油炒一下。

2. 加入粳米煮粥待粥将烂熟时加入精盐、胡椒粉调味再煮沸即可。

**妈妈喂养经：**

此粥有香油、胡椒粉等调味品，味道极好，此粥补益人体，小儿常食可防止发生贫血。

## 菠菜枸杞粥

**材料**：菠菜20克，枸杞5克，大米50克，盐、香油各少许。

**做法：**

1. 将菠菜去杂，洗净，放入开水锅中略微焯烫，捞出，切小段；大米淘洗干净。
2. 将大米、枸杞放入砂锅，加适量清水，置火上，大火煮沸后，改用小火煨煮，待大米软烂，放入菠菜，搅拌均匀，加入盐调味，淋入香油，搅拌均匀即可。

## 鸡肝粥

**材料**：鸡肝10克，大米20克。

**做法：**

1. 将鸡肝去膜、去筋，剁碎成泥状备用；大米淘洗干净，放入锅中。
2. 锅置火上，加适量清水，大火煮开后，改用小火，加盖焖煮至烂。
3. 再拌入肝泥，至煮开即可。

**妈妈喂养经：**

肝脏含有丰富的营养物质，具有营养保健功能，是最理想的补血佳品之一。

## 黑芝麻粥

**材料**：大米50克，黑芝麻10克，白糖适量。

**做法：**

1. 将黑芝麻洗净，沥干水，用小火炒香倒出凉凉，放入钵内捣碎。
2. 大米淘洗干净，放入锅中，加适量水，上火煮烂成粥。粥好后加入芝麻、白糖稍煮即可。

**妈妈喂养经：**

黑芝麻含有的铁和维生素E是预防贫血、活化脑细胞、消除血管胆固醇的重要成分；黑芝麻含有的脂肪大多为不饱和脂肪酸，有益智健脑的作用。

## 豆腐山药猪血汤

**材料：**猪血、豆腐各50克，山药20克，姜末、葱花、盐、鸡精各适量。

**做法：**

1. 将猪血和豆腐切块，鲜山药去皮，洗净切片备用。

2. 将锅置火上加入水、鲜山药、姜末和盐，待水开后5分钟再加入豆腐和猪血。

3. 20分钟后加入葱花、鸡精，煮3分钟即可。

**妈妈喂养经：**

健脾补肾，益气养血。

## 牛奶蛋黄粥

**材料：**大米1大匙，牛奶100毫升，熟蛋黄半个。

**做法：**

1. 将大米淘洗干净，放入锅中，加适量水，锅置火上，大火煮沸。

2. 蛋黄用小汤匙背面磨碎。

3. 大米煮好后改小火再煮30分钟，再把牛奶和蛋黄加入粥中，稍煮片刻即可。

**妈妈喂养经：**

蛋黄富含铁质，较适合宝宝食用，防止宝宝缺铁性贫血。

## 草莓豆腐羹

**材料：**米粉5大匙，豆腐1大匙，草莓酱1大匙。

**做法：**

1. 将豆腐1块煮熟，捣烂。

2. 将米粉5大匙，加入温开水冲调，再加入煮熟捣烂的豆腐1大匙。

3. 最后浇上草莓酱即可。

**妈妈喂养经：**

豆腐草莓羹对胃肠道疾病和贫血等症有一定的滋补调理作用。加入草莓汁，让味道更香甜可口，引发宝宝食欲。草莓不宜与胡萝卜同食，否则会降低营养价值。

## 猪肝豆腐

**材料：**煮后切碎的猪肝 1 大勺，碎豆腐 2 大勺，肉汤、酱油少许。

**做法：**

把猪肝放开水中煮后除去血切碎，把豆腐也放开水中紧一下后切碎，然后把切碎的猪肝和豆腐都放入锅内加肉汤一起煮，熟后加少许酱油（也可以用淀粉勾芡）。

**妈妈喂养经：**

本品含有丰富的蛋白质、糖类、铁、钙、磷及维生素 C 等多种营养素。

## 黄豆烧猪肝

**材料：**黄豆 100 克，猪肝 100 克，葱花、姜各少许，料酒、盐、酱油各适量。

**做法：**

1. 将黄豆去杂，洗净；猪肝洗净，切丁。

2. 炒锅置火上，放油烧热，放入葱姜煸香，放入猪肝煸炒，加入酱油、盐煸炒，再烹入料酒，炒至猪肝熟。

3. 另一锅置火上，加入适量清水，放入黄豆煮熟，加入盐、葱、姜煮至黄豆烂，再加入猪肝煮至入味即可。

## 奶汤芹蔬小排骨

**材料：**猪小排500克，胡萝卜、鲜蘑菇各100克，香芹200克，牛奶 500 毫升，黄酒、花生油、干淀粉、精盐、米醋各适量。

**做法：**

1. 猪小排洗净，逐根切成长 3 厘米、宽 1.5 厘米的条块，用开水烫一下，沥干水分后，放入盆内，加干淀粉和少量黄酒、精盐拌匀；鲜蘑菇洗净，每个蘑菇切成 4 小块。

2. 锅置火上，倒入花生油，烧至八成热，将排骨放入，炸至淡黄色、稍酥，然后将排骨捞至砂锅内。

3. 砂锅内倒入少量清水，用大火煮开，加入半量鲜牛奶和少许米醋，用小火焖煮至排骨软熟，然后放入切成条块状的胡萝卜、香芹、鲜蘑菇块和另半量鲜牛奶，继续用小火焖煮至排骨酥软，至香气外溢时加入适量盐即成。

## 海带鸭血汤

**材料：**水发海带50克，鸭血500毫升，原汁鸡汤1000毫升，精盐、料酒、葱花、姜末、青蒜末、香油各适量。

**做法：**

1. 先将水发海带洗净，切成2厘米的长条，再切成菱形片备用；将鸭血加精盐少许，调匀后放入碗中，隔水蒸熟，用刀划成1.5厘米见方的鸭血块备用。

2. 将汤锅置火上，倒入鸡汤，大火煮沸，再倒入海带片及鸭血，烹入料酒，改用小火煮10分钟，加葱花、姜末、精盐，煮沸时调入青蒜碎末，拌和均匀，淋入香油即可。

## 五彩卷

**材料：**鱼肉25克，鸡蛋25克，土豆25克，白萝卜50克，胡萝卜5克，绿豆芽5克，葱末10克，生粉10克，油5毫升，精盐、水淀粉适量。

**做法：**

1. 土豆煮熟去皮搅烂，鱼肉剁烂加上葱末、生粉、精盐拌匀，鸡蛋磕入碗中，搅拌均匀。

2. 煎锅放少许油，将蛋液倒入煎成蛋皮，注意不要煎焦，保持蛋色，把蛋皮贴锅的一面向上平放装盘。

3. 蛋皮上铺上肉末，卷起，蒸熟，然后切成片打上芡汁；把胡萝卜、白萝卜、绿豆芽切成丝，旺火炒熟后铺平在碟子上，放上已切好的蛋卷即可。

## 葡萄干土豆泥

**材料：**土豆60克，葡萄干10克，蜂蜜少许。

**做法：**

1. 将葡萄干用温水泡软切碎；土豆洗净，蒸熟去皮，趁热做成土豆泥。

2. 将炒锅置火上，加水少许，放入土豆泥及葡萄干，用微火煮，熟时加入蜂蜜调匀，即可喂食。

**妈妈喂养经：**

此食品质软、稍甜。葡萄干含铁极为丰富，是婴幼儿和体弱贫血者的滋补佳品。

## 花生红枣小米粥

**材料：**小米 100 克，花生 50 克，红枣 8 个。

**做法：**

1. 将小米、花生洗净，有时间的话，用清水浸泡20分钟备用。
2. 红枣温水洗净，去核后，备用。
3. 所有原料放入砂锅中，大火煮沸，转小火煮至原料完全熟透即可。

**妈妈喂养经：**

花生、红枣、小米都含有一定量的铁元素，三者配合使用，补铁效果更强。

---

## 猪血豆腐青菜汤

**材料：**猪血 100 克，豆腐 100 克，青菜 50 克，虾皮 10 克，盐少许。

**做法：**

1. 猪血和豆腐分别切成小块；青菜洗净，切碎；虾皮用清水浸泡发。
2. 锅内放适量清水，置火上，烧开后，放入虾皮、盐，再放入豆腐、青菜、猪血，煮 3 分钟即可。

---

## 双菇糙米饭

**材料：**糙米 200 克，香菇 4 朵，蘑菇 100 克，生抽、料酒、精盐、植物油各适量。

**做法：**

1. 糙米洗净后浸泡 4 小时，香菇、蘑菇分别洗净切片。
2. 将糙米放入锅中，倒入适量清水，放入香菇片、蘑菇片，调入少许料酒、精盐、植物油、生抽，焖煮成饭。

### 专家告诉你

铁在人体中的吸收效果不佳时，易导致贫血。而一些不良的饮食方式，如营养过剩、偏素食、吃油腻导致的肠胃超负荷；过食冷饮、暴饮暴食等，都会引起消化紊乱，进而引发铁吸收障碍。因此，专家特别提醒父母，一定让宝宝养成健康均衡的进食方式和习惯。

# 宝宝厌食

宝宝厌食是最令父母头疼的问题，每个父母都希望有一套行之有效的办法让宝宝吃得好，吸收好，有一个健康的身体。要治好宝宝厌食症首先应给假性厌食做鉴别。何谓假性厌食，顾名思义，假性厌食并不是真正的厌食，而是家长过分重视孩子的食量，可又掌握不好孩子的食量标准，总以为孩子吃得少，以为孩子得了厌食症，这种错误的鉴别才有可能使宝宝养成真正的厌食。以下两个方面需要父母注意，以便区分宝宝是否有真正的厌食症：

❶ 每个孩子的胃口都不一样，有的孩子食物吸收利用率高，有的孩子食物吸收利用率低，就是说同样吃了营养成分数量相同的食物，有的孩子营养已能满足自身需要，有的孩子则显不足。所以孩子吃多吃少，不能互相攀比，即每个孩子有每个孩子的食量，只要孩子身高、体重正常增长，就不算真正的厌食。

❷ 有些孩子爱吃零食，到正餐的时候，吃饭量就少，这种饮食状态也会影响孩子身高、体重增长，但是也不能视为厌食症。

## 常见病因

### 缺锌、铁、钙、贫血、胃病消化不良等疾病引起消化功能降低而影响食欲

大多数的疾病都可导致孩子的食欲下降。小如伤风感冒，大到胃肠、肝肾等疾病。而孩子在患胃肠炎、消化性溃疡、肝炎或结核等病时，厌食多表现得尤其突出。如孩子在患病并伴有发热时，可使其消化吸收功能降低，引起不思饮食现象。另如存在较为严重的缺锌、肠道寄生虫感染、长期便秘或因患肾脏疾病而长期低精盐饮食时，亦可引起食欲下降。

### 饮食单调且无规律、爱吃零食

平常给孩子吃较多的零食；夏天摄入冷饮、饮料过多以及吃饭不定时；父母过分注意孩子的饮食情况或常常以强迫手段要求孩子进食等不良因素，均可影响孩子正常食欲。在饮食结构安排中，蛋白质（蛋、肉、乳类）或糖类（甜食、巧克力等）所占比例过大，长期如此，不仅将造成孩子偏食、挑食的不良习惯。

此外，摄入过多的蛋白质和糖，还可引起胃肠消化吸收功能发生障碍，或使孩子过于肥胖。食物结构中蛋白质、脂肪、糖和维生素、微量元素的比例不平衡，还可造成孩子营养不良，影响生长发育。

### 对孩子溺爱或是过分严厉

过分溺爱，无限制迁就孩子，使孩子养成任性，动不动就以不吃饭来威胁大人以达到目的的习惯；父母对孩子要求过高，限制孩子的活动，如禁止与其他小孩玩耍，在进餐前和餐桌上训斥孩子，都会影响孩子情绪和食欲，导致孩子厌食；当孩子食欲不振时，采用强制手段或威吓办法逼迫孩子进食，往往使孩子产生逆反心理而拒绝进食。

### 生活无规律

孩子睡得过迟，以致睡眠不足，过度疲乏，引起厌食。

## 症状表现

❶ 厌食时间：6 个月及 6 个月以上。

❷ 食量：3 岁以下幼儿每天谷类食物摄取量不足 50 克，同时，肉、蛋、奶等摄入极少。

❸ 饮食调查：蛋白质、热能摄入量不足供给量标准的 70% ~ 75% ，矿物质及维生素摄入量不足供给量标准的 5%。

❹ 生长发育：身高、体重均低于同年龄正常平均水平（除外遗传因素）；厌食期间身高、体重未增加。

❺ 味觉敏锐度降低，舌菌状乳头肥大或萎缩。

❻ 除掉常见病因以后，食欲逐渐恢复正常。

# 调养食谱

## 南瓜饭

**材料：**大米500克，南瓜300克，盐、红糖各适量。

**做法：**

1. 将大米淘净，加水煮至七八成熟时，捞起。

2. 南瓜去皮，挖去瓤，切碎，用油、精盐炒过后，将捞出的大米倒于南瓜上，小火蒸熟。

**妈妈喂养经：**

准备红糖是为在蒸时加放少许，使味道更佳。

## 消食脆饼

**材料：**鸡内金1～2个，面粉100克，盐、芝麻适量。

**做法：**

1. 将鸡内金洗净晒干或用小火焙干，研末。

2. 将鸡内金粉与面粉、盐、芝麻一起和面，擀成薄饼，置锅内烙熟，用小火烤脆即可。

## 鸡内金粥

**材料：**鸡内金6个，干橘皮3克，砂仁2克，粳米50克，白糖适量。

**做法：**

1. 鸡内金、橘皮、砂仁研末备用。

2. 粳米加水适量煮粥，粥将成时入药粉，加白糖适量调味。

## 山药汤圆

**材料：**山药50克，糯米500克，白糖90克，胡椒粉少许。

**做法：**

先将山药捣粉蒸熟，加白糖与胡椒粉适量，调成馅备用。将糯米水泡后，磨成汤圆米粉，分成若干小团，包山药馅，搓成汤圆，煮熟即可。

## 萝卜炖猪排骨

**材料：**白萝卜500克，猪排骨250克，葱、盐各适量。

**做法：**

1. 将排骨剁成3厘米大小，白萝卜切成片。

2. 先将排骨炖至肉脱骨时，再加入萝卜、葱炖熟后撇去汤面浮油，加入精盐适量即可。

**妈妈喂养经：**

白萝卜味甘性凉，宽中下气，消食化痰；排骨甘平，补虚弱。强筋骨。与萝卜炖服，气香味鲜，是患厌食症小儿的辅助食疗菜肴。

## 水果拌豆腐

**材料：**嫩豆腐20克，草莓1个，橘子3瓣，蜂蜜、精盐各少许。

**做法：**

1. 将豆腐放入清水中煮一会儿，捞出，沥去水分，压成泥。

2. 把草莓用盐水洗净后切碎，把橘子瓣剥去皮，去核，研碎，再与蜂蜜和盐混合，加入豆腐中搅拌均匀，即可食用。

**妈妈喂养经：**

色泽美观，味道适口。

## 清香蛋丝

**材料：**鸡蛋1个，香菇1朵，青椒20克，胡萝卜20克，盐适量，水淀粉少许。

**做法：**

1. 将鸡蛋的蛋清、蛋黄分开，装入两个碗里，搅打成液，加少许水淀粉打匀（不可打起泡），分别放入涂油的方盘中，再放入锅中小火隔水蒸熟，冷却后取出，分别改刀成蛋白丝和蛋黄丝。

2. 香菇用温水浸泡变软，切成丝；青椒洗净，切成丝；胡萝卜洗净，切成丝。

3. 炒锅置火上，放油烧热，放入胡萝卜丝、香菇丝、青椒丝，煸炒至熟。

4. 再放入蛋白丝和蛋黄丝，加入盐，翻炒均匀即可。

**妈妈喂养经：**

香菇水含有鲜味和营养物质，过滤后加以烹调，鲜美、可口又营养，倒掉十分可惜，可在料理中加以运用。

## 鲜奶玉米糊

**材料：**速溶玉米片100克，猕猴桃1个，葡萄50克，鲜奶1杯。

**做法：**

1. 将所有水果洗净，去皮、去子，切成小丁。
2. 将玉米片放在碗中，加入准备好的水果丁。
3. 加入热奶调匀即可。

**妈妈喂养经：**

营养美味的玉米加上软质鲜果不仅可以调味，还能提升营养。要选择新鲜成熟的水果。

## 鲜奶鱼丁

**材料：**净青鱼肉150克，蛋清1个，精制油、盐、白糖各少许，葱姜水、牛奶及水淀粉各适量。

**做法：**

1. 将净鱼肉洗净制成鱼蓉后，放入适量葱姜水、盐、蛋清及水淀粉，搅拌均匀。上劲后，放入盘中上笼蒸熟，使之成鱼糕，取出后切成丁状。

2. 锅置火上，放入少许精制油，烧熟后将油倒出；再加少许清水及牛奶，烧开后加少许盐、白糖，然后放入鱼丁，烧开后用水淀粉勾芡，淋少许熟精制油即可。

## 小兔吃萝卜

**材料：**瘦肉35克，鱼肉20克，米粉和腐竹各5克，菠菜100克，白萝卜、胡萝卜各5克，葱花、油、盐、生粉各适量。

**做法：**

1. 瘦肉洗净剁烂加葱花、生粉、油、盐拌匀做馅；米粉和好，擀成圆片；把拌好的肉馅放在皮中间，对折成扇形，把面前尖端部分用大拇指压扁后再用剪刀剪成两小片，向上捏成兔耳朵；镶两粒胡萝卜作眼睛便成小兔，用蒸锅蒸20分钟即可。

2. 将腐竹、菠菜和去骨的鱼片焯熟，焯时加盐和一点点油；然后用这三样材料作铺垫，再摆上小兔。小兔的前面可放白萝卜丝和胡萝卜丝，形成小兔吃萝卜的意境。

## 萝卜蜜

**材料：**白萝卜500克，蜂蜜150克。

**做法：**

1. 将萝卜洗净，切成小块，放入沸水内，煮沸后即捞出。

2. 萝卜块控干，凉晒半天，再放入锅内，加蜂蜜，以大火煮沸，调匀即可。

## 酸甜萝卜

**材料：**白萝卜、胡萝卜各1根，白醋、白糖、盐各适量。

**做法：**

1. 将白萝卜和胡萝卜洗净，切薄片或切长条，放在一个可以密封的容器里，比如有盖的广口瓶子或饭盒里。

2. 将白醋、白糖、盐和白开水混合，加入容器中，盖过萝卜。

3. 将容器盖盖好，放入冰箱，1～2天后就可以吃了。如果味道不够就多泡1天。味道可以根据自己的口味调整。

**妈妈喂养经：**

很多蔬菜都能自制泡菜，选择宝宝喜欢吃的菜，做成酸甜泡菜，但不宜放太多盐。适合两岁以上宝宝食用。

## 菠萝鸡片

**材料：**鸡胸肉200克，菠萝100克，小黄瓜1条，红甜椒1只，水淀粉适量。

**做法：**

1. 鸡胸肉切片，用水淀粉搅拌；菠萝去皮，切片；小黄瓜与红甜椒洗净，切片，放入开水锅中汆烫后，捞出。

2. 锅置火上，放油烧热，放入鸡肉炒至八分熟，再放入小黄瓜、红甜椒、菠萝片拌炒至熟即可。

**专家告诉你**

出现宝宝食欲不振时，家长要注意，宝宝是否患有小儿厌食症了，提早发现，提早治疗。在给宝宝喂食方面，不能过于强迫也同样不能过分顺从。要充分了解宝宝的身体以及心理情况，合理安排宝宝的饮食，养成不偏食、不挑食的习惯。

# 宝宝缺锌

锌是婴幼儿生长发育必需元素，也是脑中含量最多的微量元素，是维持脑的正常功能所必需的。人类的神经精神活动受各种递质的调节，许多递质与锌有关。体内谷氨酸脱氢酶、谷氨酸脱羧酶等120多种酶均含锌，这些酶参加蛋白质和DNA、RNA聚合酶的合成与代谢，对体内许多生物化学功能起重要作用并促进脑细胞发育完善，是宝宝智能发育所必需的。

若缺锌则含锌酶的活性降低，从而妨碍核酸和蛋白质的合成，导致体内多种代谢紊乱；还可使脑内谷氨酸（一种兴奋性神经递质）减少，而γ-氨基丁酸（一种抑制性神经递质）增加，从而使宝宝脑功能异常、精神改变、生长发育减慢及智能发育落后等。

## 常见病因

### 偏食、挑食

偏食、挑食，现已在众多孩子中"流行"，家长对此也司空见惯。有些宝宝平时零食吃得多，正常的三餐往往成为点缀。也有些家长轻视早餐，只要宝宝喜欢的就给他吃，不喜欢的就不勉强，长此以往便养成了宝宝偏食、挑食的习惯，而满足不了宝宝正常的活动和身体发育所需要的能量和营养。容易出现各种维生素、微量元素的缺乏，这也是锌缺乏的一主要原因。

### 摄入量赶不上需求量

在生长发育迅速阶段的宝宝，或组织修复过程中，或营养不良恢复期等皆可发生锌需要量增多。小儿生长发育迅速，尤其是宝宝对锌的需要量相对较多，易出现锌缺乏，如早产儿可因体内锌贮量不足，加之生长发育较快，而发生锌缺乏；此外，营养不良恢复期、外科术后与创伤后恢复期等锌的需要量亦增加，若未及时补充易致锌缺乏，还有的缺少母乳而用其他乳品代替的，由于需求量增加，而乳制品不能满足导致缺锌。

### 吸收减少或丢失过多

常见于慢性失血、溶血（红细胞内有大量的锌，随红细胞破坏而丢失）；长期多汗、

组织损伤（创伤、烧伤的渗出液含锌）；肝肾疾病、糖尿病以及使用利尿剂噻嗪类等（尿中锌排泄量增加）；长期使用整合剂如 EDTA，青霉胺等药物（与锌形成不溶性复合物）；单纯牛奶喂养者（牛奶内有干扰锌吸收的络合物）。如反复出汗、溶血，长期多汗，大面积灼伤，蛋白尿以及应用金属螯合剂（如青霉胺）等均可导致锌缺乏。

## 症状表现

❶ 厌食：缺锌时羧基肽酶 A 的活力降低，消化能力减弱，味蕾功能减退，味觉敏锐度降低，食欲不振，摄食量减少。

❷ 生长发育落后：缺锌妨碍核酸和蛋白质合成并致纳食减少，影响宝宝生长发育。含消化酶如羧基肽酶 A 的活力降低，消化能力也减弱。缺锌宝宝身高体重常低于正常同龄儿，严重者有侏儒症。

❸ 异食癖：有的宝宝有喜食泥土、墙皮、纸张、煤渣或其他异物等现象，这也是缺锌的表现。

❹ 免疫力低：缺锌宝宝细胞免疫及体液免疫功能皆可能降低，易患各种感染，包括腹泻。

❺ 皮肤黏膜表现：缺锌严重时可有各种皮疹、皮炎、复发性口腔溃疡、下肢溃疡长期不愈及程度不等的秃发等症。

❻ 其他：如精神障碍或思睡，及因维生素 A 代谢障碍而致血清维生素 A 降低、暗适应时间延长、夜盲等症，都有可能是缺锌所致。

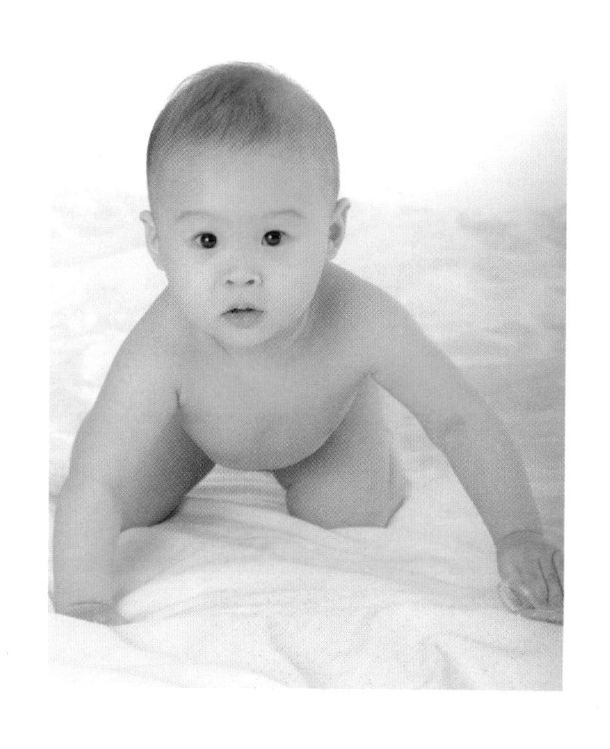

# 调养食谱

## 果仁粥

**材料：**大米、花生、核桃仁各50克。

**做法：**

1. 大米、花生洗净，花生切小粒。

2. 放水煮成粥，煮至八成熟时放入切碎的核桃仁，用小火煮至软烂即可。

**妈妈喂养经：**

喜欢吃甜的可以加一点糖。花生、核桃仁尽量剁碎并煮软，以免宝贝发生呛咳。

## 清蒸鳕鱼

**材料：**新鲜鳕鱼500克，火腿末50克，各种调味料。

**做法：**

1. 鳕鱼洗净，加料酒、葱、姜，腌20分钟。

2. 取出鳕鱼置盘上，捡去葱姜不用，放入葱丝、姜丝、火腿末，入蒸笼，大火蒸7分钟，取出鳕鱼。

3. 淀粉和少许酱油煮成浓稠状，淋在鳕鱼上即可。

**妈妈喂养经：**

鳕鱼含有较丰富的锌和蛋白质。

## 烧蘑菇

**材料：**蘑菇100克，植物油、葱末、姜末、清汤、盐、水淀粉各适量。

**做法：**

1. 将蘑菇去杂，洗净，切成条。

2. 锅置火上，放油烧热，放入葱、姜末煸香，放入蘑菇条煸炒，加入盐炒至入味。

3. 再放入清汤，大火烧开，转小火稍焖一会儿，用水淀粉勾芡，翻炒均匀，出锅装盘即可。

## 牛奶花蛤汤

**材料：**花蛤 200 克，鲜奶 100 克，鸡汤半碗，姜 2 片，盐、植物油各适量。

**做法：**

1. 将花蛤放入淡盐水中浸泡半个小时，使其吐净污物，然后放入沸水中煮至开口，捞起后去壳。

2. 锅内加入植物油烧热，放入姜片爆香，加入鲜奶、鸡汤煮滚后，放入花蛤用大火煮 1 分钟，加入盐调匀即可。

**妈妈喂养经：**

此汤味鲜美，花蛤含锌量高，是宝宝喜爱的补锌菜。

## 扇贝粥

**材料：**扇贝 1 只，大米 50 克，葱 1 段，姜、葱各适量。

**做法：**

1. 将米浸半个多小时，扇贝洗净（去掉黑色的部分）。

2. 将上面的材料一起放入锅中，放入适量姜葱，大火煮开用小火炖一个小时左右，即可。

## 牡蛎汤

**材料：**鲜牡蛎肉 50 克，紫菜 10 克，葱花、细姜丝、精盐、胡椒粉、料酒各适量。

**做法：**

1. 牡蛎肉 50 克洗净，切小片；紫菜泡发后清洗放入大碗中，加清汤、牡蛎肉片、葱花、细姜丝，放入蒸锅蒸 30 分钟。

2. 取出加入精盐、胡椒粉、料酒调匀即可。

**妈妈喂养经：**

牡蛎最好能放入清水中两个小时以上，以便其吐出残留泥沙。

### 专家告诉你

任何一种微量元素的供给都应适量，若过分地强调锌的摄入，食入强化锌的食物过量会造成锌中毒，幼儿舔啮涂锌玩具时也可造成锌中毒。锌中毒可损害幼儿学习、记忆等能力，对智能发育不利。

# 宝宝缺碘

婴幼儿正处于脑发育的第二个关键时期。和胎儿一样，对碘缺乏极为敏感。胎儿的严重碘缺乏若延续到婴儿期继续存在，势必发展成为典型的克汀病患者。如果幼儿碘缺乏程度较轻，将成为亚临床克汀病或仅有轻度智力低下。碘是婴幼儿大脑发育过程中不可缺少的元素，婴幼儿大脑发育期间如果碘缺乏，平均智力损伤将达到15%～20%，而且终身不能弥补。

## 常见病因

### 孕期缺碘

优生专家指出，如果孕妇在孕期未注意摄取含碘食物，特别是生活在缺碘地区的孕妇，就会导致胎儿缺碘。

### 地区碘含量低

人体需要的碘绝大部分来自日常生活的饮食之中。然而，世界上很多地区，尤其我们中国的大片国土上的土壤、江河、湖泊及空气中的碘含量都很低。这些地方出产的粮食、蔬菜、水果以及其他植物的碘含量也很少；饲养出来的家畜、家禽乃至野生动物，体内的碘含量也不多。如果人们长期生活在这样的缺碘环境，又只吃当地产的食物，当然就不能得到足够的碘供应。

### 摄入不足

如果3～6个月内得不到足够量碘的补充，就会出现碘缺乏的症状，继而导致碘缺乏病。碘缺乏多由于饮食中的碘不足或长期摄入含致甲状腺肿因子的食物。缺碘地区的幼儿，因碘的供应不足可发生甲状腺肿大，称为地方性甲状腺肿大或“地甲病”。肿大的甲状腺除影响美观外，还可能压迫气管和食道，甚至增加甲状腺癌的患病率。甲状腺肿大的患者多有甲状腺功能低下，影响智力发育，对当地的社会经济发展有极大影响。

## 症状表现

1. 最突出的症状是智力低下或弱智。
2. 身体矮小，下肢为短，年龄越大越明显。
3. 既聋又哑。
4. 面容丑陋。
5. 瘫痪。

# 调养食谱

## 紫菜海味汤

**材料：**紫菜 10 克，虾仁 10 克，香菇 2 朵，高汤 100 毫升，鸡蛋 1 个（约 40 克）。

**做法：**

1. 紫菜撕碎，虾仁剁成蓉，香菇切细丁，鸡蛋打散。

2. 炖锅内加热水和高汤大火煮开，放入虾蓉、紫菜、香菇丁，煮开后，转小火煮约 15 分钟，将蛋液拌入，稍煮 1 分钟即可。

## 豆腐海带汤

**材料：**豆腐 50 克，海带 50 克，盐、香油各适量。

**做法：**

1. 把豆腐切块，海带切丝。

2. 向豆腐和海带中加入水，煮开。

3. 豆腐煮熟时放适量的盐、香油即可。

**妈妈喂养经：**

海带中含有大量不溶于水的褐藻胶物质，使其不容易煮烂，可先将海带蒸约半小时，用清水浸泡，再烹制就会变得脆嫩软烂了。

## 橘味海带丝

**材料：**海带 150 克，新鲜大白菜 150 克，干橘皮 15 克，白糖和香菜各适量，各种调味料。

**做法：**

1. 先将干海带放在锅里煮 20 分钟左右，捞出后备用。

2. 把海带和大白菜切成细细的短丝（不要过长）放在盘里，加入酱油、白糖、味精和香油，撒上香菜段。

3. 将干橘皮用水泡软，捞出后剁成碎末，放入碗里加醋搅拌，把橘皮液倒入盘中拌匀后即可食用。

# 宝宝缺钙

钙是人体中含量最丰富的矿物质，约占人体体重的2%，人体内大约有99%的钙贮存在骨骼和牙齿中。钙能帮助建造骨骼和牙齿，并维持骨骼的强健，因此，婴幼儿的骨骼与牙齿的发育必须需要钙的帮忙。钙除了能帮助骨骼及牙齿的生长外，还对身体每个细胞的正常功能扮演着极重要的角色，钙能帮助肌肉收缩、血液凝结并维护细胞膜功能；钙能维持心脏和肌肉之间的正常功能；能控制炎症及水肿，维持酸碱平衡。如果缺少钙的摄入，会严重影响宝宝正常的生长发育，甚至会引发佝偻病。

## 常见病因

### 缺乏户外活动，晒太阳少

由于天气的关系孩子户外活动少、晒太阳比较少或者平时孩子在晒太阳时隔着玻璃、穿得过于厚实等，紫外线照射不足都是造成宝宝缺钙的因素。

### 饮食结构以植物性食物为主

植物性食物含钙元素不足，容易造成钙摄入不足，长期素食的孩子非常容易缺钙。蔬菜中的植酸、草酸溶解在汤里，宝宝喝下后与钙元素发生反应生成不溶性的钙盐，影响了宝宝对钙的吸收。

### 不良的饮食习惯导致孩子对钙的摄入不足

辅食添加不及时、偏食、挑食等不良饮食习惯等都是造成宝宝缺钙的原因。

## 症状表现

1. 婴儿手足抽搐症：婴儿缺钙，血钙低时，可引起手足痉挛抽搐。
2. 盗汗，睡觉、喝奶均汗多。
3. 易惊醒、夜啼哭、不易入睡。
4. 鸡胸、枕秃。
5. 体重较轻、出牙迟、学步迟。
6. 缺钙所至佝偻病症状：夜惊、夜啼、枕秃、多汗、龋齿、出牙迟、换牙晚、方颅、肋外翻、鸡胸、学步晚、厌食、囟门晚闭、X型腿、O型腿。

# 调养食谱

## 豆腐蛋花羹

**材料：** 鸡蛋1个，南豆腐100克，骨汤150克，小葱末适量。

**做法：**

1. 鸡蛋打散，豆腐捣碎，骨汤煮开。

2. 豆腐下入骨汤内小火煮，适当进行调味，并撒入蛋花，煮熟，最后点缀小葱末。

## 鱼头豆腐

**材料：** 花鲢鱼1条，南豆腐2块，水发海米20克，水发香菇50克，青蒜5克，葱、姜、植物油、盐、料酒各适量，清汤1大碗。

**做法：**

1. 鱼头洗净，下腭劈开，用盐、料酒腌上；豆腐切片，用凉水泡上；青蒜择洗干净，切段。

2. 锅置火上，放油烧热，放入鱼头，稍炸捞出，摊开放入砂锅内。

3. 倒去锅中的油，再放油烧热，放入葱、姜炒香，加入清汤、香菇、海米、盐、料酒，烧开后去浮沫，倒入砂锅内，盖上盖，用中火焖至鱼头快熟时，拣去葱、姜。

4. 把豆腐用开水加盐氽烫一遍，捞入砂锅内，待豆腐煮透时，撒上青蒜即可。

## 紫菜豆腐羹

**材料：** 紫菜（干）40克，豆腐300克，番茄100克，小米面10克，盐、油各适量。

**做法：**

1. 紫菜先用不下油之白锅略烘，再洗干净，用清水浸开，再用沸水煮一会儿，拭干水分，剪成粗条；豆腐切成小方粒，番茄洗净去皮切成小块备用。

2. 锅置火上，加油约2汤匙，放下番茄块略炒，加入小半碗水，待沸后，再加入豆腐粒与紫菜条同煮。

3. 以1汤匙小米面混合半碗水，加入煮沸的紫菜汤内，加盐调味即可。

# 宝宝龋齿

龋齿多发生在乳牙期的宝宝。一些家长认为乳牙迟早会被恒牙取代，患龋齿无关紧要，其实这是一种非常错误的认识。龋齿有着严重的危害性。牙齿最重要的功能就是咀嚼食物，是消化系统的第一道关口。如果乳牙龋坏，自然不能正常咀嚼，食物在患儿口腔内不能很好地进行切、撕、磨等咀嚼加工，囫囵吞枣地进食，食物在胃肠道内不能得以充分地消化和吸收，务必会使宝宝摄取营养减少。

## 常见病因

### 致龋细菌

口腔内细菌种类多，数量大。并且口腔的温度、湿度、营养物质为各种细菌的滋生提供了有利的条件。为防止细菌的侵入，要保护好宝宝的口腔及牙齿的卫生。

### 食物因素

主要是糖类食物，如蔗糖、葡萄糖和糖制的米面食物，它们供给细菌营养的同时，自身变为酸性产物，侵蚀牙体。因此，妈妈不要过多地给宝宝吃含糖类较多的食物。

### 牙齿的易感性

是指牙齿本身的质量，或钙化程度及牙与牙之间排列的关系。钙化好的牙齿，其硬度越高，质量也就越好。如若从小身体就不好，营养不足，则影响牙齿的钙化。这种牙的硬组织结构疏松，萌出后受外界因素影响，易被龋坏。牙齿排列不整齐的地方，容易停留食物碎屑、细菌。另外，不易清洁的部位，也是容易形成牙菌斑，成为龋病的好发之处。

## 症状表现

❶ 初期症状：牙齿的颜色本来应该是同个颜色，当表面开始有黑点或是脱钙的白点出现，或是某处老是塞住食物，表示此处牙齿的珐琅质已遭到破坏。

❷ 中期症状：龋齿若没有加以控制及治疗，会由珐琅质慢慢延伸到牙本质，形成窝洞，此时对甜食及冷热的刺激会很敏感，容易感到酸痛；或是食物一卡进牙缝，就觉得不舒服，但清掉后，不舒服就解除了。

❸ 晚期症状：不吃东西、没有塞牙缝也会自然地痛起来，甚至晚上会痛得睡不着，代表已经连牙髓都受到影响。此时牙龈红肿、易流血，有发炎或长脓包症状；若蛀到神经，就必须做根管治疗。

# 调养食谱

## 花椒粥

**材料：**花椒 5 克，粳米 50 克。

**做法：**

花椒水煎 10 分钟取汁，取粳米常法煮粥，粥将熟时加入花椒汁略煮即可。

**妈妈喂养经：**

空腹趁热服用。温通散寒止痛。适用于龋齿疼痛，怕冷恶风，牙痛连及半侧头痛者。

## 豆浆红薯泥

**材料：**红薯 50 克，豆浆小半杯。

**做法：**

1. 红薯削皮，蒸熟后放入滤网中，以汤匙磨成泥。
2. 加入豆浆调匀即可。

**妈妈喂养经：**

豆浆含丰富的蛋白质、钙，有利于宝宝坚固牙齿。

## 豆腐番茄

**材料：**嫩豆腐 1 小块，番茄半个，玉米粉少许。

**做法：**

1. 番茄剥去皮，切末备用。
2. 嫩豆腐用热水烫过，加少许玉米粉用水调稀。
3. 所有材料搅匀后略煮，放置一旁待凉即可食用。

**妈妈喂养经：**

这道营养餐不仅营养，含钙丰富，有利坚固牙齿。

**专家告诉你**

要有良好的饮食习惯，适当吃硬一点的东西，可使牙齿坚固，不要过多吃甜食，不要吃完奶就睡觉。出现龋齿要修补，口腔科还有使牙釉质坚固的外喷药物。

# 宝宝汗症

汗症是指不正常出汗的一种病症，即在安静状态下，全身或局部出汗过多，甚则大汗淋漓。宝宝体秉腠理疏薄，在日常生活中，若因天气炎热，或衣着过厚，或喂奶过急，或活动剧烈，都可引起出汗，如无其他疾苦，不属病态。宝宝汗症，有自汗、盗汗之分。睡中汗出，醒时汗止者称“盗汗”；不分时间，无故出汗者称“自汗”。

## 常见病因

### 全身性多汗

急慢性感染性疾病、循环功能不全、结缔组织疾病、自律神经功能失调、营养性疾病、代谢性疾病、内分泌功能异常的疾病、食物性刺激、药物作用、中毒等均可致之。

### 半侧身多汗

多见于神经系统疾病。如占位病变（脑肿瘤、脑出血、脑损伤、脑血管病变等）在脑神经中枢；病变在脊髓，可致下半身出汗，或一个肢体多汗；局部交感神经节受损或病变。

### 局部多汗

如手掌、腋下、会阴的多汗，多为汗腺分泌异常所致。

## 症状表现

❶ 宝宝发虚汗的表现为：面色苍白、怕冷，有时安静地坐着也会出汗，且出汗不只于头部，而是自颈至肚脐，运动时更厉害。

❷ 容易疲劳、怕风、食欲不佳。

❸ “睡则汗出醒则汗止”，也就是睡觉时容易出汗，醒来时就不会出汗了。中医叫阴虚盗汗。

❹ 面部偏红、嘴唇红，通常于下午开始掌心或足心会渐渐发热，睡觉不安稳、翻来覆去且易做梦。

❺ 容易哭闹、生气，有时大便较为干燥不好解等。

# 调养食谱

## 核桃莲子山药羹

**材料：**核桃仁 300 克，莲子 300 克，黑豆 150 克，山药粉 150 克，牛奶、米粉各适量。

**做法：**

1. 将核桃仁、莲子、黑豆、山药粉分别研压成粉。

2. 将上料均匀混合，加入米粉适量，每次 1 ~ 2 匙，拌在牛奶或稀饭中煮熟成羹，每日 2 次。

**妈妈喂养经：**

此羹可用于自汗。

## 黄芪羊肉汤

**材料：**羊肉 100 克，黄芪 15 克，桂圆肉 10 克，淮山药 15 克。

**做法：**

1. 将羊肉用沸水稍煮片刻，捞出后即用冷水泡浸以除膻味，用砂锅将水煮开，放入羊肉和三味药同煮汤。

2. 食时调好味，可饮汤吃肉。如小儿无咀嚼能力，可煮成浓汤饮用，同样有效。

**妈妈喂养经：**

主治病后体虚自汗。阴虚严重小儿忌服。

## 芝麻核桃糊

**材料：**黑芝麻 20 克，核桃仁 20 克。

**做法：**

1. 将核桃仁去皮洗净，捞出沥干，放入锅内炒熟，取出凉凉。

2. 将黑芝麻洗净沥干，放入锅中用小火炒出香味，取出凉凉后与核桃仁共研成细末，用开水调成糊状即可。

**妈妈喂养经：**

可调成咸味或甜味。煮时也可以加适量大米粉或面粉，使汁更黏稠。

# 宝宝鹅口疮

鹅口疮是一种由真菌（白色念珠菌）引起的口腔黏膜感染性疾病，常见于1岁以内的宝宝。通常是，口腔布满白色物质，形状如“鹅口”，因此叫“鹅口疮”。孩子患这种病，主要是乳头、食具不卫生，使真菌侵入口腔黏膜导致的。长期服用抗生素的孩子也容易患此病。中医认为先天胎热内蕴、口腔不洁、感受秽毒之邪是引发此病的原因。

## 常见病因

### 感染

（1）母亲阴道有真菌感染，婴儿出生时通过产道接触母体的分泌物而感染。

（2）奶瓶、奶嘴消毒不彻底，母乳喂养时妈妈的奶头不清洁，都可以是感染的来源。

（3）接触感染念珠菌的食物、衣物和玩具。另外，婴幼儿在6～7个月时开始长牙，此时牙床可能有轻度胀痛感，婴幼儿便爱咬手指，咬玩具，这样就容易把细菌带入口腔，引起感染。

（4）在幼儿园过集体生活，有时因交叉感染可患鹅口疮。

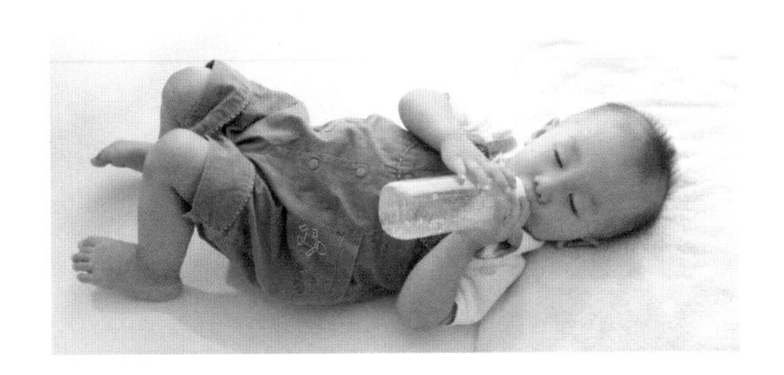

### 长期服用抗生素

长期服用抗生素或不适当应用激素治疗，造成体内菌群失调，真菌乘虚而入并大量繁殖，引起鹅口疮。

## 症状表现

口腔黏膜上出现白色或灰白色乳凝块样白膜。初起时，呈点状和小片状，微凸起，可逐渐融合成大片，白膜界限清楚，不易拭去。如强行剥落后，可见充血、糜烂创面，局部黏膜潮红粗糙，可有溢血，但不久又为新生白膜覆盖。偶可波及喉部、气管、肺及食管、肠管，甚至引起全身性真菌病，出现呕吐、吞咽困难、声音嘶哑或呼吸困难。

**心脾积热型** 患儿口腔舌面布满白屑，面赤唇红，烦躁不宁，叫扰啼哭，口干或渴，大便干结、小便短黄。

**虚火上浮型** 患儿口、舌白屑稀散，周围红晕不明显，面白唇红，口舌糜烂，神疲乏力，口干不渴，舌嫩红。

# 调养食谱

## 西洋参莲子炖冰糖

**材料：**西洋参 3 克，去心莲子 12 枚，冰糖 25 克。

**做法：**

1. 将西洋参切片，与莲子放在小碗内加水泡发。

2. 加冰糖，隔水蒸炖 1 小时，喝汤吃莲子肉，剩下西洋参片，次日可再加莲子同法蒸炖。

**妈妈喂养经：**

西洋参可用 2 次，最后 1 次吃掉。此品适用虚火上浮型。

## 竹叶蒲公英绿豆粥

**材料：**淡竹叶 10 克，蒲公英 10 克，绿豆 30 克，粳米 30 克，冰糖适量。

**做法：**

1. 先将蒲公英、淡竹叶水煎取汁。

2. 再将绿豆、粳米共煮成粥，调入药汁、冰糖即可。

**妈妈喂养经：**

食粥，每日 3 次，煎量视宝宝食量而定。此粥适用心脾积热型热型。

## 鸡汁粥

**材料：**母鸡 1 只，粳米 60 克，盐适量。

**做法：**

1. 母鸡剁成小块，加入水熬成鸡汤。

2. 用大火煮开鸡汤，加入粳米改用小火煮粥至熟，加入盐调味即可。

**妈妈喂养经：**

鸡肉对营养不良造成的鹅口疮、畏寒怕冷、乏力疲劳、贫血等有很好的食疗作用。

# 宝宝荨麻疹

荨麻疹是一种常见的儿科过敏性皮肤病，也被俗称为“风疹”。通常见于宝宝的皮肤上出现很多形状不同、大小不一、红色、隆起、中间呈白色的疹子，患病部位会发生剧痒。疹子出现后24小时内会自动消失，由于剧痒，宝宝往往会因为过度抓搔，造成皮肤表皮破损而引起继发性皮肤感染。

## 常见病因

### 食物过敏

因年龄不同，饮食种类不同引起荨麻疹的原因各异，如婴儿以母乳、牛奶、奶制品喂养为主，可引发荨麻疹的原因多为牛奶及奶制品的添加剂。随着年龄增大，婴幼儿开始增加辅食，这时鸡蛋、肉松、鱼松、果汁、蔬菜、水果都可成为过敏的原因。

### 其他

若是宝宝荨麻疹持续复发超过六周则成为慢性荨麻疹，致病原因则不一定和食物有关，其他很多因素都可能引起宝宝慢性荨麻疹。如温度变化、物理变化（如搔抓）、灰尘、花粉、丝袜等对局部皮肤产生的刺激、情绪引起血管紧张，等等。

## 症状表现

❶ 急性荨麻疹：急性荨麻疹起病急，先感觉皮肤瘙痒，很快出现大小不等、形态不规则的红色风团，全身泛发，可单个，也可密集融合成片。风团持续数分钟或数个小时即消失，消失后不留痕迹，新的风团不断出现，此起彼伏，一日数次不等。风团瘙痒，灼热。累及呼吸道可出现喉头水肿、胸闷、呼吸困难，甚至窒息，也可出现心悸，部分小儿有恶心、呕吐、腹痛、腹泻等症。

❷ 慢性荨麻疹（病程大于6～12周）

风热相搏证：宝宝见风团色红，灼热，遇热加剧，得冷则缓，瘙痒难忍，口渴心烦，舌红苔薄黄。

卫外不固证：宝宝平时多汗，汗出遇风则出现风团，针头至绿豆大小，成批出现，瘙痒不安，舌淡苔薄白。

心经郁热证：宝宝风团色红，灼热刺痒，搔之起条索状皮疹，继而融合成片，晚间痒甚，情绪波动时皮疹出现较多，心烦口渴，舌红苔少。

虫积伤脾证：疹块瘙痒，发无定处，时有脐周疼痛，或有偏嗜不良习惯，面色萎黄，或有虫斑，夜间磨牙。

# 调养食谱

## 冬瓜芥菜汤

**材料：**冬瓜 200 克，芥菜 30 克，白菜根 30 克，香菜 2 根，红糖适量。

**做法：**

将上述材料一起水煎，熟时加适量红糖调匀，即可饮汤服用。

**妈妈喂养经：**

主要治疗荨麻疹风热型：皮疹色赤，遇热则发，得冷则减，夏重冬轻，尿黄，舌质红，苔薄黄，脉浮数。

## 芋头茎煲猪排骨

**材料：**芋头茎 50 克，猪排骨 100 克。

**做法：**

将芋头茎洗净切块，猪排骨洗净切块，同放砂锅中加水适量小火煲熟食，每日 2 次。

**妈妈喂养经：**

主要治疗荨麻疹风热型：皮疹色赤，遇热则发，得冷则减，夏重冬轻，尿黄，舌质红，苔薄黄，脉浮数。

## 归芪肉汤

**材料：**猪瘦肉 50 克，当归 20 克，黄芪 20 克，防风 10 克。

**做法：**

将上 3 味中药用干净纱布包裹，与猪瘦肉一起炖熟，饮汤食猪瘦肉。

**妈妈喂养经：**

主要治疗荨麻疹气血两虚型：疹块反复发作，病程甚久，劳累加剧，神疲乏力，舌质淡红，苔薄白，脉虚弱。

# 宝宝百日咳

百日咳是幼儿常见的呼吸道传染病之一，由于病程长达2～3个月以上，所以称作“百日咳”。生病的宝宝常有阵发性痉挛性咳嗽，咳后有鸡鸣样的回声，最后会倾吐痰沫。此病四季都可发生，尤其在冬春季节多见，而且年龄越小病情常常越重。

## 常见病因

### 传染

传染源：患者是本病唯一的传染源。自潜伏期末至病后6周均有传染性，以发病第一周卡他期传染性最强。

传播途径：主要通过飞沫传播。

易感者：人群普遍易感，但幼儿发病率最高。母体无足够的保护性抗体传给胎儿，故6个月以下婴幼儿发病较多。病后可获持久免疫力，第二次发病者罕见。

## 症状表现

❶ 初咳期：自起病至痉咳出现，7～10天。初起类似一般上呼吸道感染症状，包括低热、咳嗽、流涕、喷嚏等。3～4日后其他症状好转而咳嗽加重。此期传染性最强，治疗效果也最好。

❷ 痉咳期：咳嗽由单声咳变为阵咳，连续十余声至数十声短促的咳嗽，继而一次深长的吸气，因声门仍处收缩状态，故发出鸡鸣样吼声，以后又是一连串阵咳，如此反复，直至咳出黏稠痰液或吐出胃内容物为止。每次阵咳发作可持续数分钟，每日可达十数次至数十次，日轻夜重。阵咳时患儿往往面红耳赤，涕泪交流，面唇发绀，大小便失禁。少数患儿痉咳频繁可出现眼睑浮肿、眼结膜及鼻黏膜出血，舌外伸被下门齿损伤舌系带而形成溃疡。成人及年长儿童可无典型痉咳。婴儿由于声门狭小，痉咳时可发生呼吸暂停，并可因脑缺氧而抽搐，甚至死亡。此期短则1～2周。长者可达2月。

❸ 恢复期 阵发性痉咳逐渐减少至停止，鸡鸣样吼声消失。此期一般为2～3周。若有并发症可长达数月。本证有阴虚证、气虚证。

# 调养食谱

## 萝卜蜂蜜饮

**材料：**白萝卜1个，蜂蜜半小匙。

**做法：**

白萝卜1个，捣烂取汁25毫升，加入蜂蜜半小匙，调匀，1次服完，每日1～2次。

**妈妈喂养经：**

此饮适用于生病初期。

## 罗汉果汤

**材料：**柿饼30克，罗汉果1个，冰糖25克。

**做法：**

将罗汉果和柿饼水煎30分钟，加上冰糖溶化搅匀即可服用。

**妈妈喂养经：**

此汤适用于生病中期。

## 太子参黄芪鸽蛋汤

**材料：**太子参15克，黄芪15克，鸽蛋3个。

**做法：**

先水煎太子参、黄芪，取药汁煮鸽蛋，熟时饮汤食鸽蛋。

**妈妈喂养经：**

此汤适用于恢复期。

### 专家告诉你

宝宝患百日咳要特别注意的两点：①忌关门闭户，空气不畅。百日咳的孩子由于频繁剧烈的咳嗽，肺部过度换气，易造成氧气不足。②忌烟尘刺激。家中如有吸烟的人，在孩子病期最好不要吸烟，或到户外去吸烟。此外，生炉子、炒菜等，一定要设法到室外进行。

# 宝宝风寒感冒

风寒感冒是风寒之邪外袭、肺气失宣所致。症状可见：恶寒重、发热轻、无汗、头痛身痛、鼻塞流清涕、咳嗽吐稀白痰、口不渴或渴喜热饮、苔薄白。

## 常见病因

### 抵抗力低

天气炎热，宝宝出汗较多，汗腺的分泌会消耗很多能量；再者，夏季晚上，闷热的天气影响了宝宝的睡眠质量；宝宝食欲不振的时候，影响宝宝蛋白质的摄取等，种种原因导致宝宝抵抗力下降，稍微一受凉就容易感冒。

### 贪凉

有的宝宝特别怕热，不喜欢出门运动，或是出去运动回来就要开空调，这样，一热一凉，就容易受凉了；此外，过食生冷食物，也容易导致外感表邪而发病。所以父母应该特别注意最好不要给宝宝吹空调，晚上热的时候，可以用一小风扇开小风微吹。

## 症状表现

❶ 后脑强痛，就是后脑袋疼，连带脖子转动不灵活。

❷ 怕寒怕风，通常要穿很多衣服或盖大被子才觉得舒服点。

❸ 鼻涕是清涕，白色或稍微带点黄。如果鼻塞不流涕，喝点热开水，开始流清涕。

❹ 舌无苔或薄白苔。

❺ 鼻塞声重、喷嚏，流清涕，恶寒，不发热或发热不甚，无汗，周身酸痛，咳嗽痰白质稀，舌苔薄白，脉浮紧。

❻ 如果你会把脉，你应该可以测到脉象是浮紧，浮脉的意思是阳气在表，轻取即得。

# 调养食谱

## 姜糖饮

**材料：**生姜 10 克，红糖 15 克。

**做法：**

1. 生姜洗净，切丝。

2. 将生姜丝放入水杯中，用沸水冲泡，盖盖浸泡 5 分钟，再调入红糖，趁热服。

**妈妈喂养经：**

此饮适合于风寒感冒的宝宝，一定要分清宝宝是不是属于此类型感冒，如恰好相反属于风热型的话，喝此饮反而会加重病情的。

## 双白玉粥

**材料：**粳米 50 克，大白菜半棵，大葱白 20 克，生姜 10 克，精盐少许。

**做法：**

1. 粳米淘洗干净；大白菜去杂，洗净，切片；大葱白和生姜洗净，切片。

2. 粳米加水熬粥，沸腾后加入切片的大白菜（主要用菜心和菜帮）、切片的大葱白和生姜，共煮至白菜、大葱变软，粥液黏稠时，起锅加少许盐后食用。

**妈妈喂养经：**

此粥可促进出汗，驱散寒气，又能调和胃气，使发汗而不伤正气。

## 姜丝萝卜汤

**材料：**生姜 25 克，萝卜 50 克，红糖适量。

**做法：**

1. 生姜洗净，切丝；萝卜去皮，洗净切片。

2. 将生姜和萝卜一起放锅中加水适量，煎煮 10 ~ 15 分钟，再加入适量红糖，稍煮 1 ~ 2 分钟即可。

**妈妈喂养经：**

此汤有祛风散寒解表的功效，每日 1 次，热服。

## 葱白麦芽奶

**材料：** 葱白5根，麦芽15克，熟牛奶100毫升。

**做法：**

葱白洗净切开，与麦芽放杯中加盖，隔水炖熟后去葱及麦芽，加入熟牛奶。

**妈妈喂养经：**

可解表开胃。适用于小儿风寒感冒。每日2～3次，连服2日。

---

## 葱豉豆腐汤

**材料：** 生葱3根（连头须），淡豆豉10克，豆腐100克。

**做法：**

起油锅，豆腐略煎，再放入淡豆豉，加适量清水，武火煮沸后放入葱白，煮沸后即可调味，趁热服食。

**妈妈喂养经：**

适用于小儿风寒感冒，咽痒咳嗽。

---

## 葱白大蒜

**材料：** 葱白50克，大蒜20克。

**做法：**

将葱白、大蒜洗净切碎，加水1升煎煮。

**妈妈喂养经：**

葱白的挥发性成分，能刺激分泌而发挥祛痰、发汗和利尿作用；大蒜可杀灭流感病毒。两者合用，对风寒感冒有一定疗效。日服两次，每次1小茶杯。

**专家告诉你**

平时多补充维生素C，可以减少感染的机会，而对于已经患病的宝宝来讲，由于大部分水果属性偏凉，容易引起咳嗽，因此患了流感并且有咳嗽症状时不宜多吃。

# 宝宝风热感冒

风热感冒主要表现为宝宝发热重，但怕冷怕风不明显，鼻塞流浊涕，咳嗽声重，或有黏稠黄痰，头痛，口渴喜饮，咽红、咽干或痛痒，大便干，小便黄，检查可见扁桃体红肿，咽部充血，舌苔薄黄或黄厚，舌质红。中成药可以选小儿感冒冲剂、风热感冒冲剂。

## 常见病因

### 便秘

通常情况是这样的，便秘两天以后，喉咙痛一两天，然后出现感冒症状，这就是风热感冒（也可以是外感热邪，首先犯肺）。为什么便秘会引致感冒？中医认为肺和大肠相表里，排便不畅，大肠影响肺就出现感冒症状啦。同样反过来，风寒感冒治疗不及时或治疗不对症也会外邪内进引致便秘或拉肚子，其实风寒感冒后拉肚子，在中医属于变症，属于病由外入里，大家不要随便使用止泻药。

## 症状表现

1. 喉咙痛，通常在感冒症状之前就痛，痰通常黄色或带黑色。
2. 浓涕，通常黄色。
3. 舌苔带点黄色，也有可能是白色的，舌体通常比较红。
4. 便秘。
5. 身热、口渴、心烦。
6. 脉象通常为数脉或洪脉，就是脉搏比正常的为快、为大。

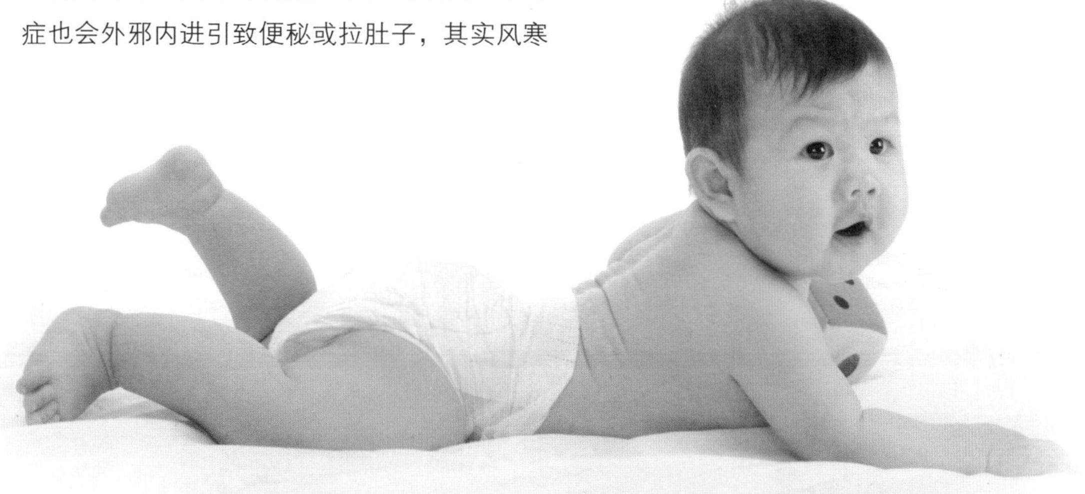

# 调养食谱

## 菊花茶

**材料：** 菊花10克，白糖适量。

**做法：**

菊花10克，开水冲泡，加白糖适量，代茶饮用。

**妈妈喂养经：**

有过敏体质的宝宝如果想喝菊花茶，应先泡一两朵试试，如果没问题再多泡，但也不应过量饮用。

## 腐竹粥

**材料：** 大米50克，腐竹10克。

**做法：**

1. 将大米淘洗干净；干腐竹放入盆内用冷水泡上，压一重物，泡发5小时，待胀发后，切段。

2. 将大米、腐竹一起放入锅中，加适量清水，煲粥。

**妈妈喂养经：**

趁热代饭吃，有清热、去胃肠积滞的功效。

## 芥菜豆腐汤

**材料：** 芥菜250克，豆腐2块，高汤、水淀粉、盐各适量，香油、胡椒粉各少许。

**做法：**

1. 芥菜切除老叶及粗梗，洗净，放入开水中汆烫后捞出，再用冷水冲凉，然后切碎。

2. 把高汤烧开，加入精盐及水淀粉勾芡，然后放入切成丁的豆腐煮开。

3. 放入切碎的芥菜，再度煮开即关火盛出，淋香油，撒胡椒粉后即可。

**妈妈喂养经：**

此汤能润肠通便，对因便秘引起的风热感冒有辅助食疗作用。

## 红萝卜马蹄粥

**材料：**红萝卜 150 克，马蹄（荸荠）250 克，大米 50 克。

**做法：**

红萝卜切片，马蹄去皮拍裂，与大米一同煲粥，粥成后，以少许糖或盐调味，即可食用。

**妈妈喂养经：**

可清热消食，止咳、祛痰、利尿，润肠通便，适用于风热感冒。红萝卜含 β－胡萝卜素，可保护上皮组织和呼吸道黏膜，能抵抗感冒。马蹄味甘，性寒。功能清热、生津、化痰、利水。

## 红薯煲芥菜

**材料：**红薯 250 克，芥菜 150 克。

**做法：**

红薯去皮切小块，芥菜洗净，同放入锅中，加适量清水，煮至红薯熟烂，加盐调味即可食用。

**妈妈喂养经：**

可解表、发汗、清热，适用于风热感冒。芥菜含维生素 C 较多，维生素 C 可提高中性白细胞和淋巴细胞的杀菌和抗病毒能力，减轻感冒症状和缩短病程。红薯含维生素 C 及 β－胡萝卜素，有利于保护上皮组织和呼吸道黏膜。

## 荷叶粥

**材料：**鲜荷叶 1 张，粳米 50 克。

**做法：**

将粳米淘洗干净，荷叶洗净。锅置火上，放入清水适量，放入米煮粥，煮时将荷叶盖于粥上，煮熟即成。也可将荷叶洗净切碎煎汁，调入粥内，加白糖吃粥，可任意食用。

**妈妈喂养经：**

荷叶是清热解暑的良药，与粳米煮粥，有健胃解暑的功效。暑天感冒，困倦乏力，头重，不思饮食者，可用此粥代替。一般暑天感冒皆可食用。

# 宝宝伤食

宝宝伤食也叫积食，又称“积滞”。此病以婴幼儿发病率较高，因为婴幼儿的消化器官发育还不完善，消化液分泌不充足，酶的功能也较弱，胃及肠道内黏膜柔嫩，消化功能还比较差。如果父母不能正确地喂养，什么都给宝宝吃，使宝宝饮食的质和量不当，损伤了肠胃，宝宝就会出现肚子胀、吐奶、厌食、舌苔厚腻、上腹部饱胀、大便稀且有酸臭味等伤食的表现。

## 常见病因

### 饮食不当

积食多是因饮食不当，影响到宝宝的消化功能，使食物停滞胃肠所形成的一种胃肠道疾患。有的宝宝只要是东西就往口里放，妈妈便以为是宝宝饿了，就一味地给宝宝喂食，还有的妈妈不注意宝宝的饮食宜忌，给宝宝吃了过于生冷的瓜果或是难以消化的食物等，造成食物停滞于肠胃，损伤脾胃而形成积食。

## 症状表现

1. 食欲明显不振。
2. 睡眠中身子不停翻动，有时还会磨牙。
3. 宝宝鼻梁两侧发青，舌苔白、腻且厚，呼出的口气中有酸腐味。
4. 宝宝大便干燥，或时干时稀。
5. 宝宝肚腹胀满、明显的消化不良。

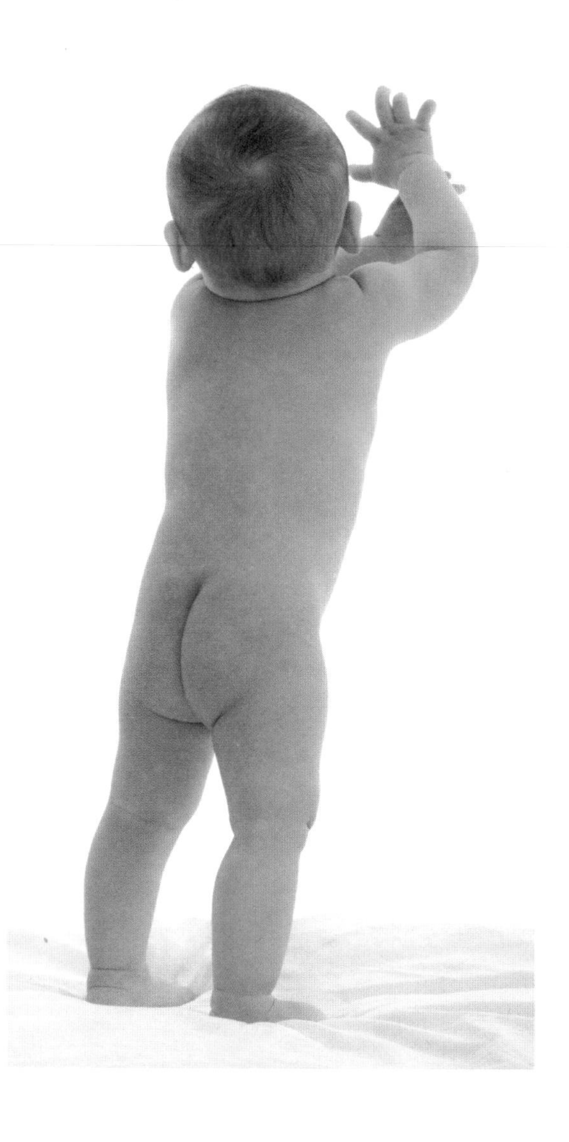

# 调养食谱

## 糖炒山楂

**材料：**红糖、山楂各适量。

**做法：**

1. 取红糖适量，入锅用小火炒化。

2. 加入去核的山楂适量，再炒 5 ～ 6 分钟，闻到酸甜味即可。

**妈妈喂养经：**

如果宝宝有发热的症状，可改用白糖或冰糖。每顿饭后给宝宝吃一点。

## 橘饼茶

**材料：**橘饼 1 个。

**做法：**

把橘饼干切成薄片，放入茶壶内，用刚烧沸的开水冲泡，盖上茶壶盖，泡 10 ～ 15 分钟即可。

**妈妈喂养经：**

每日用橘饼 1 个，可冲泡数次当茶饮用，喝茶吃饼连用 2 ～ 3 天。

## 荸荠海蜇

**材料：**荸荠 250 克，海蜇 100 克。

**做法：**

1. 选择个大、肥嫩的鲜荸荠洗净后，去掉小芽及基根；海蜇洗净。

2. 将海蜇同荸荠一并放入小锅内，加水适量，同煮，待荸荠煮熟后，去掉海蜇，取出荸荠。

**妈妈喂养经：**

每日 2 ～ 3 次，每次温热嚼食荸荠 3 ～ 5 个，连用 2 ～ 3 天。适用于体弱宝宝，一次不要服食过多。

# 宝宝水痘

宝宝长水痘是在儿科疾病中比较长见的，它是由病毒引起的，潜伏期为 10 ~ 21 天，是一种传染病，特别多见于晚冬和春季。发病的宝宝会有轻微发热、不适、食欲欠佳等与感冒类似的症状，然后身上会出现小红点，由胸部、腹部开始，再扩展至全身。小红点变大，成为有液体的水疱。一两天后，水疱破裂，结成硬壳或疙瘩。新的小红点不断分批出现，并重复同一过程。各期皮疹可同时存在，即同时可见斑疹、丘疹、疱疹、结痂。1 ~ 3 周后，痂皮脱落，完全康复，不会留有瘢痕。

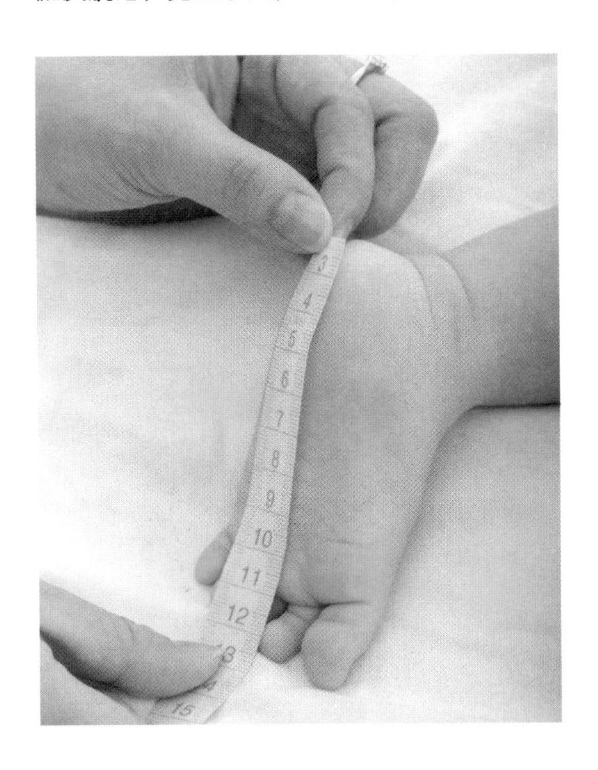

## 常见病因

### 传染

传染源：水痘患者为主要传染源，自水痘出疹前 1 ~ 2 天至皮疹干燥结痂时，均有传染性。易感儿童接触带状疱疹患者，也可发生水痘，但少见。

传播途径：主要通过飞沫和直接接触传播。在近距离、短时间内也可通过健康人间接传播。

易感人群：普遍易感。6 个月以内的宝宝由于获得母体抗体，发病较少，妊娠期间患水痘可感染胎儿。病后获得持久免疫，但可发生带状疱疹。

流行特征：全年均可发生，冬春季多见。本病传染性很强，易感者接触患者后约 90% 发病，故幼儿园、小学等幼儿集中机构易引起流行。

## 症状表现

❶ 皮肤上有瘙痒感的疱疹样皮疹。

❷ 伴有轻度的头痛、发烧。

❸ 红色的斑丘疹，有红晕的发痒的水疱，水疱干燥后的结痂可能同时出现。

❹ 易引发口腔溃疡，宝宝进食时会感到疼痛。

# 调养食谱

## 金银花甘蔗汁

**材料：**金银花 10 克，甘蔗汁半杯。

**做法：**

1. 金银花放入锅中，加适量水煮 5 ~ 10 分钟。

2. 将甘蔗汁与金银花（包括煮金银花的水）一同放入碗中混合均匀，代茶饮。

**妈妈喂养经：**

每天喝 1 次，7 ~ 10 天为 1 疗程。金银花有散热解毒的功效，与甘蔗汁搭配，对治疗宝宝水痘有一定的疗效。

## 红豆薏仁粥

**材料：**粳米 100 克，红豆和茯苓各 30 克，薏米 20 克，冰糖适量。

**做法：**

1. 把粳米、红豆、茯苓、薏米洗净。

2. 将上料放入热水中泡半个小时，中间换水一次。

3. 捞起，共煮，粥熟豆烂拌冰糖即可。

**妈妈喂养经：**

每日 1 剂，分 3 次服完。适于水痘已出，发热、尿赤、神疲纳差者。

## 荸荠马齿苋

**材料：**鲜马齿苋、荸荠粉各 30 克，冰糖 15 克。

**做法：**

鲜马齿苋洗净捣汁，取汁调荸荠粉，加冰糖，用滚开的水冲熟至糊状。

**妈妈喂养经：**

每日 1 剂。适于水痘已出或将出、发热、烦躁、大便稀溏的小儿。

# 宝宝肥胖

根据孩子的年龄、性别，体重如果超过平均值20%以上就算肥胖。宝宝过于肥胖会影响身体健康，还将成为成年期高血压、糖尿病、冠心病、痛风等疾病的诱因。另外，肥胖也限制了宝宝的运动功能发展，不利于其身体的生长发育。

## 常见病因

### 遗传因素

一般遗传因素在肥胖史内所占比例是相当大的，双亲都肥胖的话，后代肥胖的发生概率将近80%；而只一方肥胖的，发生概率就大大降低了；如双亲都正常的话，宝宝发生肥胖的概率仅为10%。

### 营养素摄入过多

家长在宝宝处于生长发育期的时候，错误地认为，进食越多越好，食物越有营养越好，有时还怕不够，还特意买补品来“补充”营养素，其实这都是导致肥胖的原因。若长期摄入过多的营养素，会引起脂肪细胞数目增多并且体积增大，治疗较困难且易复发。

### 活动量过少

即使营养素摄入的不多，但不活动的话，也会引起肥胖的。所以，妈妈在保证宝宝的营养需求达标的同时，也要多带动宝宝的运动细胞，以防脂肪堆积。

## 症状表现

❶ 宝宝食欲极好，喜食油腻、甜食，懒于活动。

❷ 体态肥胖，皮下脂肪丰厚、分布均匀是与病理性肥胖的不同点，面颊、肩部、乳房、腹壁脂肪积聚明显。腹部偶可见白色或紫色纹。

❸ 体力劳动易疲劳，怕热多汗，呼吸短促，下肢轻重不等的水肿。

# 调养食谱

## 冬瓜粥

**材料：**新鲜冬瓜 100 克，粳米 100 克。

**做法：**

1. 冬瓜用刀刮去皮后，洗净切成小片，粳米淘洗干净。

2. 将冬瓜片与粳米一起置于砂锅内，一并煮成粥即可。

**妈妈喂养经：**

冬瓜不含脂肪，是低热量食品，其含有的葫芦巴碱能促进人体新陈代谢，丙醇二酸能有效地阻止机体中的糖类转化为脂肪，且能把多余脂肪消耗掉，长期食用，可使体重减轻。

## 冬瓜茶

**材料：**冬瓜肉 30 克，冬瓜皮 30 克。

**做法：**

1. 先将冬瓜去皮，再将冬瓜肉和冬瓜皮用清水洗净，切成小块备用。

2. 将冬瓜肉和冬瓜皮一起放入锅内煮熟烂即可食用。

**妈妈喂养经：**

此品可以排掉宝宝的体内毒素，去除食物的油腻脂肪，避免宝宝摄入过量脂肪，使宝宝不知不觉减肥成功。

## 海米白菜

**材料：**海米 10 克，白菜 200 克，精盐、酱油各适量。

**做法：**

1. 海米用温水浸泡发好；白菜洗净，切段。

2. 锅内放油烧热，放入白菜段炒至半熟，放入海米，加精盐、酱油调味，稍加清水，盖上锅盖烧熟透即可。

**妈妈喂养经：**

海米、白菜都有健肠胃的功效，适合肥胖宝宝经常食用。

# 宝宝惊风

宝宝惊风又被称为惊厥，俗称为“抽风”，以肢体抽搐、两目上视和意识不清为特征，是宝宝常见病症之一。多见于6个月至3岁的宝宝。临床上分为急惊、慢惊两种。而且一般来说，宝宝的年龄越小，发病率就越高，因为小儿的神经系统调控抑制和兴奋的能力不及大人，所以比较容易发生惊风的症状。

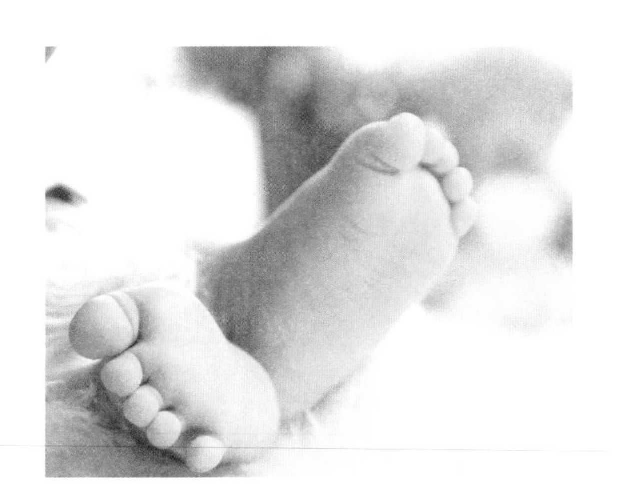

## 常见病因

### 感染性惊厥（热性惊厥）

❶ 颅内疾病。病毒感染如病毒性脑炎、乙型脑炎，细菌感染如化脓性脑膜炎、结核性脑膜炎、脑脓肿、静脉窦血栓形成，真菌感染如新型隐球菌脑膜炎等，寄生虫感染如脑囊虫病、脑型疟疾、脑型血吸虫病、脑型肺吸虫病、弓形虫病等。

❷ 颅外疾病。高热惊厥、中毒性脑病（重症肺炎、百日咳、中毒性痢疾、败血症为原发病），破伤风等。

### 非感染性惊厥（无热惊厥）

❶ 颅内疾病。颅脑损伤如产伤、脑外伤、新生儿窒息、颅内出血，脑发育异常如先天性脑积水、脑血管畸形、大（小）头畸形、脑性瘫痪及神经皮肤综合征，颅内占位性疾病如脑肿瘤、脑囊肿，癫痫综合征如婴儿痉挛症，脑退行性病变如脱髓鞘性脑病、脑黄斑变性。

❷ 颅外疾病。代谢性疾病如低血钙、低血糖、低血镁、低血钠、维生素 $B_1$ 或维生素 $B_6$ 缺乏症等，遗传代谢性病如糖原累积病、半乳糖血症、苯丙酮尿症、肝豆状核变性、黏多糖病，全身性疾病如高血压脑病、尿毒症、心律失常、严重贫血、食物或药物及农药中毒等。

## 症状表现

❶ 急惊：急惊风往往高热39℃以上，面红气急，躁动不安，继而出现神志昏迷、两目上视、牙关紧闭、角弓反张、四肢抽搐等。

❷ 慢惊：嗜睡无神，两手握拳，抽搐无力，时作时止，有时小儿会在沉睡中突发痉挛。

# 调养食谱

## 虾仁山药粥

**材料：**山药 30 克，虾仁 1 ~ 2 个，粳米 50 克，精盐、味精各适量。

**做法：**

1. 将粳米洗净；山药去皮，洗净，切成小块；虾择好洗净，切成两半备用。
2. 锅内加水，投入粳米，烧开后加入山药块，用小火煮成粥。
3. 待粥将熟时，放入虾仁，加入精盐和味精即可。

## 枸杞鲜蘑炒猪心

**材料：**猪心 250 克，枸杞子 10 克，鲜蘑 100 克，酱油、花椒等调味量各适量。

**做法：**

1. 将猪心洗净，投入锅内，加入酱油、花椒、葱、姜、精盐、水煮 1 小时后，捞出凉透，切成薄片。
2. 鲜蘑用凉水洗净，切片；枸杞子洗净；辣椒洗净，剁碎；糖、醋、胡椒面、玉米粉调成汁。
3. 炒锅烧热，倒入少许油，放入辣椒炸香，放入葱、姜、枸杞子、猪心片、鲜蘑、料酒、精盐后翻炒，然后倒入糖、醋等调成的汁，再翻炒 1 分钟即可。

## 桑仁粥

**材料：**鲜紫桑葚 30 克，糯米（或粳米）50 克，冰糖适量。

**做法：**

1. 将桑葚洗净，糯米淘洗干净；
2. 将桑葚与糯米同煮成粥，粥将成时加入冰糖即可。

**妈妈喂养经：**

煮粥时应该糯米先下锅，桑葚后下锅。此粥用于小儿惊风恢复期或惊风后遗症的调理。每日服 2 次。

# 宝宝便秘

便秘是经常困扰家长的儿童常见病症之一。是指大肠运动缓慢，水分吸收过多，造成的宝宝大便干硬，排便时哭闹费力，次数比平时明显减少。由消化不良或脾胃虚弱引起，过多地食用鱼、肉、蛋类，缺少谷物、蔬菜等食物的摄入也是一个重要原因。

## 常见病因

### 饮食不平衡

宝宝饮食太少，食物中食糖量不足，可造成消化后残渣少，大便量减少；食用蛋白质含量过高使大便呈碱性、干燥，从而减少排便次数。有的宝宝不喜欢吃蔬菜，喜欢高脂肪、高胆固醇的食品，以至于造成宝宝肠胃蠕动缓慢、消化不良，食物残渣在肠道中停滞时间过久，引起便秘；还有饮食中钙多也会引起便秘；饮食不足时间较久引起营养不良，腹肌和肠肌张力减低，甚至萎缩，收缩力减弱，形成恶性循环，会加重便秘。

### 肠道功能失常

生活不规律：生活不规律和缺乏按时大便的训练，未形成排便的条件反射导致便秘很常见，有的宝宝突然环境改变，也可能出现便秘。

疾病：患慢性病如营养不良、佝偻病、高钙血症、皮肌炎、呆小病及先天性肌无力等，都因肠壁肌肉乏力、功能失常而便秘。交感神经功能失常、腹肌软弱或麻痹也常使大便秘结。

## 症状表现

❶ 大便不通或粪便坚硬，有便意而排出困难。

❷ 排便间隔时间延长，在两三天以上排便一次。

❸ 严重的甚至有痔疮、肛裂，引起腹胀、纳差、口臭、头晕失眠等。

# 调养食谱

## 蔬菜汤

**材料：**圆白菜半片（约10克），胡萝卜1/4个（约30克），西蓝花5克，海带清汤半碗，精盐适量。

**做法：**

1. 将胡萝卜、圆白菜、西蓝花洗净之后切碎，加入海带清汤同煮。

2. 蔬菜煮软后加适量的精盐调味即可。

**妈妈喂养经：**

此蔬菜汤润肠通便，可帮助宝宝缓解热结便秘。

## 芝麻杏仁粥

**材料：**粳米50克，黑芝麻20克，杏仁10克，冰糖适量。

**做法：**

1. 粳米淘洗干净。

2. 粳米与杏仁、黑芝麻一同放入锅中，加水适量，大火煮开，转小火煮熟成粥，加入冰糖溶化后服用。

**妈妈喂养经：**

此粥益气润下，适用于气虚便秘，症状主要为有便意，却无便力。

## 糙米糊

**材料：**糙米粉2汤匙，温开水小半杯。

**做法：**

1. 取糙米粉2汤匙放入碗中，再加入温开水小半杯。

2. 用汤匙搅拌均匀，成黏稠糊状即可。

**妈妈喂养经：**

糙米含丰富的膳食纤维，而膳食纤维有助于帮助肠胃消化蠕动，预防便秘。

# 宝宝腹泻

宝宝腹泻又叫拉肚子，属小儿最常见的多发性疾病之一，常见发于6个月至2岁，主要表现于宝宝频繁地排泄不成形的稀便。腹泻如果不及时医治，后果将更严重，会导致宝宝营养不良，反复感染，从而影响宝宝的生长发育。

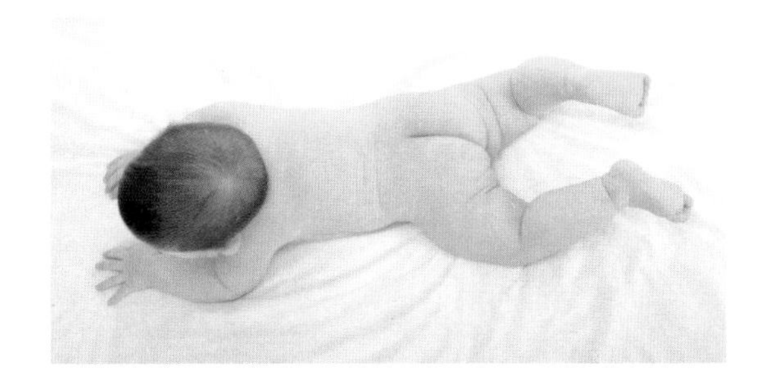

## 常见病因

### 胃肠道功能紊乱

宝宝消化系统发育不良，胃酸和消化酶分泌不足及对营养物质的需求相对较多。因此，在受到不良因素影响时，易引起消化道功能紊乱。

### 感染性腹泻

血液中免疫球蛋白、胃肠道SIgA及胃内酸度均较低，对感染的防御能力差。

肠道内感染：可由病毒、细菌、真菌、寄生虫引起。尤其以病毒、细菌为多见。病毒感染以轮状病毒引起的秋冬季小儿腹泻最为常见，其次是埃可病毒和柯萨奇病毒等。细菌感染（不包括法定传染病）以致病性大肠埃希菌（致病性大肠杆菌）为主，其次是产毒性大肠埃希菌（产毒性大肠杆菌）和弯曲菌等。真菌和寄生虫也可引起急慢性肠炎。

肠道外感染：由于发热及病原体毒素作用使消化功能紊乱，故当患中耳炎、肺炎、上呼吸道、泌尿道、皮肤感染或急性传染病等，可伴有腹泻。肠道外感染的病原体（主要是病毒）有时可同时感染肠道。

### 机体防御功能较差

血液中免疫球蛋白、胃肠道SIgA及胃内酸度均较低，对感染的防御能力差。当喂养的时间，食物的性质、量及气候突然改变等因素均可引起腹泻。

## 症状表现

1. 排出不成形的像稀水一样的大便。
2. 排便很急，无法控制。
3. 常伴有腹部痉挛和胀气，肠子咕咕作响。
4. 口渴，食欲不振。
5. 偶见呕吐和发热的症状。

# 调养食谱

## 栗子粥

**材料：**栗子 5 个，海带清汤半碗。

**做法：**

1. 将栗子煮熟之后去皮，捣碎。

2. 海带清汤煮沸后加栗子同煮。

**妈妈喂养经：**

栗子可强肠胃功能，有助于消化。宝宝腹泻时食用栗子，效果较好。

## 胡萝卜泥

**材料：**胡萝卜半根（约 100 克）。

**做法：**

1. 把胡萝卜洗净，去除根须。

2. 放入蒸锅内上火蒸熟蒸烂，取出凉凉捣烂成泥，如果小孩喜吃甜食也可稍加白糖。

**妈妈喂养经：**

胡萝卜味甘性平，有健脾助消化、收敛和吸附作用，对宝宝腹泻有一定的食疗作用。

## 苹果糊

**材料：**苹果 1 个（约 150 克），白糖或蜂蜜少许。

**做法：**

1. 把苹果洗净后去皮除籽，然后切成薄薄的片。

2. 苹果片放入锅内并加少许白糖煮，煮片刻后稍稍加点水，再用中火煮至糊状，停火后用勺子背面将其研碎。

**妈妈喂养经：**

苹果中的果胶能吸附毒素和水分，鞣酸具有收敛作用。

# 宝宝手足口病

手足口病是由肠道病毒 71 型或柯萨奇病毒 A16 型等数种肠道病毒引起的传染病，且该病没有免疫性，患过一次后还可以再患。主要易感人群是 5 岁以下的宝宝。因为其具有传染性，所以常常大面积的爆发。

## 症状表现

初期宝宝出现咳嗽、流鼻涕、烦躁、哭闹等症状，多数不发热或有低热。发病 1 ~ 3 天后，宝宝口腔内、口唇内侧、舌、软腭、硬腭、颊部、手足心、肘、膝、臀部和前阴等部位出现小米粒或绿豆大小、周围发红的灰白色小疱疹或红色丘疹，不痒、不痛、不结痂、不结疤、不像蚊虫咬、不像药物疹、不像口唇牙龈疱疹，也不像水痘。口腔内的疱疹破溃后即出现溃疡，导致宝宝常常流口水，不能吃东西。重症患儿可伴发热、流涕、咳嗽等症状。如果疱疹破溃，极容易传染。

## 护理建议

❶ 一旦发现宝宝感染了手足口病，应及时就医，避免与外界接触。一般需要隔离两周左右。

❷ 口腔疼痛会导致宝宝拒食、流涎、哭闹不眠等，所以要保持宝宝口腔清洁。

❸ 体温在 37.5 ~ 38.5℃的宝宝，要注意给宝宝散热、降温。可以通过多喝温水或洗温水浴等方法降温。

❹ 如果宝宝在夏季得病，容易造成脱水和电解质紊乱，需要给宝宝适当补水和营养。宝宝宜卧床休息 1 周，多喝温开水。

❺ 宝宝患病后因发热、口腔疱疹，胃口较差，不愿进食。宜给宝宝吃清淡、温性、可口、易消化、柔软的流质或半流质食物，禁食冰冷、辛辣、咸等刺激性食物。治疗期间应注意不要让宝宝吃鱼、虾、蟹等水产品。

# 调养食谱

## 橘枣茶

**材料**：红枣 10 枚，橘皮 10 克。

**做法**：

1. 把红枣洗净晾干，放在铁锅内炒焦。

2. 取橘皮和红枣二味一起用开水冲泡。

**妈妈喂养经**：

红枣含有蛋白质、脂肪、糖类、有机酸、维生素 A、维生素 C、微量钙等丰富的营养成分，可以提高身体功能，提高身体的抵抗力和恢复能力。

## 木瓜牛奶汁

**材料**：木瓜 1/4 颗（约 100 克），牛奶 1 杯（约 200 毫升）。

**做法**：

1.木瓜去皮切块，放入搅拌器中打成泥。

2.将木瓜泥取出倒进牛奶里搅拌均匀即可。

**妈妈喂养经**：

牛奶营养丰富，可以提高宝宝的抵抗力，使宝宝的身体健康，防御疾病的攻击。

## 时令鲜藕粥

**材料**：鲜藕一段（约 300 克），粳米 100 克，红糖适量。

**做法**：

1.把鲜藕洗净切成薄片。

2.将粳米、藕片、红糖放入锅内，加适量清水，用大火烧沸后，转用小火煮至米烂成粥。

**妈妈喂养经**：

莲藕生用性寒，有清热凉血作用。

## 番茄胡萝卜汁

**材料：** 番茄 1 颗（约 200 克），胡萝卜 1 棵（约 150 克）。

**做法：**

1.将番茄和胡萝卜去皮洗净切成丁。

2.放入榨汁机中，加适量水榨成汁即可。

**妈妈喂养经：**

番茄和胡萝卜都含有大量的营养素，可以满足宝宝营养素的需求。另外番茄中的番茄红素还能提高身体的抗氧化能力。

## 紫草二豆粥

**材料：** 紫草根、绿豆、赤小豆、粳米、甘草各 30 克。

**做法：**

紫草根、绿豆、赤小豆、粳米、甘草一起加水煮粥。

**妈妈喂养经：**

此粥香甜可口，又可以预防手足口病。

## 百合杏仁赤豆粥

**材料：** 百合 10 克，杏仁 6 克，赤小豆 60 克，大米 60 克，冰糖 20 克。

**做法：**

1. 将百合、赤小豆、大米洗净备用。

2. 锅内加水，先将杏仁放入锅中浸泡 10 分钟，然后开火加热，待水沸后捞出备用。

3. 另起一锅水，放入赤小豆和大米，大火煮沸后，改用小火炖煮 20 分钟。

4. 放入百合、杏仁同煮，继续煮约 10 分钟后，调入冰糖即可。

**妈妈喂养经：**

此粥具有解毒排脓、润肺止咳、利水消肿的功效，对手足口病患儿有辅助治疗的作用。

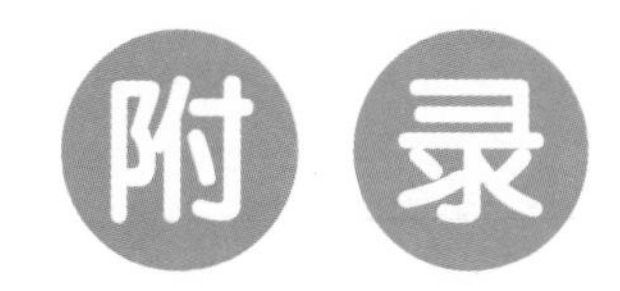

# 健康宝宝不可缺少的营养素

## 蛋白质

蛋白质是人体结构的主要成分，在身体中的含量仅次于水。不仅修复机体组织需要蛋白质，而且生长发育也需要蛋白质，婴幼儿的生长发育较快，所以宝宝需要的蛋白质相对较成人更多。

### 生理功能

❶ 蛋白质是构成细胞、组织和器官的主要材料。婴幼儿的生长发育离不开蛋白质。

❷ 宝宝体内新陈代谢过程中起催化作用的酶、调节生长和代谢的各种激素，以及有免疫功能的抗体都是由蛋白质构成的。此外，蛋白质对维持体内酸碱平衡和水分的正常分布也都有重要作用。

❸ 当食物中蛋白质的氨基酸组成和比例不符合宝宝身体需要时，或者宝宝摄入的蛋白质超过身体合成蛋白质的需要时，多余的蛋白质就会被氧化分解，为身体提供热能。

### 主要来源

奶、蛋、鱼、瘦肉等的动物性食物蛋白质含量高、质量好。大豆含有丰富的优质蛋白质。谷类约含有10%的蛋白质。

### 缺乏表现

缺乏蛋白质时，宝宝往往表现为生长发育迟缓、体重减轻、身材矮小、厌食。同时，对疾病的抵抗力下降，容易感冒，破损的伤口不易愈合等。

**★爱心妈妈喂养经：宝宝不吃肉怎么保证得到足够的蛋白质？**

大部分宝宝之所以不爱吃肉，是因为肉比别的食物咀嚼起来费力，因此给宝宝的肉食一定要做得软、烂、鲜嫩。奶类、豆类、鸡蛋、面包、米饭、蔬菜等其他食物也含蛋白质，如果每日平均喝2杯奶、吃3～4片面包、1个鸡蛋和3匙蔬菜，折合起来的蛋白质总量就有30～32克。当然，也可以多吃些豆制品来补充蛋白质，所以不必过于担心。另外，父母应注意，宝宝偶尔不吃肉，也不要让宝宝形成自己不吃肉的观念，应该照样给他吃肉的机会，而且给他吃些鲜嫩易嚼的肉。这样可能有一天，你会惊奇地发现，自己的宝宝是非常喜欢吃肉的！

## 糖类

糖类也叫碳水化合物，是人体最重要、最经济、来源最广泛的能量营养素，与蛋白质和脂肪共同构成了人体的能量来源。

### 生理功能

糖类提供宝宝身体正常运作的大部分能量，起到保持体温，促进新陈代谢，驱动肢体运动和维持大脑、神经系统正常功能的作用。特别是大脑的功能，完全靠血液中的糖类氧化后产生的能量来支持。糖类中还含有一种不被消化的纤维，有吸水和吸脂的作用，有助于宝宝大便畅通。

### 主要来源

蔗糖、谷物（如水稻、小麦、玉米、大麦、燕麦、高粱等）、水果（如甘蔗、甜瓜、西瓜、香蕉、葡萄等）、坚果、蔬菜（如胡萝卜、番薯）等。

### 缺乏表现

膳食中缺乏糖类时，宝宝会显得全身无力、精神疲乏不振，有的宝宝会有便秘现象发生。由于热量不足，会引起体温下降，宝宝表现为正常的温度下也畏寒怕冷。如果长期得不到足够的糖类，宝宝的身体发育会迟滞甚至停止，体重也会下降。

### 注意事项

婴儿期的宝宝不能过多摄入糖类，否则会影响蛋白质和脂肪摄入，引起宝宝虚胖和免疫力低下，容易感染各种传染性疾病。

## 脂类

脂类是人体组织的重要组成成分，体脂平均占人体体重的 14% ~ 19%。脂肪与胆固醇、磷脂又统称为脂类。

食物中的脂肪是为人体提供能量的三大产热营养素之一，每克脂肪在体内氧化可产生能量 37.66 千焦（9 千卡），比同重量的另两种产热营养素（蛋白质及糖类）所产生的能量高出 1 倍多。由脂肪提供的能量占成人所需能量的 20% ~ 30%，而儿童年龄愈小所占比重愈大，婴幼儿可达 35%。

不饱和脂肪酸和饱和脂肪酸是脂肪的主要成分，其中部分不饱和脂肪酸在人体内不能由糖类和蛋白质合成，必须由食物供给，因此脂肪为营养素中不可缺少的组成部分。母乳中含不饱和脂肪酸多，牛奶中含饱和脂肪酸多。因此，母乳喂养对宝宝更有益。

### 生理功能

① 为宝宝身体提供热量。单位脂肪在体内分解产生的热量比单位蛋白质或单位糖类高1倍多。

② 脂肪是构成细胞膜的重要生理物质。

③ 皮下脂肪有维持正常体温的作用，内脏器官周围的脂肪垫有缓冲外力冲击，保护内脏的作用。

④ 提供宝宝身体必需的脂肪酸。

⑤ 有些脂肪中含有维生素A、维生素D、维生素E，并且脂肪还能促进这些维生素的吸收。

### 主要来源

猪肉、牛肉、羊肉、鸡肉、鸡蛋、大豆、花生仁、核桃仁、芝麻、葵花子、松子仁等。

### 缺乏表现

脂肪摄入量不足时，宝宝会身体消瘦，面无光泽，还会造成脂溶性维生素A、维生素D、维生素E、维生素K的缺乏，从而发生相应的疾病。而且，宝宝的视力发育会受到严重影响，表现为视力功能较差，出现弱视等倾向。

### 注意事项

长期进食高脂肪食品的宝宝，会有肥胖、维生素缺乏、智力发育较同龄儿缓慢、运动能力差等表现。

## 水

水是人体不可缺少的营养素，人体的各种生命活动都离不开水。婴幼儿正处在迅速生长发育的时期，水的需求相对较成人更多。1岁以下的宝宝每日每千克体重需水量为125～150毫升，以后每长3岁，每千克体重需水量减少25毫升。根据这些数据，你便可推算出你的宝宝每天需要多少水，这些推算数字仅供家长参考，因为每天需水量与宝宝活动量大小、外界气温高低和食物种类也都有关系。

### 生理功能

① 水是构成体内细胞的主要成分。

② 水是体内一切代谢反应的媒介。

③ 水是输送养分和排泄废物的媒介。

④ 水可以调节体温和起润滑作用。

⑤ 水可以提供一些矿物质和微量元素。

### 主要来源

宝宝每天需水量的60%～70%来自于饮食，30%～40%靠饮水补充。

### 缺乏表现

缺水时，婴儿期的宝宝会表现出睡眠不安，不明原因地哭闹。如果是在炎热的夏季，还会有体温升高的现象。幼儿期的宝宝则会有频繁舔嘴唇的动作。当缺水持续时间较长时，宝宝尿量会减少，尿液呈黄色，还会伴有便秘现象。

### 注意事项

小宝宝都贪玩，往往顾不上喝水。不要等到宝宝渴急了，才给他饮水。因为当他有口渴的感觉时，宝宝体内的细胞已经脱水了。提倡让宝宝定时定量饮水，这样有利于保持体内经常性的水平衡、维护机体生理功能和新陈代谢。

宝宝不宜多喝饮料，因为饮料中的添加剂、防腐剂对宝宝身体有损害，而且饮料中过多的糖分，会影响宝宝食欲，使宝宝到正餐时间不想吃饭，日久天长，身体会逐渐黄瘦。其实白开水就是最好的饮料，它口感清爽，不甜腻，不影响食欲，对宝宝生长发育最有利。

## 维生素 A

维生素A是脂溶性的，可以被存储在宝宝的身体里，不必每日进行补充。维生素A有两种形式，一是前维生素A，称为视黄醇，只能存在于肉类食品中；二是维生素A原，称为胡萝卜素，在植物类和肉类食品中都存在。β－胡萝卜素是补充维生素A的最佳形式。

### 生理功能

1. 促进牙齿、骨骼正常生长。
2. 保护表皮、黏膜，使之不易受细菌伤害。
3. 调适适应外界光线的强弱，以降低夜盲症的发生。
4. 调节上皮组织细胞的生长，防止皮肤黏膜干燥、角质化。
5. 增强对疾病感染的身体抵抗力。
6. 治疗眼球干燥与结膜炎等疾患。
7. 具有抗氧化作用，以中和有害的游离基。

### 主要来源

视黄醇：黄油、动物肝脏、全脂牛奶、奶酪、蛋黄等。

β－胡萝卜素：绿叶蔬菜、胡萝卜、红薯、南瓜、甜瓜等。

### 缺乏表现

维生素A缺乏的宝宝皮肤变得干涩、粗糙，浑身起小疙瘩，形同鸡皮。头发稀疏、干枯、缺乏光泽。指甲变脆，形状改变。眼睛结膜与角膜（俗称黑眼仁）亦发生病变，轻者眼干、畏光、夜盲，重者黑眼仁混浊，形成溃疡，最后穿孔而失明。

### 注意事项

婴幼儿每日需要维生素A 400微克，不可超量，否则会引起中毒。中毒的表现为食欲

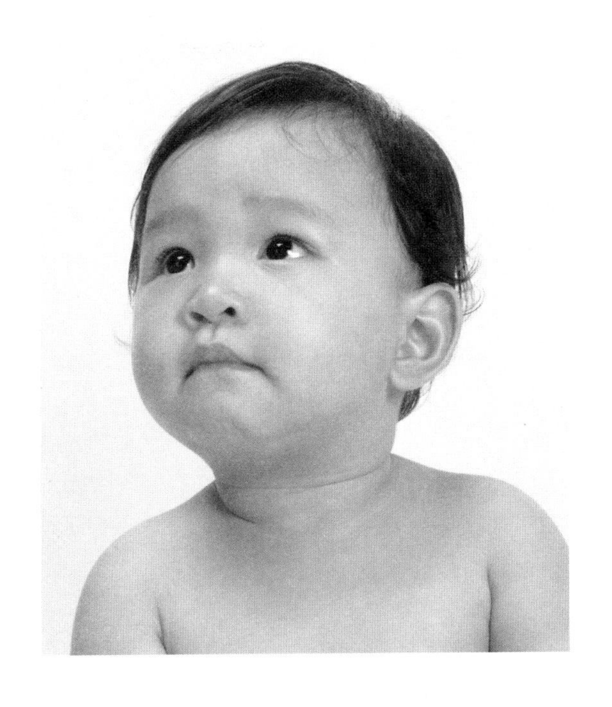

不振，易于激动，严重的会毛发脱落，肝脾肿大，皮肤干燥、奇痒难忍、皲裂。

添加维生素 A 制剂时应当在医生指导下进行，谨慎选择剂型，并根据宝宝年龄大小及时调整药量及服药期限。一些宝宝食品中已强化维生素 A，如果再有规律地给宝宝服用的话，也需要相应减少维生素 A 的添加量。

## 维生素 D

维生素 D 是脂溶性维生素，可以被存储在宝宝身体内，不必每日补充。它需要通过日晒和饮食获取。（太阳紫外线作用于人体皮肤中的油脂而产生这种维生素，并被身体吸收。）

### 生理功能

❶ 提高机体对钙、磷的吸收，使血浆钙和血浆磷的水平达到饱和程度。

❷ 促进生长和骨骼钙化，促进牙齿健全。

❸ 通过肠壁增加磷的吸收，并通过肾小管增加磷的再吸收。

❹ 维持血液中柠檬酸盐的正常水平。

❺ 防止氨基酸通过肾脏损失。

### 主要来源

天然的维生素 D 来自于动物和植物，如鱼肝油、鱼子、蛋黄、奶类、蕈类、酵母、干菜等。人体皮下组织中有一种胆固醇，经日光中紫外线的直接照射后，也可以变为维生素 D。

### 缺乏表现

维生素 D 的缺乏会导致宝宝佝偻病的发生，其体征按月龄和活动情况而不同，6 个月龄内的宝宝会出现乒乓头；6 个月至 1 岁的宝宝可出现肋骨外翻、肋骨串珠、鸡胸、漏斗胸等；1 岁左右宝宝学走时，会出现“O”形腿、“X”形腿等体征。

★爱心妈妈喂养经：

阳光是天然的维生素 D 营养源。国外资料表明，如果暴露着晒太阳，每 1 平方厘米皮肤半小时可产生 20 国际单位的维生素 D。宝宝每日户外活动 2 个小时，足够满足自身一天对维生素 D 的需要。进入冬季，宝宝的户外活动较少，可以让宝宝在暖和的房间里开着窗晒太阳，晒时不要“捂”，要让宝宝充分接受大自然给予的“维生素 D 营养源”。

## 维生素 E

维生素 E 是一种具有抗氧化功能的维生素。对婴幼儿来说，维生素 E 对维持机体的免疫功能，预防疾病的发生起着重要的作用。婴儿期维生素 E 的每日推荐供给量为：0 ~ 6 月龄为 3 毫克，7 ~ 12 月龄为 4 毫克。母乳中维生素 E 的含量为 2 ~ 5 毫克 / 升，牛奶中含量仅为母乳的 1/10 ~ 1/2。因此，人工喂养时要注意维生素 E 的补充。由于维生素 E 的需要量受饮食中多不饱和脂肪酸含量影响，所以在宝宝食物中含有较多植物油时要注意维生素 E 的适当补充。有的新生儿（主要是早产儿）体内维生素 E 水平较低，可引起溶血性贫血。

### 生理功能

❶ 维生素 E 是一种强抗氧化剂，能有效地阻止食物和消化道内脂肪酸的酸败，保护细胞免受不饱和脂肪酸氧化产生的有害物质的伤害。

❷ 维生素 E 是极好的自由基清除剂，能保护生物膜免受自由基攻击，是有效的抗衰老营养素。

❸ 提高机体免疫力。

❹ 保持血红细胞的完整性，促进血红细胞的生物合成。

❺ 维生素 E 是细胞呼吸的必需促进因子，可保护肺组织免受空气污染。

### 主要来源

各种植物油（麦胚油、棉籽油、玉米油、花生油、芝麻油），谷物的胚芽，许多绿色植物以及肉、奶油、奶、蛋等，都是维生素 E 良好或较好的来源。

### 缺乏表现

在婴幼儿时期，维生素 E 缺乏主要表现为皮肤粗糙干燥、缺少光泽、容易脱屑以及生长发育迟缓等。

★爱心妈妈喂养经：

哪些宝宝需注意补充维生素 E 呢？

1. 饮食富含多不饱和脂肪酸（植物油、鱼类油）的宝宝必须补充维生素 E。

2. 饮用以氯消毒的自来水的宝宝必须多摄取维生素 E。

## B 族维生素

B 族维生素是一个大家庭，它又可以分为维生素 $B_1$、维生素 $B_2$、维生素 $B_3$、维生素 $B_6$、维生素 $B_{12}$ 等许多种。

### 生理功能

维生素 $B_1$：在人体中与磷酸结合，能刺激胃蠕动，促进食物排空而增进食欲，并具有营养神经、维护心肌、消除疲劳等作用。

维生素 $B_2$：是构成黄酶的辅酶，参加物质代谢，能促进细胞的氧化还原。

维生素 $B_6$：是机体内许多重要酶系统的辅酶，是宝宝正常发育所必需的营养成分。

维生素 $B_{12}$：是宝宝身体制造红细胞和保持免疫系统正常的必要物质。

### 主要来源

维生素 $B_1$：谷类、豆类、酵母、干果及动物心脏、瘦肉及蛋类、蔬菜，特别是芹菜叶。

维生素 $B_2$：动物内脏、禽蛋类、奶类、豆类及新鲜绿叶蔬菜。

维生素 $B_6$：小麦麸、麦芽、动物肝脏与肾脏、大豆、甘蓝、糙米、蛋、燕麦、花生、胡桃。

维生素 $B_{12}$：动物肝脏、牛肉、猪肉、蛋、牛奶、奶酪。

### 缺乏表现

维生素 $B_1$ 缺乏会引起消化不良，有时还会引起手脚发麻及多发性神经炎。缺乏维生素 $B_2$ 时，宝宝容易出现口臭、睡眠不佳、精神倦怠、皮肤“出油”、皮屑增多等，有时会产生口腔黏膜溃疡、口角炎等严重症状。

维生素 $B_6$ 和维生素 $B_{12}$ 是神经细胞代谢所必需的物质，缺乏时可表现出皮肤感觉异常、毛发稀黄、精神不振、食欲下降、呕吐、腹泻、营养性贫血等症状。

★爱心妈妈喂养经：

由于B族维生素都是水溶性的，多余的部分不会储藏于体内，而会完全排出体外，所以需要每天补充。

维生素$B_1$、维生素$B_2$、维生素$B_6$容易氧化，所以宜采用焖、蒸、做馅等方式进行加工。维生素$B_1$、维生素$B_2$在碱性条件下会分解，而在酸性环境中可耐热，所以可以在烹调时适量加一点醋。

## 维生素C

维生素C是水溶性物质，我们身边维生素C含量丰富的食品很多。正常喂哺的食物基本可以满足宝宝身体对维生素C的需要。因为维生素C不能在体内储存，所以每天都应摄入一定量的维生素C。

### 生理功能

❶ 维持细胞的正常代谢，保护酶的活性。

❷ 促进氨基酸中酪氨酸和蛋氨酸的代谢，使蛋白质细胞互相牢聚。

❸ 改善人体对铁、钙的吸收和促进叶酸的利用率。

❹ 改善脂肪和类脂，特别是胆固醇的代谢，预防心血管病。

❺ 促进牙齿和骨骼的生长，防止牙龈出血。

❻ 增强机体对外界环境的抗应激能力和免疫力。

❼ 促进骨胶原的生物合成，有利于创伤口的更快愈合。

❽ 预防坏血病。

### 主要来源

富含维生素C的鲜果有：猕猴桃、枣类、柚、橙、草莓、柿子、石榴、山楂、荔枝、龙眼、芒果、无花果、菠萝、苹果、葡萄。蔬菜中：苤蓝、雪里红、苋菜、青蒜、蒜苗、香椿、花椰菜、苦瓜、辣椒、甜椒、酸芥菜等含量较多。

### 缺乏表现

维生素C缺乏时机体抵抗力减弱，易患疾病，表现在宝宝身上最常见的是经常性的感冒。维生素C还参与造血代谢等多项过程，缺乏时表现为出血倾向，如皮下出血、牙龈肿胀出血、鼻出血等，同时伤口不易愈合。

★爱心妈妈喂养经：

维生素C对热度很敏感，在烧煮的过程中会被部分破坏。烹饪时这样可以减少维生素C的损失：

❶ 不要将食物切得太细。

❷ 尽量采用蒸的办法。煮食物时，少用水，以减少维生素C的浸出。

❸ 煮饭时，应先将水烧开，然后将食物放入，将锅盖紧，减少氧的进入。

❹ 烹调时间尽量缩短。

## 钙

钙是人体内含量最多的矿物质，大部分存在于骨骼和牙齿之中。钙和磷相互作用，可制造健康的骨骼和牙齿。钙还和镁相互作用，维持健康的心脏和血管。

### 生理功能

❶ 构成骨骼、牙齿的主要成分。

❷ 降低神经肌肉的兴奋性，维持心肌的正常收缩。

❸ 降低毛细血管和细胞膜的通透性。

❹ 参与凝血过程。

### 主要来源

海产品如鱼、虾皮、虾米、海带、紫菜等，豆制品，鲜奶以及酸奶、奶酪等奶制品，蔬菜中的金针菜、胡萝卜、小白菜、小油菜等，水果和硬壳食物（核桃、松子等）。另外，鸡蛋中含钙量也较高。

### 缺乏表现

❶ 多汗。与体温无关，尤其是入睡后头部出汗，使宝宝头颅不断摩擦枕头，久之颅后可见枕秃圈。

❷ 精神烦躁。对周围环境不感兴趣，有时家长会发现宝宝不如以往活泼。

❸ 夜惊。夜间常突然惊醒，啼哭不止。

❹ 1岁以后的宝宝表现为出牙晚。前囟门闭合延迟，常在1岁半后仍不闭合。

❺ 前额高突，形成方颅。

❻ 常有串珠肋。由于缺乏维生素D和钙，肋软骨增生，各个肋骨的软骨增生连起似串珠样，常压迫肺脏，使宝宝通气不畅，容易患气管炎、肺炎。

❼ 缺钙严重时，肌肉肌腱均松弛。表现为腹部膨大、驼背。1岁以内的宝宝站立时有“X”形、“O”形腿现象。

★爱心妈妈喂养经：

补钙一定要遵医嘱。给宝宝过量补钙会导致钙中毒，中毒患儿可出现呼吸深而有力、烦躁不安、恶心呕吐、嗜睡、口唇发白或青紫等症状，严重的可发生昏迷，抢救不及时甚至会危及宝宝生命。

## 碘

碘是人体必需的微量元素，也有人称之为智力元素。国际医学界的检测结果显示，人类智力的损害中有80%是因为缺碘导致的。0～2岁是脑细胞发育的关键时段，此时碘营养是否正常，直接影响到宝宝一生的智力水平。

### 生理功能

人体内80%的碘存在于甲状腺中，碘的生理功能主要通过甲状腺激素表现出来。不仅对调节机体物质代谢必不可缺，对机体的生长发育也非常重要。

### 主要来源

平时烹调宝宝食物要坚持使用合格碘盐，并应适当让宝宝食用一些富含碘的天然食品，如海带、紫菜、海鱼、虾、海参、海蜇、海藻、洋葱、豆类等含碘丰富的海产品。

### 缺乏表现

婴儿期的宝宝缺碘，可引起智力低下，听力、语言和运动障碍，身材矮小，上半身比例大，有黏液性水肿，皮肤粗糙干燥，面容呆笨，两眼间距宽，鼻梁塌陷，舌头经常伸出口外。幼儿期缺碘则会引发甲状腺肿大。

★爱心妈妈喂养经：

人体对碘的摄入量并不是越多越好。碘对甲状腺肿的流行有明显的双向性，摄入不足会引起低碘甲状腺肿，而摄入过高时，也会引起高碘甲状腺肿。

## 铁

铁是造血原料之一。宝宝出生后体内储存有由母体获得的铁，可供3～4个月之需。由于母乳、牛奶中含铁量都较低，如果4个月后不及时添加含铁丰富的食品，宝宝就会出现营养性缺铁性贫血。

### 生理功能

❶ 与蛋白质结合形成血红蛋白，在血液中参与氧的运输。

❷ 构成人体必需的酶，参与各种细胞代谢的最后氧化阶段及二磷酸腺苷的生成。

### 主要来源

动物的肝、心、肾，蛋黄，瘦肉，黑鲤鱼，虾，海带，紫菜，黑木耳，南瓜子，芝麻，黄豆，绿叶蔬菜等。

### 缺乏表现

铁元素缺乏最直接的危害就是造成宝宝缺铁性贫血。患儿常常表现为疲乏无力，面色苍白，皮肤干燥、角化，毛发无光泽、易折、易脱，指甲条纹隆起，严重者指甲扁平，甚至呈“反甲”。患儿易患口角炎、舌炎、舌乳头萎缩；一些患儿有“异食癖”，如喜食泥土、墙皮、生米等。约1/3患儿可出现神经、精神症状，易怒、易动、兴奋、烦躁，甚至出现智力障碍。

★爱心妈妈喂养经：怎样补充铁？

奶类、植物纤维素等都会抑制铁的吸收。茶、菠菜含有鞣酸，易与铁形成难溶性的混合物，所以通常所说的吃菠菜补铁的观念是片面的。一般来说，植物性食物中铁的吸收率较低，多在10%以下，动物性食物吸收率较高，但牛奶为贫铁食物，蛋类中由于存在卵黄高磷蛋白铁吸收率亦较低。为了防止缺铁的形成，日常膳食中应多搭配动物肝脏、动物全血、肉类、鱼类。多食铁强化食物，如强化铁的食盐、奶粉等。

## 锌

锌是人体生长发育、生殖遗传、免疫、内分泌等重要生理过程中必不可少的物质。母乳所含的锌的生物利用率比较高，牛奶喂养的宝宝就应该尽早添加富含锌元素的辅食。另外，在断乳期辅食添加应充足，喂养要适当，以免引起宝宝缺锌。

### 生理功能

❶ 参与酶的合成与激活。

❷ 加速生长发育，维持正常食欲。

❸ 维持正常的免疫功能。

❹ 促进伤口愈合。

❺ 对维生素A的代谢及视觉发育有重要作用。

❻ 维持脑的正常发育。

❼ 促进和维持性功能。

### 主要来源

含锌量高的食物有牡蛎、蛏子、扇贝、海螺、海蚌、动物肝脏、禽肉、瘦肉、蛋黄、蘑菇、豆类、小麦芽、酵母、奶酪、海带、坚果等。

### 缺乏表现

缺锌的宝宝普遍食欲差，有异食癖、皮肤色素沉着等问题，还会在皮肤和黏膜的交界处及四肢末端发生皮炎。缺锌将导致宝宝生长发育障碍，使身材矮小。0～6个月的宝宝缺锌，脑胶质细胞就要减少15%，将直接造成终生不能修复的损害。幼儿期缺锌会影响神经行为发育和动作发育的改变，对宝宝智力的发育损害也是无可挽回的。

★爱心妈妈喂养经：

在宝宝的饮食中，如果能合理搭配食物，同时宝宝没有挑食、偏食的坏毛病的话，一般宝宝不会有缺锌现象。母乳喂养的宝宝，一般不需要特别补锌。

补锌过多可使宝宝体内维生素C和铁的含量减少，并且抑制铁的吸收和利用，从而引起缺铁性贫血。锌元素过多还会抑制吞噬细胞的活性，使免疫力下降，反复感染。由此导致的体内锌铜元素比值增大还会影响胆固醇的代谢，使血脂增高。

## 镁

镁是人体生化代谢过程中必不可少的元素。婴幼儿的血镁含量虽然很少，但对维护中枢神经系统的功能，抑制神经、肌肉的兴奋性，保障心肌正常收缩等都起着十分重要的作用。

### 生理功能

❶ 参与体内所有能量代谢，激活和催化300多个酶系统，包括葡萄糖的利用，脂肪、蛋白质和核酸合成等。

❷ 保持细胞内钾的稳定，维持心肌、神经、肌肉的正常功能。

❸ 保护骨骼健康。

### 食物来源

紫菜含镁量最高，花生中也含有丰富的镁，一般每星期吃2～3次花生，每次5～8粒便能满足对镁的需求量。其他富含镁的食物有：绿色蔬菜、水果、海带、豆类、燕麦、玉米、坚果类、芝麻、扁豆等。

### 缺乏表现

镁元素缺乏会使宝宝发生低镁惊厥症，症状上与低钙惊厥相似。轻症仅表现为眼角、面肌或口角的搐动，一般不太会引起家长的注意。典型发作为四肢强直性抽搐。也有的是双眼凝视，伴阵发性屏气，或阵发性呼吸停止，伴下肢强直。还可能是一侧面肌及机体抽动或者交替发生。发作期还会有肤色青紫、出汗、发热等症状。

### 注意事项

精细食物在加工过程中会损失较多的镁。动物性食物中含有丰富的磷及磷化物，会阻碍胃肠对镁的吸收。宝宝偏食，不爱吃绿叶蔬菜，也会导致镁元素摄入量不足。

## 钾

钾元素是人体细胞内最主要的阳离子，它的大部分生理功能都是在与钠的协同作用中发挥的。因此，维持宝宝体内钾、钠离子的平衡，对生命活动有重要意义。婴幼儿钾的供给量为500 ~ 1000毫克。无论是母乳还是牛奶中，都含有丰富的钾，宝宝的吸收率可达90%以上。因此，不易产生钾缺乏症。

### 生理功能

❶ 调节细胞内适宜的渗透压和体液的酸碱平衡。

❷ 参与细胞内糖和蛋白质的代谢。

❸ 有助于维持神经健康、心跳规律正常，协助肌肉正常收缩。

### 主要来源

钾广泛分布于食物中。肉类、家禽、鱼类、各种水果和蔬菜类都是钾的良好来源。含钾比较丰富的食物主要存在于水果、糖浆、土豆粉、米糠、海带、大豆粉、香料、向日葵子、麦麸和牛肉等当中。

### 缺乏表现

宝宝体内钾缺乏可引起心跳不规律和心跳加速、心电图异常、肌肉衰弱、烦躁，严重的将导致心跳停止。其实，宝宝很少因为膳食的原因引起钾的缺乏，而多是由于腹泻、呕吐以及服用利尿药而使尿钾大量流失所致。所以，有以上症状的宝宝需要警惕钾缺乏。

### 注意事项

夏季炎热，空气中湿度较大，比较闷热，宝宝活动量大便会出大量的汗。如果出汗后的宝宝出现四肢无力、疲惫嗜睡等症状，就表明宝宝出现钾流失现象，应该给宝宝适量补充钾了。

人体中多余的钾需要通过肾脏进行代谢。婴幼儿时期宝宝的肾脏功能比较弱，应该避免一次性食用过量富含钾的食物，否则会加重肾脏负担。

## 铜

铜是人体必需的微量矿物质，存在于红细胞内，在血红素形成过程中扮演着催化剂的重要角色。在食物烹饪过程中，铜元素不易被破坏掉。

### 生理功能

1 帮助铁质的吸收，促进血红素形成。

2 促使氨基酸之一的酪氨酸被利用，成为毛发和皮肤色素的要素。

### 主要来源

动物内脏、肉、鱼、螺、牡蛎、蛤蜊、豆类、核桃、栗子、花生、葵花子、芝麻、蘑菇、菠菜、香瓜、柿子、杏仁、白菜、红糖等。

### 缺乏表现

铜缺乏症主要见于6个月以上的宝宝，一般表现为缺铜性贫血，症状特征与缺铁性贫血相似，如肤色苍白、头晕、精神委靡，严重时可引起视觉减退、反应迟钝、动作缓慢。部分患儿还会出现食欲不振、腹泻、肝脾肿大等。缺铜性贫血还会影响骨骼的生长发育，发生骨质疏松，甚至出现自发性骨折和佝偻病。

★爱心妈妈喂养经：

据专家研究，超过同年龄平均身高的儿童，其铜的摄入量也高，而低于平均身高的儿童，铜的摄入量相对也低。原来，当体内的铜缺少时，酶在细胞里的活性会降低，蛋白质代谢缓慢，结果阻碍和抑制了骨组织的生长。因此，要想宝宝身高发育正常，家长就要注意调配膳食，增强富含铜的食物摄入。

# 聪明宝宝不可缺少的营养素

## DHA、ARA

DHA、ARA是两种对大脑发育有着重要作用的多元不饱和脂肪酸。

DHA（二十二碳六烯酸）是人体视网膜及大脑的主要构成成分，其中大脑中DHA占磷脂组织的20%，视网膜中DHA含量高达50%。可见，DHA对脑部及视力的发育有着非常重要的作用，是宝宝脑部和视网膜发育不可缺少的营养素。

ARA（花生四烯酸）与DHA一样，存在脑部、皮肤及血液等处，特别与脑部关系密切，能提高学习和认知应答能力，是宝宝体格发育及大脑发育的必需营养素。对于正处于黄金生长期的宝宝来说，在食物中摄取一定的ARA，将有助于其智力和体格的发育。

### 营养来源

鸡蛋、猪肝、肉类、鲑鱼、大比目鱼、大青花鱼、鲈鱼、沙丁鱼、含DHA和ARA的配方奶粉等。

### 缺乏症状

DHA、ARA等重要脂肪酸供应不足的宝宝，容易出现生长发育迟缓，视觉功能障碍和周围神经系统发育异常等症状。

### 注意事项

过量的DHA和ARA会产生不良反应，如导致免疫力低下等。在奶粉中添加DHA和ARA的量是经过长时间的研究才确定的。不同月龄和年龄的宝宝需要的DHA和ARA也不同。因此，在婴幼儿奶粉中添加DHA和ARA有非常严格的限制，卫生部门对此有明确的规定，妈妈应按阶段选择给宝宝食用。

## 牛磺酸

牛磺酸是一种含硫氨基酸，对人体健康非常重要。研究表明，牛磺酸对宝宝大脑发育、神经传导、视觉功能的完善、钙的吸收有良好作用，是一种对宝宝生长发育至关重要的营养素。

与成年人不同，宝宝体内半胱氨酸亚磺酸脱氢酶尚未成熟,体内不能自身合成牛磺酸，必须外源补充才能满足正常生长发育的需要。而牛奶中恰恰牛磺酸的含量极少，而母乳中含量是牛奶中的25倍。可见用缺乏牛磺酸的牛奶喂养宝宝势必对婴儿的生长发育，特别是智力发育造成影响，所以提倡母乳喂养对提高儿童生长发育及智力发育有重要作用。在国外，婴儿配方奶粉中必须添加一定量的牛磺酸，我国目前也已有多种添加牛磺酸的配方奶粉。

### 营养来源

母乳是宝宝体内牛磺酸的主要来源。海鱼、贝类，如墨鱼、章鱼、虾，贝类中的牡蛎、海螺、蛤蜊等，鱼类中的青花鱼、竹荚鱼、沙丁鱼等牛磺酸含量很丰富。在鱼类中，鱼背发黑的部位牛磺酸含量较多，是其他白色部分的5～10倍。日本有用鱼贝类酿制成的“鱼酱油”，富含牛磺酸。除牛肉外，一般肉类中牛磺酸含量很少，仅为鱼贝类的1%～10%。

### 缺乏症状

如果宝宝缺乏牛磺酸，会发生视网膜功能紊乱，生长与智力发育迟缓。

★爱心妈妈喂养经：

经研究发现，牛奶中缺乏牛磺酸，导致牛奶喂养的宝宝发育不如母乳喂养的宝宝，因此，如果没有条件进行母乳喂养，最好选用符合标准的配方奶粉。此外，牛磺酸易溶于水，宝宝进餐时同时饮用鱼贝类煮的汤是很重要的。

## 卵磷脂

卵磷脂是由磷酸、甘油、脂肪酸及胆碱构成，它是两种B族维生素——胆碱和肌醇的优质来源。卵磷脂是形成细胞膜等生物体内黏膜的主要成分，也是脑部、神经及细胞内的情报传导物质。卵磷脂对增加和改善大脑功能有重要作用。人类大脑约有1/5是由卵磷脂组成的。它有清除动脉内沉积物的作用，对治疗小儿注意力不集中、记忆力减退、脑动脉阻塞等有特殊治疗作用。

### 营养来源

❶ 动物肝脏，大豆，花生油等。

❷ 水果类如苹果、柳橙；还有蛋黄、坚果、全麦食品、玉米等。

❸ 核桃仁、榛子仁、南瓜子等也含有较多的卵磷脂。

### 缺乏症状

❶ 导致神经外膜的缺损。

❷ 造成淀粉类物质的堆积。

❸ 可能导致记忆力减退、注意力不集中等症状。

# 10 种益智“明星级”食物

## 鱼类

鱼类中富含的蛋白质，如球蛋白、白蛋白、含磷的核蛋白，不饱和脂肪酸、铁、维生素 $B_{12}$ 等成分，都是幼儿脑部发育所必需的营养。专家认为淡水鱼所含不饱和脂肪酸没有海鱼高，而且今天中国的淡水鱼养殖水域污染较严重，因此建议，孩子食用淡水鱼和海水鱼的比例为1：2。

## 蛋类

无论是鸡蛋、鸭蛋、鸽蛋，都提倡孩子吃全蛋，蛋类不仅是极好的蛋白质来源，而且蛋黄中的卵磷脂经吸收后释放出来的胆碱，能合成乙酰胆碱，乙酰胆碱能显著改善孩子的记忆力。此外，蛋黄中铁、磷的含量较高，也有利于孩子的脑发育。

## 核桃仁

核桃仁含大量脂肪、矿物质和维生素 $B_6$。维生素 $B_6$ 是重要的神经营养物质，婴儿缺乏时，可导致生长缓慢、智力发育迟缓等症状。核桃仁能益血补髓、强肾补脑，是强化记忆力和理解力的佳品。父母可以炖核桃粥给孩子吃，也可以将捣碎的核桃仁与黑芝麻搅拌后，做成馅饼或包子给孩子吃。核桃仁含油脂较多，不易消化，一般 3 ~ 6 岁的幼儿每天吃三四颗大核桃仁就够了。

## 杏仁

大颗的甜杏仁有养心、明目、益智的功能，经常服用可让孩子变聪明。将买来的杏仁去皮后与花生、黄豆同泡，用豆浆机做成杏仁花生豆浆给孩子饮用，利于孩子吸收。

## 大枣

晚上给孩子饮红枣汤或吃一把鲜枣，可摄入大量维生素 C、微量元素，有安神益智的作用，能让半夜容易梦魇的孩子睡得踏实，增强入睡后的“潜在记忆”。

## 桂圆肉

对体弱多病的孩子有养血安神的作用，

长期服用可改善孩子的健忘现象，有强心益智的功效。但桂圆肉多湿热，无论是鲜桂圆还是桂圆干，一周最多吃三次，贪食容易让孩子上火，出现大便干结等问题。

## 蜂蜜

含有多种益智成分，调入温开水服用，可以治疗小儿便秘。早上服用最佳，也可以涂抹在面包片或馒头片上食用。

## 苹果

含有能增强记忆力的苹果醇素。尽量让孩子吃新鲜苹果，而不要吃高温加工过的苹果脆片，以及调入大量稳定剂和口味调节剂的勾兑型苹果汁。现榨苹果汁最好连皮一起榨取，并让孩子在十分钟内饮完，防止苹果醇素氧化。

## 葡萄

紫色葡萄比浅青色的更佳。葡萄是公认最佳的抗氧化剂之一，能补肝肾，益气强记，益智聪明，但孩子每天的食用量最好控制在200克内，以免摄入太多糖类影响对正餐的摄取。

## 黑木耳

能净化血液，轻身强记。对喜欢吃肉、汉堡等高脂食物的小胖墩来说，黑木耳释放出来的碱性物质能够吸附导致脑供血不足的脑动脉粥样斑块，使记忆力和思考力得到显著提升。

# 5种损脑“杀手级”食物

## 腌制食物

包括咸菜、榨菜、咸肉、咸鱼、豆瓣酱以及各种腌制蜜饯类的食物，含有过高盐分，不但会引发高血压、动脉硬化等疾病，而且会损伤脑部动脉血管，造成脑细胞的缺血缺氧，造成孩子记忆力下降，智力迟钝。

## 过鲜食物

含有味精的食物将导致周岁以内的孩子严重缺锌，而锌是大脑发育最关键的微量元素之一，因此即便孩子稍大些，也应该少给他吃加有大量味精的过鲜食物，如各种膨化食品、鱼干、泡面等。

## 煎炸、烟熏食物

鱼、肉中的脂肪在经过200℃以上的热油煎炸或长时间暴晒后，很容易转化为过氧化脂质，而这种物质会导致大脑早衰，直接损害大脑发育。

## 含铅食物

过量的铅进入血液后很难排除，会直接损伤大脑。爆米花、松花蛋、啤酒中含铅较多，传统的铁罐头及玻璃瓶罐头的密封盖中，也含有一定数量的铅，因此这些“罐装食品”父母也要让孩子少吃。

## 含铝食物

油条、油饼，在制作时要加入明矾做为涨发剂，而明矾（三氧化二铝）含铝量高，常吃会造成记忆力下降，反应迟钝，因此父母应该让孩子戒掉以油条、油饼做早餐的习惯。

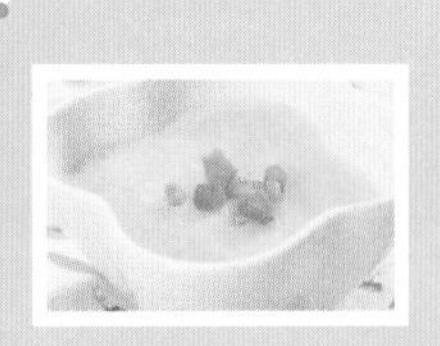

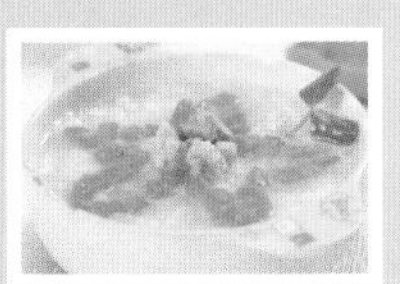

**图书在版编目（CIP）数据**

0～6岁宝宝食谱必备全书 / 艾贝母婴研究中心编著.
-- 北京 : 中国人口出版社, 2015.1
ISBN 978-7-5101-3063-2

Ⅰ. ①0… Ⅱ. ①艾… Ⅲ. ①婴幼儿一食谱 Ⅳ.
①TS972.162

中国版本图书馆CIP数据核字(2014)第289102号


# 0～6岁宝宝食谱必备全书

0～6SUI BAOBAO SHIPU
BIBEI QUANSHU

艾贝母婴研究中心 编著


| | |
|---|---|
| 出版发行 | 中国人口出版社 |
| 印　　刷 | 天津市光明印务有限公司 |
| 开　　本 | 850毫米×1092毫米 1/16 |
| 印　　张 | 18.5 |
| 字　　数 | 260千字 |
| 版　　次 | 2015年1月第1版 |
| 印　　次 | 2018年4月第9次印刷 |
| 书　　号 | ISBN 978-7-5101-3063-2 |
| 定　　价 | 38.80元 |



| | |
|---|---|
| 社　　长 | 张晓林 |
| 网　　址 | www.rkcbs.net |
| 电子信箱 | rkcbs@126.com |
| 总编室电话 | (010)83519392 |
| 发行部电话 | (010)83534662 |
| 传　　真 | (010)83515922 |
| 地　　址 | 北京市西城区广安门南街80号中加大厦 |
| 邮　　编 | 100054 |